EGON HUBER · GARCÍA LORCA

EGON HUBER

GARCÍA LORCA

WELTBILD UND METAPHORISCHE DARSTELLUNG

1967

WILHELM FINK VERLAG MÜNCHEN

© 1967 Wilhelm Fink Verlag, München-Allach
Satz und Druck: Buchdruckerei Rischmöller und Meyn, München
Buchbindearbeiten: Großbuchbinderei E. A. Enders, München

Als Habilitationsschrift auf Empfehlung der Philosophischen Fakultät
der Universität München gedruckt mit Unterstützung der Deutschen Forschungsgemeinschaft

VORBEMERKUNGEN

Das hauptsächliche Anliegen dieser Arbeit ist es, soweit als möglich die von Lorca verwendete Symbolik zu entschlüsseln, um damit das Verständnis seiner Dichtung zu erleichtern[1]. Die Zitate, welche als Belege für die Deutung der Bilder und Symbole gebracht werden, stellen nur eine kleine Auswahl dar. Um einen Begriff von der Häufigkeit gewisser tragender Symbole zu geben, sei erwähnt, daß der Mond über zweihundertmal vorkommt. Da ich in erster Linie das Verstehen einer an vielen Stellen rätselhaften Dichtung anstrebe, ist es in diesem Fall nicht notwendig, die einzelnen Bildarten zu unterscheiden, wie dies bei anderen Untersuchungen durchgeführt werden müßte, und wie ich es auch in Arbeiten getan habe, in denen eine genaue Beachtung der poetischen Termini von Nutzen war[2]. Wir werden insbesondere den Begriff Symbol nicht im engeren, philosophischen Sinn benützen, sondern ihn für alle Bilder verwenden, die einen gewissen hintergründigen Sinn haben. Um die poetische Kraft und Bedeutung dieser Dichtung tiefer zu erfassen, muß man wissen, was Lorca andeutet, wenn er sagt: „Mond", „Sonne", „Meer", „Fluß", „Wind", „Kuh", „Pferd", „Rose", „Nelke", „Gras" und vieles andere.

Die eingehende Deutung der Gedichte Lorcas würde mehrere Bände füllen. Wir versuchen statt dessen, die tragenden Symbole dieser Dichtung zu klären. Hierin liegt die große Schwierigkeit, die zum Verständnis dieses vielfach verrätselten Werkes überwunden werden muß. Hat man eine Deutung der oft dunkel anmutenden Sinnbilder gefunden, so kann man von dieser Basis aus zur Einzelinterpretation der Gedichte und damit zu einem Gesamt-

---

[1] Da es zur Zeit noch keine kritische Ausgabe der Werke Lorcas gibt, wird im folgenden nach den im Verlag Aguilar, Madrid 1957, in der dritten Auflage erschienenen *Obras completas* zitiert, wenn nichts anderes bemerkt ist. Diesbezügliche Seitenzahlen sind in Klammern angegeben. Die Seitenzahlen der ersten Auflage von 1954 liegen meist um zwei niedriger als die hier zitierten. Eine vierte Auflage ist 1960 erschienen. Sie stimmt in der Paginierung mit der von uns meist benützten dritten Auflage im wesentlichen bis S. 1560 überein. Die folgenden Kapitel (*Cartas* ... etc.) sind erweitert worden. Druckfehler finden sich in allen diesen Ausgaben, und vollständig sind sie auch nicht, aber sie sind besser und umfassender als die in Buenos Aires herausgegebenen Werke Lorcas in acht Bänden.

[2] Vgl. etwa Egon Huber, „Paul Valérys Metaphorik und der französische Symbolismus". *Zeitschrift für französische Sprache und Literatur*, Bd. 67, April 1957, Heft 2, S. 168—201; Bd. 68, Mai 1958, Heft 3/4, S. 165—186; Bd. 69, Januar 1959, Heft 1/2, S. 1—21.

verständnis des Werkes gelangen. Es braucht kaum erwähnt zu werden, daß die in der Folge aufgeführten Begriffe zuweilen auch im direkten, realen Sinn gebraucht werden, ohne daß ihnen eine symbolische Bedeutung zukommt, etwa wenn Perlimplín zu Belisa in Form eines Vergleiches sagt (898): „... me das el mismo miedo que de niño tuve al mar.“[3] In manchen Fällen werden diese Begriffe zwar im übertragenen Sinne gebraucht, verharren aber im bloßen Klischee. Um beim Begriff Meer zu bleiben, heißt es z. B. am Schluß von *La casa de Bernarda Alba* (1442): „Nos hundiremos todas en un mar de luto.“[4] Auch der Ausdruck „mar de los juramentos“[5] (378) ist ein bloßer Topos. Solche Topoi berücksichtigen wir nicht. Übrigens sind sie bei Lorca relativ selten.

Um den Zugang für die folgende Symboluntersuchung zu erleichtern, schicken wir einige Andeutungen über die Art von Lorcas Denkform und Weltbild voraus, Andeutungen, die zunächst nur als Hinweise gedacht sind. Ihre genauere Ausarbeitung und Begründung kann erst im Verlauf dieser Arbeit erfolgen[6].

---

[3] (... du flößt mir dieselbe Angst ein, die ich als Kind vor dem Meer empfand.) Aus: *Amor de Don Perlimplín con Belisa en su jardín.*

[4] (Wir werden alle in ein Meer von Trauer tauchen.)

[5] (Meer der Schwüre.) Aus: *Muerto de amor.*

[6] Einige Verse oder Versgruppen werden dann öfter als einmal zitiert, wenn sie mehrere Symbole bzw. Metaphern enthalten, die in den entsprechenden Kapiteln zur Klärung herangezogen werden. Bloße Rückverweise würden den Lesefluß beeinträchtigen.

KAPITEL I

EINFÜHRUNG IN DIE WELT LORCAS

Sein Verhältnis zu Spanien und zu Nordamerika. Seine Stellung zur Religion.
Seine Auffassung von der Frau und der Liebe.

Federico García Lorca ist im besten Sinne des Wortes ein Sohn seiner Heimat, ein echter Spanier andalusischer Prägung, der tief in der Tradition seines Landes verwurzelt ist und der auch viele folkloristische Elemente in seine Dichtung hereinnahm und zu neuem Leben erweckte. Der Reichtum seines Werkes beruht in der glücklichen Verbindung der regionalistischen Volkspoesie mit der großen literarischen, besonders an Góngora geschulten Tradition seines Landes. Etwas von Lorcas eigener Wesensart spiegelt sich wider in der Beschreibung, die er von seiner Heimat gibt: „Wir müssen immer wieder uns vor Augen halten, daß die Schönheit Spaniens nicht heiter, sanft, gelassen ist, sondern heftig, von Gluten verbrannt, ohne Maß und bisweilen grenzenlos..."[1] Spanien ist für ihn ein vom „Dämon" bewegtes Land, „und es ist das Land des Todes, das Land, das dem Tod geöffnet ist... Der Scherz über den Tod und die schweigende Vertiefung in ihn sind dem Spanier vertraut... [Es ist] ein Land, wo das Allerbedeutendste immer einen letzten metallischen Gehalt von Tod hat."[2]

Damit erhebt sich das Problem des Todes, das in Lorcas Dichtung oft im Zusammenhang mit der Liebe auftritt und eine wesentliche Rolle spielt. Meist erscheint der Tod in bildhafter, zuweilen symbolischer Gestalt, als Messer, Kalk, Mond, Gras und anderes[3]. Lorca sieht den Tod in engem Zusammenhang mit jenem inneren Dämon, der nach seiner Überzeugung einst Quevedo, Goya und andere beherrschte und der auch ihn immer aufs neue verwundet und vorantreibt. Er sagt: „Der Dämon aber kommt nur, wenn er eine Möglichkeit des Todes sieht, nur wenn er genau weiß, daß er durch sein Haus streichen und das Trauergezweig schütteln kann, das wir alle in uns tragen

---

[1] Zitiert nach der Übersetzung von E. Beck, *Federico García Lorca. Das dichterische Bild bei Don Luis de Góngora. Die Kinder-Schlummerlieder. Theorie und Spiel des Dämons*, Düsseldorf-Köln 1954, S. 39.

[2] Ebd. S. 64f.

[3] Dies ist nicht nur aus der Dichtung erschließbar, sondern wird auch explizit ausgesprochen. Ebd. S. 65 (bzw. Aguilar[3], S. 43 oben).

und dem kein Trost beschieden ist noch je beschieden wird."[4] In dieser Todesauffassung wird bereits offenbar, was sich auch sonst immer wieder zeigt: Lorcas Religiosität trägt neben christlichen auch heidnische Züge. Zum Stierkampf sagt er: „In Spanien ... hat der Dämon eine unbegrenzte Herrschaft ... über die ganze Liturgie des Stierkampfes, dieses authentischen, religiösen Dramas, darin wie in der Messe ein Gott verehrt und geopfert wird ... Spanien ist das einzige Land, wo der Tod ein nationales Schauspiel ist ... und Spaniens Kunst wird immer gelenkt von einem schneidenden Dämon, dem sie ihre Verschiedenheit und erfinderische Eigenschaft verdankt."[5]

Im Zusammenhang mit dem Todesproblem darf die berühmte Klage (*Llanto ...*) um den großen Stierkämpfer Ignácio Sanchez Mejías, der in der Arena so schwer verwundet wurde, daß er bald darauf starb, nicht unerwähnt bleiben. Von ihm heißt es: Pero ya duerme sin fin[6].

Der Tod ist für Lorca ein endloser Schlaf, während der Leib zerfällt und das Blut singend „vacilando sin alma por la niebla"[7]. Besonders im Schlußteil dieser Klage kommt eine pessimistische, skeptische und von tiefer Trostlosigkeit erfüllte Todesauffassung zum Ausdruck. Wer starb, ist tot für immer und wird vergessen:

> como todos los muertos que se olvidan
> en un montón de perros apagados.[8]

Gewöhnlich gab sich jedoch Lorca nicht mit metaphysischen Spekulationen ab. Auch wäre es ein Irrtum, wollte man aus der auffallend großen Häufigkeit, mit welcher der Todesbegriff in dieser Dichtung erscheint, schließen, daß der Dichter von dem Gedanken an den Tod beherrscht und verfolgt worden sei. Eine so angewandte Statistik wäre absurd, schon darum, weil Lorca oft gar nicht die Verstorbenen meint, wenn er von „los muertos" spricht, sondern damit manchmal Menschen bezeichnet, die für das Reich der Sinne und irdischen Leidenschaften tot sind, manchmal auch jene, die nur ihren Geschäften nachjagen und tot sind für die Welt des Geistes. Letztere, zu denen er besonders die Nordamerikaner rechnete, pflegte er in seiner prägnanten Weise „muertos que comen" zu nennen, (Tote, die essen)[9], oder auch „meriendan muerte los borrachos."[10] Im Grunde war Lorca dem Leben zugewandt und wurde nicht von Todesahnungen heimgesucht. Selbst wenige Wochen vor seinem Ende, als der Bürgerkrieg ausgebrochen war, glaubte er nicht, daß er sterben würde. Er meinte, Dichter töte man nicht. Er wandte sich jenen

---

[4] Ebd. S. 67.
[5] Ebd. S. 68f.
[6] Aguilar[3], S. 469: (Jedoch er schläft schon ohne Ende.)
[7] Aguilar[3], S. 469: (ohne Seele durch den Nebel taumelt)
[8] Aguilar[3], S. 472: (Wie alle Toten vergessen werden
       in einem Haufen ausgelöschter Hunde.)
[9] Ebd. S. 437.
[10] Ebd. S. 402 und 432: (Trunkenbolde, die den Tod vespern.)

Dingen zu, die der Mensch erkennen und gestalten kann, dem Unerforschlichen gegenüber verhielt er sich meist in einer Haltung, die dem Agnostizismus nahe stand. Gegen Ende seines Lebens sagte er 1936 zu einem Bekannten: „Como no me he preocupado de nacer, no me preocupo de morir. Escucho a la naturaleza y al hombre con asombro, y copio lo que me enseñan sin pedantería y sin dar a las cosas un sentido que no sé si lo tienen. Ni el poeta ni nadie tienen la clave y el secreto del mundo. Quiero ser bueno. Sé que la poesía eleva y, siendo bueno, con el asno y con el filósofo creo firmemente que si hay un más allá tendré la agradable sorpresa de encontrarme en él. Pero el dolor del hombre y la injusticia constante que mana del mundo, y mi propio cuerpo y mi propio pensamiento, me evitan trasladar mi casa a las estrellas.“[11] Dies sind Worte eines Realisten, der sich nicht nur in Träumen und mystischen Vorstellungen verliert, sondern bei aller Kühnheit des Dichtens der Erde, insbesondere seiner Heimaterde, eng verbunden bleibt.

Für Nordamerika hatte er wenig Sympathie. Auch andere Dichter, wie etwa Claudel, Giraudoux und der Russe Majakowskij, fühlten sich in den United States of America nicht wohl. Teils haben sie über dieses Land gespottet, teils sich darüber entrüstet. Es ist klar, daß Lorca, der von sich sagte: „Yo soy español integral, y me sería imposible vivir fuera de mis límites geográficos“[12], sich in Nordamerika nicht gerade zu Hause fühlte. Seine starke Abneigung gegen dieses Land erklärt sich jedoch nicht aus nationaler oder gar nationalistischer Voreingenommenheit. „Yo soy hermano de todos“, sagte er, „y execro al hombre que se sacrifica por una idea nacionalista abstracta por el solo hecho de que ama a su patria con una venda en los ojos. El chino bueno está más cerca de mí que el español malo. Canto a España y la siento hasta la medula; pero antes que esto soy hombre del mundo y hermano de todos. Desde luego no creo en la frontera política.“[13] Etwas ganz anderes machte ihm die Nordamerikaner unerträglich: ihre geistlose Jagd

---

[11] S. 1637:
(Wie ich mir keine Sorgen um meine Geburt gemacht habe, so sorge ich mich auch nicht wegen meines Sterbens. Ich lausche mit Staunen der Natur und dem Menschen, und ich zeichne nach, was sie mich lehren, ohne Pedanterie und ohne den Dingen einen Sinn zu verleihen, von dem ich nicht weiß, ob sie ihn haben. Weder der Dichter noch irgend jemand besitzt den Schlüssel und das Geheimnis der Welt. Ich wünsche, gut zu sein. Ich weiß, daß die Dichtung erhebt, und als guter Mensch bin ich mit dem Esel und dem Philosophen fest überzeugt, daß, falls ein Jenseits existiert, ich die angenehme Überraschung haben werde, mich darin zu finden. Jedoch der Schmerz des Menschen und die ständige Ungerechtigkeit, die aus der Welt kommen, und mein eigener Leib und mein eigenes Denken verbieten es mir, mein Haus in die Sterne zu verlegen.)

[12] S. 1639:
(Ich bin ein integraler Spanier, und es wäre mir unmöglich, außerhalb meiner geographischen Grenzen zu leben.)

[13] S. 1639:
(Ich bin der Bruder von allen, und ich verabscheue den Mann, der sich für eine nationalistische, abstrakte Idee opfert, nur weil er sein Vaterland mit einer

nach dem Dollar, nach äußerem Erfolg, ihr mechanisiertes, durch Hast und Technik zerstörtes Leben. Lorca fühlte sich unter dem amerikanischen Himmel einsam, ja geradezu ermordet: „Asesinado por el cielo", lautet der erste Vers seiner New Yorker Dichtung *Poeta en Nueva York*[14]. Er ist tief unglücklich und fürchtet, daß ihn seine dichterische Schöpferkraft verlassen habe. Nicht ganz unähnlich, wie einst Dante, freilich aus anderen Gründen, sich in herben Worten über das heruntergekommene Florenz erging, so ruft Lorca: ¡oh salvaje Norteamérica!, ¡oh impúdica!, ¡oh salvaje, ...[15] Der Rächer, den er den großen Vermummten nennt, „el mascarón", eine mythische Gestalt, wird über dieses New York hereinbrechen und Gift speien in diese Stadt, in der alles unecht und mit Fehlern behaftet ist[16]. New York ist unrein. Selbst die Morgenröte ruht, wie es in seinem Gedicht *La aurora* heißt, auf „cuatro columnas de cieno", die Tauben sind dort schwarz, die Wasser faulig, die Leute gehen „al cieno de números y leyes", „a los juegos sin arte, a sudores sin fruto."[17] Trügerisch und verdorben erscheint Lorca die Stadt, ihre Bewohner sind für ihn Insekten, und selbst der Mond darüber ist nicht mehr der alte Mond. Formen und Gestalten sind Lüge, und es lügen selbst die Lüfte: „Son mentira los aires."[18] Die New Yorker sind für ihn im Todeskampf befindliche Wesen, „agonizantes"[19]. In maßlosem Zorn ruft er: „Os escupo en la cara."[20]

Es ist klar, daß dies alles andere als eine gerechte und sachliche Darstellung Amerikas ist. Sie zeigt vielmehr, und aus diesem Grunde habe ich die Zitate gebracht, wie höchst subjektiv Lorca in seinem Urteil zuweilen ist, wie seine Empfindungen eine derart vulkanische Heftigkeit erreichen können, daß selbst seine starke Verstandeskraft völlig überflutet wird. Übrigens sind derartige Ausbrüche bei Dichtern nicht ganz selten. Um bei den Zeitgenossen zu bleiben, genügt es, sich daran zu erinnern, mit welcher Verbissenheit der Italiener Gabriele D'Annunzio die Engländer beschimpfte. In Nordamerika sieht Lorca nur in den Negern etwas Zukunftsträchtiges. Ihnen widmete er die große *Oda al rey de Harlem*[21] seines *Poeta en Nueva York,* auch am Schluß dieser Sammlung kommt er nochmals auf sie zurück. Jahre danach, 1933, sagt er: „Yo quería hacer el poema de la raza negra en Norteamérica y

---

Binde vor den Augen liebt. Ein guter Chinese steht mir näher als ein übler Spanier. Ich besinge Spanien, und ich fühle es bis ins Mark; jedoch vor diesem bin ich ein Mensch der Welt und der Bruder von allen. Selbstverständlich glaube ich nicht an politische Grenzen.)

[14] S. 399.
[15] S. 414: (o ungesittetes Nordamerika! o schamloses! o ungesittetes)
[16] S. 415.
[17] S. 425: (vier Säulen von Schlamm), (zum Schlamm der Zahlen und Gesetze), (zu den kunstlosen Spielen, zum fruchtlosen Schweiß.)
[18] S. 440—442.
[19] S. 440—443.
[20] S. 444 (Ich spucke euch ins Gesicht.)
[21] S. 406ff.: *Ode an den König von Harlem.*

subrayar el dolor que tienen los negros de ser negros en un mundo contrario."[22]

Nur wenige Amerikaner verehrte Lorca, so besonders Walt Whitman. An ihn richtete er eine von echter Begeisterung getragene Ode, die ebenfalls in der Sammlung *Poeta en Nueva York* Aufnahme gefunden hat[23]. Die ursprüngliche Kraft von Whitmans Dichtung, die Sprengung der herkömmlichen Formen durch seine freien Rhythmen, das von einer alles, auch das homoerotische Gebiet umfassenden Liebeskraft erfüllte Menschentum dieses Mannes dürften Lorca mit Bewunderung erfüllt und zu einer Ode bewegt haben. Doch dies ist eine Ausnahme. Im wesentlichen sind die Nordamerikaner für Lorca, wie er selbst sagte, ein Volk „sin raíces", ein Volk — und nun kommt eine Behauptung, die, ob richtig oder falsch, erschreckt — ein Volk, „que nunca ha luchado ni luchará por el cielo."[24]

Wie denkt nun Lorca über den Himmel, ich meine über religiöse Fragen, und wie verhält er sich zum Christentum? In der religiösen Haltung, ebenso wie in der Meinung über das Liebesproblem, in der Bedeutung des Sonnensymbols und in einigen anderen Dingen zeigt sich bei Lorca eine Wandlung im wesentlichen nur innerhalb seiner frühen Jugend. Bereits in den zwanziger Jahren kommt diese Wandlung im allgemeinen zum Abschluß, wenn man das Amerika-Erlebnis vom Jahre 1929/30 ausnimmt, das heftig genug war, um Lorca für einige Zeit aus seiner Bahn zu drängen, und das ihn inhaltlich wie formal — z. B. durch die weitgehende Verwendung freier Rhythmen — zu neuen Wegen und Experimenten führte.

Besonders deutlich offenbart sich das Suchen und Tasten des jungen Lorca in seiner Stellung zu religiösen Fragen. Schon der Wortgebrauch zeigt, daß Begriffe wie „Cristo", „Dios", „Maria", „infinito" und dergleichen in der Dichtung der Jahre zwischen 1917/1920 viel häufiger vorkommen als später, wo sie nur noch selten oder in Umschreibungen erscheinen[25]. Auch der Begriff der Schuld (culpa) findet sich fast nur in der Jugenddichtung und selbst hier nur selten (z. B. S. 126). Einen Marienkult hat Lorca nie getrieben. In seinem Werk mit Achtung behandelt, tritt Maria von Nazareth, wie er sie nennt, an Bedeutung weit zurück hinter der Gestalt von Christus[26]. Schon frühe Gedichte zeigen, wie Lorca die christlichen Glaubenselemente nicht einfach als

---

[22] S. 1616: (Ich würde gern das Gedicht der schwarzen Rasse in Nordamerika schreiben und den Schmerz hervorheben, den die Neger darüber empfinden, daß sie Neger sind in einer ihnen feindlichen Welt.)

[23] S. 450 ff.

[24] S. 1612: (das nie für den Himmel gekämpft hat, noch jemals für ihn kämpfen wird.)

[25] Vgl. etwa *El canto de la miel*, 1918, S. 127.
Canción otoñal, 1918, S. 109. ¡*Cigarra!* 1918, S. 116.
Canción oriental, 1920, S. 185.

[26] Beispielsweise in *La oración de las rosas* (S. 510ff.) wird sie schlicht Maria von Nazareth genannt. Geläufige Kennzeichnungen wie „die Jungfrau", „die Unbefleckte", „die Mutter Gottes" werden tunlichst vermieden.

Gegebenheiten hinnimmt, sondern die Frage nach der Wahrheit in Hinsicht auf die Verkündigung Christi stellt. Bereits im November 1918 fragt er sich in dem Herbstgedicht *Canción otoñal*[27], ob es vielleicht das Gute gar nicht gibt und ob wir nach dem Tode Frieden finden werden. Schließlich schreckt er nicht vor dem äußersten Schritt zurück und wendet sich in prometheischer Auflehnung gegen Gott. Der Titel *Prólogo*[28], den er diesem Gedicht aus dem Jahre 1920 gibt, zeigt, daß es sich hier um eine programmatische Dichtung und nicht nur um eine momentane Stimmung handelt. In seiner Auflehnung gegen „la tiranía / de ese Jehová" verhöhnt Lorca den biblischen Gott und nennt ihn den „viejo enorme / de los seis días". Übrigens wird am Ende dieses Gedichts auch der Leser verspottet mit den in Klammern angehängten Versen:

> Ya habreis notado
> que soy nihilista.[29]

Gewiß, Lorca stand einer skeptischen, pessimistischen Weltauffassung nahe und hat aus seiner Ablehnung des Optimismus keinen Hehl gemacht. „El optimismo es propio de las almas que tienen una sola dimensión"[30], sagt er, aber ein Nihilist war er nicht im vollen Sinne des Wortes. Ein Skeptiker und Agnostiker jedoch dürfte Lorca im Grunde seines Wesens geblieben sein, trotz einzelner, echter Glaubensaufschwünge und trotz seiner zweifellos von tiefer Ergriffenheit getragenen *Oda al Santísimo Sacramento del Altar*[31], die er allerdings 1928 als Fragment liegen ließ, ohne sie später noch weiterzuführen.

Anfangs der zwanziger Jahre vollzieht sich eine weitere religiöse Wandlung. Seine Angriffe richten sich weniger gegen das Christentum selbst als gegen gewisse unzulängliche oder heuchlerische Vertreter desselben und schließlich gegen die Institution der Kirche überhaupt. Lorcas Ingrimm wendet sich sogar gegen den Papst. In seiner Ode *Grito hacia Roma*[32] tritt dies in starken Ausdrücken überdeutlich zutage[33]. Wie die meisten Spanier dürfte Lorca nicht einmal annäherungsweise gewußt haben, was der Protestantismus will und bedeutet. Er hat ihn kurzerhand abgetan und am Schluß seines New Yorker Gedichtes *Nacimiento de Cristo* charakterisiert er folgender-

---

[27] S. 109 f.
[28] Prolog, S. 168 ff.
[29] *Canción para la luna*, 1920, S. 143 ff: (die Tyrannei / dieses Jehova), (enormen Alten / der sechs Tage).
(Schon werdet ihr bemerkt haben, / daß ich ein Nihilist bin.)
[30] S. 1638: (Der Optimismus eignet jenen Seelen, die nur eine einzige Dimension haben.)
[31] S. 554 ff: *Ode an das Allerheiligste Altarsakrament*.
[32] S. 448 ff: *(Schrei gegen Rom)*
[33] Der Papst ist beschrieben als ein Mann, der „se orina en una deslumbrante paloma" (448), wobei mit „paloma" (Taube) der Heilige Geist bzw. der dreieinige Gott selbst gemeint ist.

maßen die evangelischen Geistlichen, die er in Nordamerika öfters sehen konnte:

> Sacerdotes idiotas ...
> van detrás de Lutero ...[34]

Es erhebt sich nun die Frage, ob sich Lorca mit dem christlichen Glauben völlig einig wußte, oder worin er sich davon unterschied. Er verehrte in Christus den Menschen, der die Schmerzen der ganzen Welt auf sich nahm und sich selbst opferte. Die gewaltige Bedeutung des durchlebten Schmerzes für die Tiefe des Menschentums und auch als Quelle großer Dichtung war Lorca stets bewußt, und aus dieser absoluten Bejahung des Schmerzes erklärt sich sein tiefes Verständnis und seine Verehrung für den Erlöser. Doch der Dichter, im Gegensatz zum Heiligen, schafft sein Werk aus der Mitte irdischer Gegebenheiten und aus elementarer Sinnenhaftigkeit, wenn er nicht Gefahr laufen will, in Abstraktionen und in die zwar geistige, aber dünne Luft des Unanschaulichen oder Künstlichen zu geraten. Er muß vielmehr, nach Lorcas fester Überzeugung, alle Regungen der Sinne und des sinnlichen Begehrens lebendig erhalten und bejahen, auch wenn er zur Erhaltung der schöpferischen Kraft deren Verwirklichung verneint. Potentiell muß die Sinnenhaftigkeit in ungebrochener Gewalt wirksam bleiben. Dies sind Grundüberzeugungen Lorcas, welche er sich freilich hütete, in so leicht verständlichen Formulierungen auszusprechen, die man aber in vielen seiner Dichtungen entdecken kann. Hier ist der Trennungspunkt vom Christentum. Solche Gedankenbegierden, die für den Christen Sünde sind, brauchen für Lorca noch nicht verwerflich zu sein. Er, der katholisch erzogen wurde, aber in späteren Jahren kein praktizierender Katholik war, ohne jedoch aus der Kirche auszutreten, scheidet sich hier bewußt und mit aller Entschiedenheit von der Lehre Christi. Dazu kommen noch gewisse heidnische Züge, auf die ich, wenigstens andeutungsweise, bereits hinwies (S. 4 f.).

Eine Wandlung in der Zeit um 1920 findet auch in Lorcas Einstellung zur Liebe und zur Frau statt. Auf dieses für seine Dichtung zentrale Liebesproblem müssen wir ebenfalls etwas eingehen. Da des öfteren vom Begriff der Wandlung die Rede war, soll jedoch an die eindrucksvolle Tatsache erinnert werden, daß Lorcas Weltbild und dichterische Symbolik sich in jungen Jahren verfestigt hat und, einmal geprägt, bis zum Ende im wesentlichen sich gleich blieb.

Lorca beginnt wie die meisten damit, sich in einem vagen, noch auf keine bestimmte Person gerichteten Verlangen nach einem liebenden Herzen zu sehnen und hält die Erfüllung dieser Hoffnung noch für möglich, obwohl bereits in dieser Frühzeit Zweifel und Trauer mitschwingen[35]. Sehr im Gegen-

---

[34] S. 424: (Geburt Christi:
Idiotische Geistliche ...
gehen hinter Luther her ...)
[35] Vgl. etwa: Balada triste, 1918, S. 118 ff.
¡Cigarra!, S. 116 ff. Si mis manos pudieran deshojar, S. 126 f.

satz zu später erfaßt ihn sogar noch 1920 die Hoffnung, daß er ganz in der Liebe zu einer Frau aufgehen könne, und in *Deseo* wünscht er sich:

> Sólo tu corazón caliente.
> Y nada más.[36]

Um diese Zeit aber beginnt das Zurückweichen Lorcas vor der Verwirklichung der Liebe, zunächst weil er fürchtet, sein Herz und damit sich selbst zu verlieren[37]. Der innere Umschwung läßt sich jedoch zeitlich nicht genau fixieren, da zuweilen die eine, dann wieder die andere Strömung hervortritt. So findet sich schon 1918 in *Canción menor* in etwas sentimentalen Versen der Entschluß zum Verzicht:

> Daré todo a los demás
> y lloraré mi pasión.[38]

Lorcas Streben geht mehr und mehr darauf aus, sich von der Verstrickung in Liebeserlebnisse zu befreien, auch von der Hoffnung darauf, denn all dies führt nach seiner Überzeugung immer wieder zur Enttäuschung und zum Tod der Liebe. Wie wir noch zeigen werden, ist der Mond eines der Symbole Lorcas für die Liebe und den in sie verschlungenen Tod, während die Lilie bei ihm oft als die Blume der Hoffnung[39] erscheint. Mit diesem Hinweis erklären sich im Sinne des Verzichts die zunächst dunkel anmutenden Verse von *Cantos nuevos* aus dem Jahre 1920, wo Lorca sagt, er habe:

> sed de cantares nuevos
> sin lunas y sin lirios,
> y sin amores muertos.[40]

In dem Gedicht *Los ojos (Die Augen)*, das zwischen 1921 und 1922 datiert wird, warnt er Männer und Frauen vor der Liebe: man möge seine Augen hüten, denn der Tod komme über die dunklen Felder, welche der Blick erschließt:

> ¡Muchacho sin amor,
> Dios te libre de la yedra roja!
> ¡Guárdate del viajero,
> Elenita que bordas
> corbatas![41]

---

[36] S. 194 f: Nur dein warmes Herz / und nichts weiter.)

[37] *Balada interior*, 1920, S. 172 f.

[38] S. 112 f:
(Ich werde alles den anderen geben / und meine Leidenschaft beweinen)

[39] S. 1314.

[40] S. 139 f: (brennendes Verlangen nach neuen Gesängen / ohne Monde und ohne Lilien / und ohne tote Liebe.)

[41] S. 522. Datierung S. 1792. In der dritten Zeile des Gedichts ist „dos" statt „de" einzusetzen. So steht es auch in der 1. Auflage von 1954.
(Junger Mann noch ohne Liebe,
Gott befreie Dich vom roten Efeu!
Hüte dich vor dem Vorübergehenden,
kleine Helene, die du
Krawatten bestickst!)

Der Efeu ist ein altes bacchisch-dionysisches Symbol, und das Adjektiv „rot" unterstreicht diese Bedeutung. Oft finden sich bei Lorca die Dinge im symbolischen statt im realistischen Sinn verwendet, wie hier der immergrüne Efeu im bewußten Gegensatz zur Wirklichkeit „rot" genannt wird. Solche Stellen zeigen, daß Lorca nicht nur realistische, sondern auch symbolistische Züge in seiner Dichtung besitzt und daß es nur die halbe Wahrheit wäre, wollte man ihn einen Realisten nennen. Ebenso einseitig wäre es natürlich, wenn man ihn rundweg zum Symbolismus zählen würde. Große Männer wie er lassen sich nicht einmal annähernd mit derartigen Schemata erfassen.

Biographisch ist über die Beziehung Lorcas zu Frauen relativ wenig bekannt. Belegt durch einen Briefwechsel ist seine freundschaftliche Beziehung zu Ana María Dalí, der Schwester eines Studienkameraden, des katalanischen Malers und Schriftstellers Salvador Dalí, der besonders durch seine surrealistischen, mit virtuoser Technik gemalten Bilder bekannt wurde, sich jedoch bald mit Lorca überwarf und während des spanischen Bürgerkriegs nach Amerika auswanderte. Von einer dauerhaften, tieferen Beziehung zu Ana María Dalí kann nicht die Rede sein[42].

Bis zu einem gewissen Grad scheint die arabische Auffassung von der Frau, die dem weiblichen Wesen Seele und Geist im eigentlichen Sinne nicht voll zuerkennen will, auch in Lorca wirksam gewesen zu sein. Selbst die große Schauspielerin Margarita Xirgu, mit der er gut bekannt war und die seine Tragödie *Yerma* zum Triumph führte, wird zwar als außerordentliche Frau geschildert: „su excepcional temperamento" und ein „raro instinto para apreciar e interpretar la belleza dramática"[43], aber von Geist oder geistvoller Art erwähnt er nichts[44]. Diese für unsere europäischen Begriffe negative Einschätzung der Frau als eines mehr erdgebundenen Wesens, das die tiefere, geistige Seite des Mannes kaum zu verstehen vermag, macht sich besonders in den reiferen Jahren Lorcas deutlich bemerkbar, wie etwa seine *Casida de la mujer tendida*[45] zeigt, ein Gedicht, das aus seiner letzten Lebenszeit stammen dürfte. Aber auch schon 1928 spricht er den Frauen in seiner Ode an das Sakrament ein echtes Gotteserleben ab. Der Gottesdienst ist für sie eine trockene, unfruchtbare „arena sin norte"[46]. Sie vermögen nicht die Gegen-

---

[42] Die Briefe an Ana María Dalí sind in einem netten, kameradschaftlichen Ton geschrieben. Ihr widmete Lorca auch das Gedicht *Árbol de canción* (S. 319), worin sich seine Fähigkeit zu liebenswürdiger Ironie nicht verbirgt. Ana María, die heute noch in Nordamerika lebt, hat übrigens ein Buch über ihren Bruder Salvador Dalí publiziert.

[43] S. 1628. (ihr ungewöhnliches Temperament), (seltener Instinkt befähigen sie, die dramatische Schönheit zu schätzen und zu interpretieren).

[44] Es gibt den Ausnahmefall, daß Lorca eine Frau (María Luisa Egea) „bellísima, espléndida y genial" nennt (S. 1480), aber man muß bedenken, daß er dies in jungen Jahren schrieb (1918 publiziert) und daß jeder Mann dazu neigt, sich in der Widmung an eine Frau von seiner galanten Seite zu zeigen.

[45] S. 498 f: (*Die Kasside von der liegenden Frau*)

[46] S. 555: (Sandlandschaft ohne Leitstern).

wart Gottes im Sakrament zu erschauen. Im Jahre 1930, während seines Aufenthaltes in New York, wird er noch schärfer und meint, zur Frau gehen heiße „equivocar el camino"[47] und in eine tote Landschaft des „nieve" und der Erstarrung gelangen.

So intensiv ein großer Teil dieser Dichtung immer wieder um das Problem der Liebe kreist, die Frau als reale Erscheinung hat daran nur einen relativ geringen Anteil. Im ganzen gesehen dürfte Lorcas Freundschaft und Liebe zu ihm gleichgesinnten Männern stärker gewesen sein. Auch die Statistik, die zwar nicht immer so beweiskräftig ist, wie sie aussieht, scheint dies zu bestätigen. Greift man nämlich alle jene Gedichte Lorcas heraus, die einer bestimmten Person gewidmet sind, so findet man, daß nur 28 Prozent davon an weibliche Wesen gerichtet sind, während sich die übrigen 72 Prozent an Männer wenden.

Meiner These vom Zurückweichen Lorcas vor der Realität, insbesondere vor der Verwirklichung der Liebe, scheint ein Gedicht zu widersprechen, das ich erwähnen muß, weil es eines der allerbekanntesten ist und sich der größten allgemeinen Beliebtheit erfreut. Ich meine die meisterliche, wie in einem einzigen heißen Atemzug vorgetragene Romanze von der ungetreuen Frau, *La casada infiel*[48]. Sie ist mit schwungvoller Virtuosität abgefaßt und wird in der erotischen Lyrik der Weltliteratur immer ihren Rang behaupten, aber symptomatisch für das Verhalten Lorcas gegenüber den Frauen ist sie nicht. Vielmehr steht diese Romanze im Gesamtwerk ihres Dichters vereinzelt da, und es wäre ein Unding, wollte man hieraus biographische Rückschlüsse ziehen[49]. Es dürfte klar geworden sein, daß Lorca bei seiner geschilderten Einstellung keine große Aussicht hatte, eine beglückende Liebeserfahrung zu erleben. In der Tat schildert er nicht nur in seiner Lyrik, sondern auch in seinen Dramen fast stets eine unglückliche Liebe, „un amor desgraciado".

Die unerreichbare Liebe und das Fehlen der Gegenliebe ist schon das Thema einer märchenhaften Jugendkomödie von 1919: *El maleficio de la mariposa*[50]. Eine unerfüllte, unglückliche Liebe steht auch im Mittelpunkt des patriotischen Dramas von *Mariana Pineda*. Während hier die Tragödie mit voller Heftigkeit zum Ausbruch kommt, erscheint derselbe Vorgang einer von ihrem Geliebten verlassenen Frau in *Doña Rosita la soltera*[51] mit dem Unterschied, daß sich hier das tragische Ereignis ohne Blutvergießen, ohne Violenz, als ein stiller Weg des Verzichts und des langsamen Verblühens vollzieht. Die Volkskomödie *La zapatera prodigiosa*[52], von Lorca eine „farsa violenta" genannt, geht ausnahmsweise gut aus. Zuvor wird jedoch dem

---

[47] S. 459: (den Weg verfehlen).
[48] S. 362 ff.
[49] Auch seine Romanze über Amnon, der bekanntlich seine Schwester Thamar vergewaltigte, ist ein Meisterstück erotischer Lyrik. S. 392 ff.
[50] S. 579 ff: *(Der Zauber des Schmetterlings)*
[51] S. 1261 ff: *(Doña Rosita bleibt ledig)*
[52] S. 821 ff: *(Die wundersame Schusterfrau)*

Schuster von seiner jungen, zänkischen Frau so hart zugesetzt, daß er sie für lange Zeit verläßt. Erst in der Abwesenheit lernt sie ihren Mann schätzen und lieben. Es ist dies der Ausdruck jener Fernliebe, die bei Lorca wiederholt auftaucht und die er einmal so formuliert hat:

> ¡Qué lejos estoy contigo
> qué cerca cuando te vas![53]

Margret Dietrich meint in ihrem Buch über *Das moderne Drama* (Stuttgart 1961, S. 372), *Die wundersame Schusterfrau* sei das „einzige gut ausgehende Werk von García Lorca". Offenbar wurde die marionettenhafte Farce *Los títeres de Cachiporra*[54] übersehen. Dieses Knüttel-Marionettenstück existiert zur Zeit noch nicht in deutscher Übersetzung. Es geht nach allerlei böse aussehenden Verwicklungen ebenfalls gut aus: der verhaßte Ehemann „ha estallado" (ist zerplatzt, 689), wie es in dem Stück heißt, und die junge Frau kann endlich ihren geliebten Verehrer bekommen — eine Ausnahme bei Lorca.

Das bedeutsame Stück *Así que pasen cinco años*[55] handelt in besonders tiefer Weise von der Nicht-Erfüllung der Liebe. Es bringt Lorcas Grundüberzeugung zum Ausdruck, daß die vollkommene Liebe, nämlich eine echte Verbindung von irdisch verwirklichter Liebe mit jener anderen, die im Reiche der dichterischen Phantasie ihre freien Kreise zieht, dem Menschen nicht gegeben ist. Man mag dies einen romantischen Zug Lorcas nennen, wenn man sich darüber klar bleibt, daß derselbe Mann auch ein großer Realist war, wie besonders *La casa de Bernarda Alba*[56], seine letzte große Tragödie, zeigt, die von einer tyrannischen Mutter und der unglücklichen Liebe ihrer Töchter handelt. Auch die übrigen Dramen zeigen immer wieder jene unaufhebbare Diskrepanz zwischen der irdischen Verwirklichung der Liebe und jener Liebe, die keine irdische Erfüllung kennt. Das mit leichter Hand gewobene, zauberhafte Bühnenspiel *Amor de Don Perlimplín con Belisa en su jardín*[57] lebt aus einer reizvollen Mischung lyrischer und grotesker Elemente, ist von einer musikalischen Konzeption durchdrungen, handelt vom Wachsen in der Liebe durch Opfer und Schmerz, von der Befreiung aus der Ich-Bezogenheit, von der beglückenden Erfahrung des Du in einer personalen Verbundenheit, aber zu einer Erfüllung kommt es auch hier nicht, da es Belisa an der geistigseelischen Liebe fehlt. Es ist der Triumph der Phantasie und des Opfers auf einem Weg, der über den Schmerz zum Tode führt. Eine Liebe ohne Erfüllung bildet auch das Thema der meisterhaften, lyrischen Tragödie *Bodas*

---

[53] *Gacela del mercado matutino*, S. 495:
(Wie bin ich dir fern, wenn du bei mir bist,
wie nahe, wenn du gehst!)
[54] S. 633 ff.
[55] S. 955 ff: *(Sobald fünf Jahre vergehen)*
[56] S. 1349 ff: *(Bernarda Albas Haus)*
[57] S. 889 ff: *(In seinem Garten liebt Don Perlimplín Belisa)*
Vgl. Lorcas Worte darüber S. 1620 f.

de sangre[58], die mit dem Tod der beiden Rivalen endet. *Yerma*[59] ist das Drama des Einsamseins, der „soledad", der Frau, die ohne Liebe einen älteren Mann heiratet und sich vergeblich nach einem eigenen Kind sehnt. Zwar gelangt hier die Frau zur Ehe, aber diese bleibt unglücklich, leer, ohne Sinnerfüllung. Es ist wiederum das Thema von der Nicht-Erfüllung der Liebe, von der „amor desgraciado", hier der Liebe zum Kind.

Wie erklärt sich nun dieses ständige Kreisen um die Idee von der unglücklichen Liebe in der Dichtung von Lorca? Gewiß spielen soziale Gesichtspunkte, ein starkes, gesellschaftskritisches Anliegen des Autors gegenüber einer zu eng gewordenen spanischen Traditionsgebundenheit in der Auffassung von Liebe und Ehe eine nicht nur beiläufige Rolle. Eine sozialkritische Absicht allein scheint mir jedoch die Dinge nicht hinreichend zu erklären. Um die tieferen Zusammenhänge zu erfassen, darf man sich nicht auf eine Untersuchung der Dramen beschränken, sondern muß auch die viel schwieriger durchschaubare Lyrik heranziehen. Ohne hier auf Textinterpretationen eingehen zu können, muß ich mich auf eine Mitteilung des Ergebnisses beschränken. Zum Wesenskern von García Lorcas Leben und Dichtung gehört sein Unvermögen, die Liebe in ihrer Ganzheit zu erleben. Seine Auffassung von der Liebe steht der alten platonischen Liebesidee nahe, ohne mit ihr identisch zu sein, schon der ihr anhaftenden romantischen Komponente wegen. Es handelt sich wesentlich um eine geistige Liebe, in der jedoch erotische Kräfte in voller Stärke mitschwingen. Man mag sie eine Phantasieliebe nennen, eine Traumliebe, oder, wenn man den Mond als ein zentrales Liebessymbol dieser Dichtung heranziehen will, eine Mondliebe, das alles weniger in einem definitorischen Sinn als von der Bemühung geleitet, den Zugang zu dieser eigenartigen Konzeption zu erleichtern, deren Erfassung für ein tieferes Verständnis dieser Dichtung unabdinglich ist.

Diese Auffassung von der Dominanz einer geistig-erotischen Liebe im Bereich der Phantasie und ohne irdische Erfüllung vermöchte auch einen scheinbaren Widerspruch zu beheben, in dem zwei einander bekämpfende Richtungen der Lorcakritik stehen. Jean-Louis Schonberg[60] vertritt in seinem Buch über García Lorca die These von dessen Homosexualität, schießt dabei sicher weit über das Ziel hinaus und gelangt zu einigen wenig überzeugenden Interpretationen, daß selbst Sigmund Freud erschrocken wäre, wenn er es erlebt hätte, welch üppige Früchte aus seiner Saat hervorgezaubert wurden. Der heute in Südamerika lebende Jugendfreund Lorcas José Mora Guarnido[61] schrieb, im tiefsten empört, ein vehementes Buch gegen diese Unterstellungen und wies unter anderem darauf hin, daß er in der Madrider Studienzeit mit Lorca ein gemeinsames Zimmer bewohnt habe, ohne jemals etwas von homoerotischen Neigungen zu bemerken. Mora Guarnido dürfte jedoch die

---

[58] S. 1081 ff: (*Bluthochzeit*)
[59] S. 1183 ff.
[60] J. L. Schonberg, *Federico García Lorca. L'homme — l'oeuvre*, Paris 1956.
[61] J. Mora Guarnido, *Federico García Lorca y su mundo*, Buenos Aires 1958.

18

Gedichte Lorcas entweder nur zum Teil gelesen oder mit zuviel Naivität hingenommen haben, denn einige derselben, wie etwa die *Ode an Walt Whitman*[62] oder *Tu infancia en Menton*[63] zeugen doch wohl unverkennbar davon, daß Lorca sich mit der homoerotischen Problematik jedenfalls in Gedanken befaßt hat. Bei Whitman sind homosexuelle Neigungen nicht zu bezweifeln.

Da es genügend Stellen gibt, wo sich Lorca in aller Schärfe gegen jene wendet, die in ihrem Treiben nur die Befriedigung ihrer Begierden suchen[64], mehr noch, da er sich mindestens für seine eigene Person gegen die Verwirklichung — nicht jedoch gegen die potentielle Kraft — homoerotischer Tendenzen aussprach[65], so sieht man, wie meine zuvor geäußerte Auffassung von der Dominanz einer geistig-erotischen, alles umfassenden Liebe im Bereich der Phantasie die beiden entgegengesetzten Meinungen zu überbrücken vermag. Diese These vereint, was an Schonbergs und an Mora Guarnidos Ansicht überzeugend erscheint, und streift ab, was an diesen beiden Meinungen allzu einseitig und unzutreffend sein dürfte.

ERSTES BEISPIEL FÜR INTERPRETATIONSSCHWIERIGKEITEN

Amantes asesinados por una perdiz[66]
(Hommage à Guy de Maupassant)[67]

Eigentlich ist die folgende Interpretation verfrüht, da wir die spätere Symboldeutung vorwegnehmen müssen. Wir schicken sie trotzdem voraus, weil sie einen unmittelbaren Zugang in die Eigenart von Lorcas Dichtung gibt und deutlich macht, wie wichtig eine Klärung der Symbolik für das Verständnis dieses Werkes ist. Wir geben Lorcas Prosatext in der Übersetzung als Fußnote und versuchen, ihn Abschnitt für Abschnitt zu interpretieren. Der erste Satz lautet:

— *Los dos lo han querido* — me dijo su madre.[68]

---

[62] S. 450 ff.
[63] S. 403 f: *(Deine Kindheit in Menton)*
[64] Beispielsweise auch in der *Ode an Walt Whitman*, S. 450 ff.
[65] Vgl. z. B. die Gedichte *Ruina* (S. 438 f.) und *Paisaje con dos tumbas y un perro asirio* (S. 437 f.). Daher scheute Lorca auch nicht gewisse starke Ausdrucksweisen im *Pequeño vals vienés* (S. 455 f.) oder in der *Ode an Walt Whitman*.
[66] Aguilar³, S. 1510 f.; 1. Aufl., S. 1500 f: *(Liebende, getötet von einem Rebhuhn)*
[67] *(Huldigung für Guy de Maupassant)*
[68] *(Die beiden haben sie gewollt (geliebt)* — sagte mir ihre Mutter.)

Erste Schwierigkeit: wer sind „die beiden" und auf wen bezieht sich „lo"? Das Nächstliegende ist, an einen Mann und eine Frau zu denken, die sich lieben (Titel: *Amantes* ...). Dies ist sicher nicht falsch, aber Lorca faßt den Begriff der Liebenden absichtlich weiter und erleichtert sogar dem Leser in der zweiten Hälfte des Textes das Verständnis:

> Eran un hombre y una mujer, o sea, un hombre y un pedacito de tierra, un elefante y un niño, un niño y un junco. Eran dos mancebos desmayados y una pierna de níquel. ¡Eran los barqueros! Sí. Eran los barqueros del Guadiana, que cercaban con sus remos todas las rosas del mundo.[69]

Lorca bezeichnet mit dem Elefanten gewöhnlich etwas Mächtiges, Großes, Starkes mit positiver Wertung[70]. Gemeint ist die Liebe eines erwachsenen Mannes zu einem „niño". Mit letzterem ist bei Lorca oft nicht nur das Kind bzw. der Knabe gemeint, sondern auch der heranwachsende junge Mann. Eine homosexuelle Beziehung braucht nicht damit gemeint zu sein, ist aber bei Lorca denkbar, wie manche seiner Gedichte nahelegen[71]. Die zwei schwachen Jünglinge deuten ebenfalls darauf hin, während das „Nickelbein" eine Gegenkraft darstellt, eine entgegengesetzte Haltung, die von der sinnlichen Begierde nicht angegriffen werden kann, so wie Nickel vom Wasser nicht angegriffen wird. Wasser, besonders Fluß- oder Meerwasser, ist bei Lorca häufig Ausdruck des sinnlichen Lebensbereichs, wie wir in den betreffenden Kapiteln sehen werden. Zu der Symbolik „Nickel" vergleiche das Gedicht *Cielo vivo*[72] wo von der Liebe „sobre lechos"[73], d. h. von der geistig-unkörperlichen Liebe die Rede ist und wo der „nadador de níquel"[74] einen Menschen darstellt, der im Liebesbereich schwimmt, ohne von der sinnlichen Liebe angegriffen zu werden. Der Sinn der Textstelle ist demnach, daß die zwei jungen Männer in der Gefahr sind, von der homoerotischen Liebe erfaßt zu werden, während sie eigentlich das Nickelbein lieben und sich der nichtkörperlichen Liebe zuwenden möchten.

Die Kahnführer (barqueros) sind Männer, die ihr Schiff auf dem großen Strom des Lebens dahinführen und nach „allen Rosen der Welt" verlangen. Die Rose ist eines der hauptsächlichen Liebessymbole, wie wir in dem Abschnitt Pflanzensymbolik (Rose, S. 80 bis 84) zeigen werden. Statt „Fluß" zu sagen, bevorzugt Lorca, wie er das oft tut, einen konkreten Namen, Guadiana. Inzwischen ist es auch weniger unklar, was im ersten Satz mit „lo"

---

[69] (Es waren ein Mann und eine Frau oder auch ein Mann und ein Stückchen Erde, ein Elefant und ein Kind, ein Kind und eine Binse. Es waren zwei schwache Jünglinge und ein Nickelbein. Es waren die Kahnführer! Ja. Es waren die Kahnführer des Guadiana, welche mit ihren Rudern alle Rosen der Welt umringten.)

[70] z. B. S. 448 (1. Aufl., S. 446), 499.

[71] Beispielsweise *Tu infancia en Mentón* (403 f.)

[72] S. 428 f: (*Lebendiger Himmel*)

[73] (hoch über den Betten).

[74] (Nickelschwimmer).

gemeint sein dürfte: die Liebe (amor), und zwar die sinnliche Liebe. Die folgenden Sätze des Textes lauten:

—¿Los dos? No es posible, señora — dije yo —.
Usted tiene demasiado temperamento, y a su edad ya se sabe por qué caen los alfileres del rocío.[75]

Die Wendung „in ihrem Alter" (a su edad) bezicht·sich aller Wahrscheinlichkeit nach auf die Liebenden, nicht auf die Mutter. Der Tau ist bei Lorca häufig ein Bild für die Liebe (623):

sabemos que el amor
es igual que el rocío.[76]

Diese Deutung paßt gut in unseren Zusammenhang, aber schwer zu sagen ist, was Lorca mit den „alfileres" meint. Ich habe keine gesicherte Lösung. Vermutlich ist damit auf den Geschlechtsakt angespielt. Auf alle Fälle hängt dieses Wort eng mit Blut und sinnlichem Verlangen zusammen. So sagt Leonardo in der *Bluthochzeit* (III. Akt, S. 1168), als er von seinem Verlangen spricht, die Braut des anderen zu besitzen:

Con alfileres de plata / mi sangre se puso negra,[77]

und in einem Liebesgedicht *Gacela del mercado matutino* (495) heißt es:

¿Quíen recoge tu semilla
de llamarada en la nieve?
¿Qué alfiler de cactus breve
asesina tu cristal? ...[78]

Auch andere Stellen für „alfileres" lassen sich in ähnlicher Weise deuten (419, 401).
Wir gehen im Text weiter:

— Calle usted, Luciano, calle usted. No, no, Luciano, no.
— Para resistir este nombre necesito contener el dolor de mis recuerdos. ¿Y usted cree que aquella pequeña dentadura y esa mano de niño que se han dejado olvidada dentro de la ola me pueden consolar de esta tristeza? *Los dos lo han querido* — me dijo su prima —. Los dos. Me puse a mirar al mar y lo comprendí todo.[79]

---

[75] (— Die beiden? Das ist nicht möglich, Señora — sagte ich —.
Sie [Señora] haben zuviel Temperament, und in ihrem Alter weiß man schon, warum die Schmucknadeln (alfileres) des Taus fallen.)

[76] (wir wissen, daß die Liebe / gleich ist dem Tau.)

[77] (Mit Schmucknadeln von Silber / wurde mein Blut dunkel,)

[78] (Wer sammelt deinen Samen / aus Flammenfeuer im Schnee? /
Welche Schmucknadel von kurzem Kaktus / tötet deinen Kristall?)

[79] (— Schweigen Sie, Lukian, schweigen Sie. Nein, nein, Lukian, nein. — Um diesen Namen zu ertragen, muß ich den Schmerz meiner Erinnerungen zurückhalten. Und Sie glauben, daß jenes kleine Gebiß und diese Kinderhand, die in der Welle vergessen wurden, mich über diese Traurigkeit hinwegtrösten können? *Die beiden haben sie gewollt (geliebt)* — sagte mir ihre Base —. Die beiden. Da wandte ich meinen Blick auf das Meer und verstand alles.)

Der Fragende kann noch immer nicht glauben, daß die beiden sich der sinnlichen Liebe ergaben. Daher nennt ihn die Mutter mit dem Namen des Satirikers und Skeptikers Lukian. Nun ist aber der Fragende, hinter dem sich Lorca selbst verbirgt, gar kein solcher Skeptiker. Seine schmerzlichen Erinnerungen besagen, daß er einst ebenso der Sinnenliebe erlag. Er will dies aber nicht bekennen, und so muß er sich, ohne zu widersprechen, diesen Namen gefallen lassen. Hand und Gebiß sind Organe zum Ergreifen und Festhalten der materiellen, sinnlichen Dinge. Beim Kind sind diese Organe klein und bedeuten die kindliche Einstellung zum Leben und zur Liebe. Diese kindliche Art wurde der Welle des Wassers, der Leidenschaft, die alles mit sich fortreißt, preisgegeben, in ihr „vergessen". Dies stimmt den Fragenden traurig. Die Base wiederholt, was schon die Mutter anfangs sagte, daß die beiden die Liebe gewollt haben. Da richtet er den Blick auf das Meer, das für Lorca ein Bild des sinnenhaften Lebens und der Liebe ist, und nun begreift er alles[80].

—¿Será posible que del pico de esa paloma cruelísima que tiene corazón de elefante salga la palidez lunar de aquel transatlántico que se aleja?[81]

Die Taube symbolisiert bei Lorca ähnlich der christlichen Auffassung das Heilige, Reine, den Heiligen Geist: „la inefable paloma del Espíritu Santo" (78 f.); allgemeiner bezeichnet er damit eine geistige, schöpferische Kraft der Welt. Das Wort „Elefant" wurde bereits am Anfang dieser Interpretation erläutert: diese Taube hat ein großes, machtvolles Herz. Sie ist grausam, denn sie läßt nur die reine, geistige Liebe zu und verlangt den Verzicht auf die sinnliche Liebe. Sie steht in Verbindung zum Mond, der, wie wir noch sehen werden, sowohl ein Symbol des Todes, hier des Todes der sinnlichen Begierde als auch jener Liebe ist, die nicht nach irdisch-sinnlicher Erfüllung drängt. (Vgl. den Abschnitt „Mond", S. 35 bis 44). Was aber bedeutet der Überseedampfer (transatlántico), der sich entfernt? Eine gesicherte Erklärung habe ich nicht, zumal dieses Bild nur sehr selten im Werk Lorcas erscheint (z. B. S. 418, wo die Bedeutung ebenfalls nicht einfach ist). Möglicherweise ist damit der Übergang vom sinnlichen in den geistigen Bereich der Liebe angedeutet. Denkbar ist auch, daß die Mondblässe auf den Tod der Liebe hindeutet.

— Es que tuve que hacer varias veces uso de mi cuchara para defenderme de los lobos. Yo no tengo culpa ninguna. Usted lo sabe. ¡Dios mío! Estoy llorando.

---

[80] Hier nur drei Belege von vielen, welche zeigen, daß mit „Meer" der irdisch-sinnliche Lebens- und Liebesbereich angedeutet ist:
el amor está ...   (die Liebe liegt ...)
en el triste mar .. (im traurigen Meer ...) (449)
Mi amante me aguarda (mein Geliebter erwartet mich)
en el fondo del mar.   (auf dem Grunde des Meeres.) (1019)
Als Warnung: Dejadla lejos del mar (laßt sie weit entfernt vom Meer) (383)
[81] (— Wäre es möglich, daß vom Schnabel dieser höchst grausamen Taube, die das Herz eines Elefanten hat, die Mondblässe jenes Überseedampfers ausgeht, der sich entfernt?)

— Los dos lo han querido — dije yo —. Los dos.

Una manzana será siempre un amante, pero un amante no podrá ser jamás una manzana.

Por eso se han muerto. Por eso. Con veinte ríos y un solo invierno desgarrado.[82]

Der Löffel als Bild für die schaffende Gestaltung der Dichtung dient zur Verteidigung gegen die durch die Wölfe symbolisierte sinnliche Begierde[83]. Der Mensch hat keine Schuld daran, wenn er der in ihn gelegten Sexualität verfällt. Der Apfel ist in Mythos und Bibel ein erotisches Symbol. Auch bei Lorca ist der Apfel ein Bild der Liebe:

> Junta tu roja boca con la mía,
> ¡oh Estrella la gitana!
> Bajo el oro solar del mediodía
> morderé la Manzana. (137)[84]

> La manzana es lo carnal,
> fruta esfinge del pecado ... (186)[85]

In unserer Textstelle ist der Apfel immer ein Liebender, aber nicht umgekehrt, d. h. der Apfel birgt das Geheimnis der Liebe, aber der Mensch birgt es nie. Das Geheimnis der Liebe lockt den Menschen immer an, es liebt ihn, daher ist der Apfel immer ein Liebender. Ein liebender Mensch jedoch wird dieses Geheimnis nie ergründen, nie voll in sich bergen können. Daher kann er niemals ein Apfel sein. Das sinnliche Liebesverlangen brachte ihnen den Tod: „Deshalb sind sie gestorben". Dadurch kam der Tod in die Welt, wie in der Schöpfungsgeschichte. In der Kraft von zwanzig Lebensströmen — wenn man will, im Alter von zwanzig Jahren — gelangten sie in die Todeslandschaft eines „zerrissenen Winters". Der Winter ist der Zustand der Erstarrung, des Todes.

— Fué muy sencillo. Se amaban por encima de todos los museos. Mano derecha con mano izquierda. Mano izquierda con mano derecha. Pie derecho con pie derecho. Pie izquierdo con nube. Cabello con planta de pie. Planta de pie

---

[82] (— Ich mußte verschiedene Male von meinem Löffel Gebrauch machen, um mich gegenüber den Wölfen zu verteidigen. Ich habe keinerlei Schuld. Sie wissen es, mein Gott! Ich weine.
— Die beiden haben sie gewollt — sagte ich —. Die beiden.
Ein Apfel wird immer ein Liebender sein, jedoch wird ein Liebender niemals ein Apfel sein können.
Deshalb sind sie gestorben. Deshalb. Mit zwanzig Flüssen und einem einzigen zerrissenen Winter.)

[83] Vgl. auch S. 1637: Sé que la poesía eleva. (Ich weiß, daß die Poesie erhebt.)

[84] (Vereine deinen roten Mund mit dem meinen,
o Sternenzigeunerin!
Unter dem Sonnengold des Mittags
werde ich in den Apfel beißen.)

[85] (Der Apfel ist das Fleischliche,
Sphinxfrucht der Sünde, ...)

con mejilla izquierda. ¡Oh mejilla izquierda! ¡Oh noroeste de barquitos y hormigas de mercurio! Dame el pañuelo, Genoveva, voy a llorar. Voy a llorar hasta que de mis ojos salga una muchedumbre de siemprevivas. Se acostaban.[86]

Damit beginnt eine Beschreibung von der erst scheuen, dann immer deutlicheren Annäherung der Liebenden. Lorca hat sich damit belustigt, die Vorgänge zweideutig zu beschreiben, eine perverse Deutung nahezulegen, auf welche der Leser hereinfallen soll, wie er dies öfters tut. Gemeint ist jedoch höchstwahrscheinlich nicht ein solch komplizierter Verlauf, sondern der einfache, normale. Sie liebten sich auf ganz natürliche Weise, die über allen überkommenen, traditionellen Ansichten, Vorschriften und Bindungen (Museen) steht. Sie gingen nebeneinander her, harmlos, rechte Hand in linker Hand des anderen und umgekehrt. Sie gehen im gleichen Schritt: „Rechter Fuß mit rechtem Fuß". „Links" bedeutet bei Lorca die sinnliche Seite. Dies hat schon Jean Gebser erkannt[87]. Die „Wolke" weist wieder auf sinnliche Gefühlsbewegungen; Lorca spricht an anderer Stelle (3. Aufl., S. 557; 1. Aufl., S. 1502) von „la pupila viciosa de nube", von der „lasterhaften (geilen) Pupille der Wolke". Die Fußsohle ist in Berührung mit der Erde, sie ist ein Bild für das Irdisch-Sinnliche am Menschen, im Gegensatz zum Haupthaar. Daher ihre Verbindung zur l i n k e n Wange. Die Wange ist der Ort der Zärtlichkeit. „Haupthaar mit Fußsohle" bedeutet, daß die beiden Liebenden mit Seele und Leib zur Liebe bereit sind. „O linke Wange" bedeutet „o sinnliche Zärtlichkeit". Der „Nordwestwind" bedarf einer Erklärung. Der Wind hat ebenfalls eine sinnliche Funktion. Vom Mädchen Preciosa heißt es:

El viento — hombrón la persigue
con una espada caliente. (355)[88]

Der lüsterne Wind, welcher Preciosa verfolgt, ruft:

Niña, deja que levante
tu vestido para verte.
Abre en mis dedos antiguos
la rosa azul de tu vientre. (355)[89]

---

[86] (— Es war sehr einfach. Sie liebten sich über alle Museen. Rechte Hand mit linker Hand. Linke Hand mit rechter Hand. Rechter Fuß mit rechtem Fuß. Linker Fuß mit Wolke. Haupthaaar mit Fußsohle. Fußsohle mit linker Wange. Oh linke Wange! Oh Nordwestwind von kleinen Barken und von Ameisen aus Quecksilber! Gib mir das Taschentuch, Genoveva, ich werde weinen. Ich werde weinen, bis aus meinen Augen eine Menge Immortellen hervorgeht. Sie gingen zu Bett.)

[87] J. Gebser, *Lorca oder das Reich der Mütter*. Stuttgart 1949, S. 18 ff. Ferner: Der von geistiger Liebe erfaßte Perlimplín kommt und geht im ersten Bild des Dramas durch die r e c h t e Türe (898).
In dem Stück *Sobald fünf Jahre vergehen* geht der erste, sinnliche Freund durch die linke Türe hinaus, während der geheimnisvolle, geistig gerichtete Diener gleichzeitig durch die rechte Türe hereinkommt. (I. Akt, S. 986). Der ausgesprochen dem geistigen Bereich zugewandte Alte tritt im II. Akt (1015) von rechts auf. Das Brautkleid hängt links (III. Akt, S. 1041).

[88] (Der große Windmann verfolgt sie / mit einem heißen Schwert.)

24

Norden weist bei Lorca auf Sternenkühle (518), Westen auf die Mondtreppe (519). Dorther kommt der Wind des Begehrens; es ist also noch ein kühles, geistig gerichtetes Liebesverlangen, das vorläufig ohne Erfüllung ist. Analog sind die „kleinen Barken" zu deuten, die auf dem sinnlichen Wasser dahinziehen und die wie Quecksilber unruhigen, kleinen Gefühlsregungen (Ameisen). Quecksilber weist außer der Unruhe als flüssiges Metall auf einen Zwischenzustand hin, der zwischen der geistig-metallischen und der flüssig-sinnlichen Welt liegt. Genoveva ist die unschuldig Verbannte. Ähnlich werden die beiden Liebenden durch ihren „Sündenfall", an dem sie, wie oben gesagt ist, unschuldig sind, verbannt. Die Tränen und der Schmerz darüber sollen ewige Dauer haben wie Immortellen.

> No había otro espectáculo más tierno. ¿Me ha oído usted? Se acostaban. Muslo izquierdo con antebrazo izquierdo. Ojos cerrados con uñas abiertas. Cintura con nuca y con playa. Y las cuatro orejitas eran cuatro ángeles en la choza de la nieve. Se querían. Se amaban. A pesar de la ley de la gravedad. La diferencia que existe entre una espina de rosa y una *Star* es sencillísima. Cuando descubrieron esto se fueron al campo. Se amaban.[90]

Der Anfang ist klar: jeder hält sich zurück, der linke, sinnliche Arm liegt am eigenen linken Schenkel. Die „Nägel" sind „geöffnet", d. h. die Hand ist bereit zuzugreifen. Sie sind bereit zum Vollzug mit Körper (Lende) und Geist (Hals). Sie stehen am Strand des Meeres der Sinne. Die Ohren vermitteln die Liebesworte, die wie Engelstimmen sind. Sie befinden sich im Bereich des Schnees, des Todes, der bei Lorca mit der körperlichen Liebe unlösbar verknüpft ist, wie z. B. das Gedicht *Pequeño poema infinito* (459 f.) zeigt. Sie liebten sich, trotz der herabziehenden Kraft der sinnlichen Begierde, der „Schwerkraft". Die Rose ist ein Symbol der Liebe[91], der Rosendorn ist der Stachel in der Liebe. Anders ist die Liebe zu einem Star, etwa einem Schauspieler: es ist eine Fernliebe ohne sinnliche Erfüllung.

> ¡Dios mío! Se amaban ante los ojos de los químicos. Espalda con tierra, tierra con anís. Luna con hombro dormido y las cinturas se entrecruzaban una y otra con un rumor de vidrios. Yo vi temblar sus mejillas cuando los profesores de la Universidad le traían miel y vinagre en una esponja diminuta. Muchas veces tenían que apartar a los perros que gemían por las yedras blanquísimas del lecho. Pero ellos se amaban.[92]

---

[89] (Mädchen, laß mich emporheben / dein Kleid, damit ich dich sehe, / Öffne meinen alten Fingern / die blaue Rose deines Leibes.)

[90] (Es gab kein zarteres Schauspiel. Haben Sie mich gehört? Sie gingen zu Bett. Linker Schenkel mit linkem Unterarm. Geschlossene Augen mit geöffneten Nägeln. Lende mit Nacken und mit Strand. Und die vier Öhrchen waren vier Engel in der Hütte aus Schnee. Sie verlangten nacheinander. Sie liebten sich. Trotz des Gesetzes der Schwerkraft. Der Unterschied zwischen einem Rosendorn und einem *Star* ist höchst einfach. Als sie dies entdeckten, gingen sie aufs Feld. Sie liebten sich.)

[91] Vgl. den Abschnitt „Rose" (S. 80 bis 84) in dieser Arbeit.

[92] (Mein Gott! Sie liebten sich vor den Augen der Chemiker. Rücken mit Erde, Erde mit Anis. Mond mit eingeschlafener Schulter und die Hüften kreuzten sich,

Sie liebten sich in der Art derer, die sich mit materiellen Dingen beschäftigen, auf irdische Weise, und sie spürten die Süße der Erde. Der Mond, welcher bei Lorca vor allem die schmerzvolle Liebe und zugleich in einer dem mythischen Denken geläufigen Identifikation den Tod symbolisiert, war eingeschlafen, genauer: seine Schulter, welche die Last des Schmerzes trägt, war im Schlaf versunken. Der Schmerz hält aber bei Lorca die Dinge wach[93]. Die Liebe der beiden hat ihr Bestes verloren. Die Liebenden haben sich damit selbst verurteilt, der Mond des Todes kreuzte sich mit ihren Lenden. Sie blickten durch die gläsernen Scheiben in eine Todeslandschaft[94]. Ihre Wangen zitterten, als die Theologieprofessoren ihnen Honig, das Wort Christi[95], und Essig, Kreuzestod Christi, brachten. Sie erkannten nun, daß die wahre Liebe etwas anderes ist, als sie glaubten; darüber erschraken sie und zitterten. Man sieht hier wieder, wie Lorca bewußt den Text verdunkelt, verrätselt. Er sagt nicht einfach „Pfarrer" oder „Priester", sondern Universitätsprofessoren, meint jedoch Theologen, was durch die Anspielung auf Christi Tod durch „Schwamm" und „Essig" angedeutet wird. Die Liebenden erschrecken über das eigentliche Wesen der Liebe, die sich selbst gibt, sich opfert und den Tod empfängt. Christi Liebe offenbarte sich in der Selbstaufopferung aus Liebe zu den Menschen, und er empfing dafür den Tod. Der Honig- und Essigschwamm, der als Labung den beiden Liebenden gereicht wird, ist winzig, weil der Mensch diese Liebe nur in winzigem Umfang erfassen kann. Der Hund ist, wie wir in dem Abschnitt „Hund" (S. 106 bis 110) noch sehen werden, in einer echt mythischen Identifikation sowohl der Zeugung als auch dem Tod zugeordnet. Die Farbe „weiß" ist bei Lorca häufig auf die Transzendenz, insbesondere auf den Tod bezogen[96]. Der Efeu ist ein altes bacchisches Attribut und hat auch bei Lorca eine sinnliche Bedeutung[97]. Lorca bringt also mit diesem Satz von den Hunden, dem Efeu und dem Bett nochmals eindringlich zum Ausdruck, daß der Vollzug der irdischen Liebe zum Tod der Liebe führen mußte.

---

die eine und die andere, mit Brausen von Glasscheiben. Ich sah ihre Wangen zittern, als die Universitätsprofessoren ihnen Honig brachten und Essig in einem winzigen Schwamm. Oftmals mußten sie die Hunde entfernen, welche durch den äußerst weißen Efeu des Bettes wimmerten. Jedoch sie liebten sich.)

[93] Vgl. *Panorama ciego de Nueva York,* S. 423: El verdadero dolor que mantiene despiertas las cosas.

[94] Vgl. den „Salon mit tausend Fenstern" in *Pequeño vals vienés,* S. 455, wo ebenfalls die Begriffe „Schulter", „Fensterscheiben" und „Tod" zueinander in Beziehung gebracht sind.

[95] Vgl. *El canto de la miel,* S. 127:
La miel es la palabra de Cristo.

[96] Vgl. *El maleficio de la mariposa,* S. 618:
Y la muerte me dió dos alas blancas (und der Tod gab mir zwei weiße Flügel)

[97] Vgl. *Thamár y Amnón,* S. 393. Von Amnon, der Thamar begehrt, schreibt er:
Yedra del escalofrío   (Efeu von Fieberschauern
cubre su carne quemada.   bedeckt sein verbranntes Fleisch.)

26

Es folgt nun die bereits eingangs zur Erklärung herangezogene Stelle: „Es waren ein Mann und eine Frau, ... alle Rosen der Welt umringten." Der weitere Text lautet:

El viejo marino escupió el tabaco de su boca y dió grandes voces para espantar a las gaviotas. Pero ya era demasiado tarde.

Ocurrió. Tenía que ocurrir. Cuando las mujeres enlutadas llegaron a casa del gobernador, éste comía tranquilamente almendras verdes y pescados frescos con exquisito plato de oro. Era preferible no haber hablado con él.[98]

Es mußte geschehen, daß die Liebenden ihrer Begierde verfielen und den Tod ihrer Liebe erlitten. Lorca gebraucht die Bezeichnung Matrose im positiven Sinn: er schätzt den Menschen, der die Welt in ihrer ganzen Weite erfahren will. Hier ist er die warnende Stimme. Das Ausspucken bedeutet die Verachtung der sinnlichen Liebe, deren Regungen durch die Möwen angedeutet sind. Aber die Warnung kommt zu spät. Die in Trauer gekleideten Frauen wollen den Statthalter Gottes sprechen, d. h. mit dem Priester über die Liebe und den Tod diskutieren. Aber das Verlangen des Priesters galt nur seinem guten Essen, den jungen, zarten (grünen) Mandeln und den Fischen, welche die Sinnlichkeit verkörpern. Nach außen hin ist jedoch alles edel und geistig dargereicht, auf goldener Schüssel. Es war besser, nicht mit dem Priester zu sprechen, denn er hätte die Fragen doch nicht verstanden.

En las islas Azores. Casi no puedo llorar. Yo puse dos telegramas; pero, desgraciadamente, ya era tarde. Sólo sé deciros que los niños que pasaban por la orilla del bosque vieron una perdiz que echaba un hilito de sangre por el pico.

Esta es la causa, querido capitán, de mi extraña melancolía.[99]

Damit endet der Text. Die Azoren als Ort deuten wohl auf einen warmen, irdischen Bereich, der überall vom Meer des sinnlichen Lebens umflutet ist und der in einer gewissen Entfernung von dem traditionsgebundenen Spanien liegt. Da die Liebe nach der dualen Lebensauffassung Lorcas teils von Gott, teils vom Satan in den Menschen gelegt ist, dürfte das eine Telegramm an Gott, das andere an Satan gerichtet sein[100]. Aber es war zu spät, und die Fragen blieben ohne Antwort.

---

[98] (Der alte Matrose spuckte den Tabak aus seinem Mund und schrie laut, um die Möwen zu erschrecken. Jedoch es war schon zu spät. Es geschah. Es mußte geschehen. Als die Frauen in Trauerkleidung zum Haus des Gouverneurs kamen, aß dieser in aller Ruhe grüne Mandeln und frische Fische aus einer erlesenen goldenen Schüssel. Es war besser, nicht mit ihm zu sprechen.)

[99] (Auf den Azoren. Fast kann ich nicht weinen. Ich setzte zwei Telegramme auf; jedoch war es unglücklicherweise schon spät. Ich vermag nur zu sagen, daß die Kinder, die am Rand des Waldes vorbeigingen, ein Rebhuhn sahen, das ein Fädchen Blut aus dem Schnabel warf.

Dies ist der Grund, lieber Kapitän, meiner ungewöhnlichen Traurigkeit.)

[100] Vgl. das Gedicht *Initium* (552), wo die Schlange (Satan) den Spiegel, der das paradiesische Leben repräsentiert, zerbricht und wo der Liebesapfel zum Stein, d. h. zum Tod wird.

So gibt Lorca selbst eine Antwort. Der Wald stellt das nicht klar über-
schaubare Gebiet des Lebens und der Liebe dar. Die Kinder befinden sich am
Rand dieses Bereichs, nicht drinnen. Kinder sind besser als Erwachsene imstande, das Unbegreifliche zu erspüren[101], aber auch sie dringen nicht in das
Innere des geheimnisvollen Lebenswaldes ein. Sie sehen ein Rebhuhn, das
die Liebenden getötet hat. Das Rebhuhn, welches in Lorcas Werk nur sehr
selten vorkommt, dürfte eine Art Lebensgesetz repräsentieren. Als Vogel
gehört es zwar dem Bereich der Luft, der geistigen Sphäre und der Transzendenz an[102], aber das Rebhuhn erhebt sich gewöhnlich im Flug nicht hoch über
die Erde. Lorca ist von Trauer erfüllt, weil er sieht, wie die beiden Liebenden
und alle ihresgleichen dem Lebensgesetz von begehrender Liebe und Tod
unterworfen sind, ohne schuld daran zu sein: „Yo no tengo culpa ninguna"
hieß es im Anfangsteil unseres Textes. Mit der Anrede „capitán" ist natürlich
der Lenker des Lebensschiffes gemeint. Lorca lehnt den Schuld- und Sünden-
begriff des Christentums ab. Er übernimmt jedoch den Gedanken der Selbstaufopferung, die in Christus ihren höchsten Ausdruck fand sowie die Erkenntnis, daß die echte Liebe in etwas ganz anderem besteht als in der
irdischen Liebe[103].

---

[101] Siehe z. B. die Gedichte *Cielo vivo* (428 f.), *El niño Stanton* (429 ff.), *Gacela de
la huida* (493).

[102] Vgl. *Cielo vivo* S. 428:
Allí bajo las raíces y en la médula del aire
se comprende la verdad de las cosas equivocadas...
(Dort unter den Wurzeln und im Kern der Luft
versteht man die Wahrheit der mehrdeutigen Dinge...)

[103] Vgl. *La luna pudo detenerse al fin* (460 f.): weil durch Christi Opfertod die
göttliche Liebe kam, konnte die menschliche, schmerzvolle Luna-Liebe endlich
einmal stillstehen.

KAPITEL II

NATURSYMBOLE

Einführung

Wir versuchen in dieser Arbeit, die Eigenart von Federico García Lorca vornehmlich aus seiner Dichtung heraus zu erfassen. Wir werden sehen, wie er danach strebt, die empirische Realität zu überschreiten und mit Hilfe einer bis in die Einzelheiten wohl durchdachten und tief erfühlten Metaphorik zu einer symbolischen Darstellung seiner inneren Wirklichkeit zu gelangen. Im Vordergrund stehen die kosmischen Naturgegebenheiten, das Licht der großen Gestirne, vor allem der Mond, danach die Sonne, ferner die Elemente Wasser, Luft und Erde sowie viele Tiere und noch mehr Pflanzen, die mit wenigen Ausnahmen eine genau bestimmte Bedeutung haben, die zu ermitteln ein Hauptteil dieser Arbeit ist. Auf dieses zwar nicht immer und nicht pedantisch, aber im wesentlichen beibehaltene Gefüge von Bedeutungsträgern, Metaphern, Symbolen und Bildern aller Art greift Lorca zurück, wenn er dichtet. Sie bilden die Bausteine, das feste Arsenal, aus dem er schöpft.

Gewiß ist der Zauber und die Größe seiner Dichtung auch demjenigen erfühlbar, der diese Bedeutungen ignoriert und das Ganze nur für ein phantasievolles Spiel von mehr oder weniger willkürlich aneinandergereihten bildhaften Einfällen hält. Das tiefere Verständnis dieser Dichtung und die Einsicht in ihre Sinngestalt und Bedeutungsfülle wird jedoch erst durch eine Klärung von Lorcas Metaphorik und Symbolik erschlossen. Es wird sich zeigen, daß dieselbe keineswegs von Lorca willkürlich aus irgendeiner subjektiven Laune heraus geschaffen wurde. Sie schließt sich vielmehr in den meisten Fällen an eine durch Mythos, Sage und Geschichte gegebene Tradition an, die sich gerade in Spanien besonders lebendig erhalten hat, und über die sich Lorca nicht leichtfertig hinwegsetzt. Die ungewöhnliche Ausdruckskraft und Schönheit, welche diese Bilder und Symbole ausstrahlen, zeigen, daß sie nicht einfach übernommen, sondern zugleich aus der Tiefe heraus erfaßt und neu erlebt wurden.

Lorca, der inmitten der freien Natur in der Nähe von Granada aufwuchs, wo sein vermögender Vater über ausgedehnte Ländereien verfügte, geht von einer intensiv sinnlich und sinnenhaft erlebten Empfindungswelt aus. Diese dient ihm dazu, die empirische Realität mit Hilfe einer weitgespannten kosmischen Metaphorik in eine andere Wirklichkeit zu transponieren. Trotz seiner Einsicht in die Eitelkeit aller Dinge und die Vergeblichkeit aller Bemühungen ist sein Werk ein von vitaler Lebensfülle getragener Dialog, dessen bewegendes Moment der Schmerz ist. Es ist ein Schaffen aus dem ins Positive gewendeten Schmerz über die Unerfülltheit und Nicht-Erfüllung in diesem Leben.

Das zentrale, dominierende Thema seiner Dichtung ist die Auseinandersetzung mit der Liebe in allen ihren Formen. Gerade auch hieran wird das duale Denken und Schauen Lorcas deutlich. Er stellt in dieser seiner dualen Weltkonzeption nicht die himmlische Liebe der irdischen gegenüber, und auch der Unterschied zwischen platonischer und sinnlicher Liebe trifft nicht genau den Gegensatz, welchen Lorca meint. Er bejaht eine intensiv sinnliche Liebesempfindung, aber er verneint deren körperliche Erfüllung. Die erstere muß in ihrer ganzen Kraft vorhanden sein, da sonst der dichterischen Gestaltung die innere Glut und Leuchtkraft fehlen würde und sie in Gefahr käme, blaß und abstrakt zu wirken. Jedoch muß der Dichter nach Lorcas nicht direkt ausgesprochener, aber immer wieder zutage tretender Grundüberzeugung verzichten, um seine schöpferische Gestaltungskraft voll zu bewahren. Dies ist der asketische Zug in Lorca, der sich jedoch tiefgehend unterscheidet von der christlichen Askese und Zucht der Gedanken. Gedankensünden kennt Lorca nicht. Er hält sich vielmehr eine unbeschränkte sinnliche Erlebnisfähigkeit offen und ist überzeugt, daß der Dichter seine Sinnenhaftigkeit und Sinnlichkeit sogar pflegen und steigern soll.

Mit der Liebe unlöslich verbunden ist der Tod. Beide sind im mythischen Denken nur die zwei Seiten einer und derselben Gegebenheit. Dies trifft auch für Lorca zu, welcher der mythischen Denkform, wie wir noch zeigen werden, tief verbunden ist, trotz seiner immer wieder erstaunlichen, klaren Denkweise und unbestechlichen Logik. Auch dies ist einer der Gründe für die außerordentliche Weite und innere Spannkraft seiner Dichtung, daß er diese beiden einander entgegengesetzten Denkformen in sich zu vereinen vermochte. So kreisen seine Gedichte und Dramen nicht allein um die Liebe und den mit ihr verbundenen Schmerz, sondern zugleich auch um den Todesgedanken.

Die Sonne (El sol)

Die Sonne hat in der Dichtung Lorcas vorwiegend die Bedeutung der sinnlich-irdischen Lebens- und Liebeskraft, so wie sie von Gott in die Schöpfung gelegt wurde. Sie ist ein Bild der irdischen Daseinsfülle und des naturhaften, unreflektierten Seins. In das Reich von Traum und Phantasie des Menschen geht sie nicht ein:

el sol que destruye números y no ha cruzado nunca un sueño,
el tatuado sol que baja por el río
y muge seguido de caimanes.[1]

Die Sonne umfaßt den ganzen sinnenhaften Liebesbereich, auch den homoerotischen:

y el sol canta por los ombligos
de los muchachos que juegan bajo los puentes.[2]

Die wahrhaft großen Menschen, welche die „Pferde" ihrer Leidenschaft
zügeln und die Ströme des Lebens zu beherrschen vermögen, müssen mit
einem Mund voll Sonne, erfüllt von irdischer Sinnenhaftigkeit auch vom
Tode zu singen verstehen:

Yo quiero ver aquí los hombres de voz dura.
Los que doman caballos y dominan los ríos:
los hombres que les suena el esqueleto y cantan
con una boca llena de sol y pedernales.[3]

Perlimplín[4], der sich vor seiner Ehe mit Belisa von den Frauen ferngehalten
und nie die natürlich-irdische Liebe erfahren hatte, spricht dies in der Hochzeitsnacht mit dem Sonnensymbol aus:

Nunca había visto la salida del sol ...[5]

Da alles Irdische, besonders die Liebe, für Lorca unauflösbar mit dem Schmerz
verbunden ist und da, wie wir noch im Abschnitt „Nelke" (S. 96 f.) sehen
werden, die Nelke jene Blume ist, welche unter den Pflanzen den Schmerz
symbolisiert, so erklärt sich auch der Ausruf (978):

¡Ay clavelina del sol![6]

Er stammt von dem Kind in dem Drama *Sobald fünf Jahre vergehen,* jenem
Kind, das nicht sterben will, sondern Gott um die Erfüllung seines Lebens
im Bereich der Sonne bittet (979):

No me entierres. Espera unos minutos ...
después me dejarás mirar el sol ...[7]

---

[1] Siehe *Oda al rey de Harlem,* S. 409:
(die Sonne, welche Zahlen zerstört und nie einen Traum gekreuzt hat,
die tätowierte Sonne, welche den Strom hinuntergleitet
und brüllt, gefolgt von Kaimanen.)
[2] Siehe *Oda a Walt Whitman.* S. 452:
(und die Sonne singt durch die Näbel
der jungen Burschen, die unter den Brücken spielen.)
[3] Vgl. *Llanto por Ignacio Sánchez Mejías,* S. 471.
[4] In dem Bühnenstück *Amor de Don Perlimplín con Belisa en su jardín.* Gegen
Ende des ersten Bildes, S. 910.
[5] (Niemals hatte ich den Aufgang der Sonne erlebt...)
[6] (Ach Nelke der Sonne!)
[7] (Begrabe mich nicht. Warte einige Minuten...
danach wirst du mich die Sonne schauen lassen...)

Das durch die Sonne repräsentierte Reich des Irdisch-Sinnlichen besteht demnach bei Lorca nicht in irgendeiner bloß naturhaften Gegebenheit aus sich selbst, sondern es stammt von Gott und wird dem Menschen von Gott verliehen, oder auch vorenthalten. Das letztgenannte Zitat stammt aus einem Spätwerk. Lorca hat jedoch bereits im Alter von zwanzig Jahren dem Gedanken Ausdruck gegeben, daß die Sonne eine Ausstrahlung Gottes ist und zwar jenes Teiles von Gott, der dem Menschen erfahrbar wird. Das Symbol für Gott in seiner ganzen Fülle ist das Licht (luz). Er schreibt in dem Gedicht *¡Cigarra!* (116 f.):

> La luz es Dios que desciende,
> y el sol
> brecha por donde se filtra.[8]
> . . .
> y el sol se lleva tu alma
> para hacerla luz.[9]

Eine gewisse Änderung des Sonnensymbols im Lauf der Entwicklung Lorcas wird hier spürbar, aber sie bedeutet keinen grundsätzlichen Bruch zwischen der frühen und der späten Konzeption, sondern ein allmähliches Zurücktreten des transzendenten Gehaltes, wie es auch schon äußerlich zu sehen ist, daß das Wort „Gott" nur in den Frühwerken öfters vorkommt, jedoch später immer seltener wird.

Die transzendente Bedeutung der Sonne kommt auch in dem frühen Gedicht (November 1918) *El canto de la miel* (127 f.) zum Vorschein:

> La miel es la palabra de Cristo,[10]
> La miel es como el sol de la mañana,[11]
> Para el que lleva la pena y la lira,
> eres sol que ilumina el camino.[12]

Mit dem letzten Vers ist natürlich der Dichter gemeint: Lorcas Grundüberzeugung, große Dichtung werde aus dem Schmerz geschaffen, ist hier wieder einmal unverkennbar. Diese enge Verbindung der Sonne, die den Weg des Dichters erleuchtet, mit Christus tritt jedoch in den späteren Schaffensjahren in den Hintergrund. Der göttliche Ursprung des durch die Sonne bezeichneten, irdisch-naturhaften Lebens- und Liebesbereiches wird jedoch nie geleugnet, wenn auch die Hinweise auf ihn immer seltener werden.

Die Zentrierung des Sonnensymbols auf den Bereich des Sinnenhaften ist

---

[8] (Das Licht ist Gott, der herabsteigt,
und die Sonne
die Bresche, durch die er hindurchdringt.)
[9] (und die Sonne trägt deine Seele davon,
um sie in Licht zu verwandeln.)
[10] (Der Honig ist das Wort Christi, . . .)
[11] (Der Honig ist wie die Sonne des Morgens, . . .)
[12] (Für den, der den Schmerz und die Leier trägt,
bist du [Honig] die Sonne, die den Weg erleuchtet.)

besonders deutlich im Drama *Don Perlimplín,* wo die von sinnlichem Verlangen beherrschte Belisa singt (892):

> Amor, amor.
> Entre mis muslos cerrados,
> nada como un pez el sol.[13]

Hier wird die Sonne mit einem Fisch verglichen, einem alten, mythischen Sexualsymbol, das auch bei Lorca in dieser Bedeutung oftmals erscheint, etwa in der Thamar- und Amnon-Romanze, die von einer gewaltsamen Verführung handelt (394):

> Thamár, en tus pechos altos
> hay dos peces que me llaman ...[14]

Die Befreiung aus dieser an die Sinne gebundenen, naturgegebenen, irdischen Realität sucht Lorca nicht in einer Hinwendung zu Gott, sondern in einer selbstgeschaffenen, aus Phantasie und geistiger Durchdringung gezeugten, dichterischen Wirklichkeit. Das Hauptsymbol dafür ist bei ihm der Mond. Er wird ihm zum Symbol des Schöpferischen im Menschen, die Sonne dagegen zu einem Bereich irdischer Verstrickung, die zur Unfruchtbarkeit im Geistigen führt. So sagt Lorca im Jahre 1929 in einer Rede anläßlich der Aufführung seines Bühnenstücks *Mariana Pineda* (1555):

> Ahora más que nunca, necesito del silencio y la densidad espiritual del aire granadino para sostener el duelo a muerte que sostengo con mi corazón y con la poesía.
> Con mi corazón, para librarlo de la pasión imposible que destruye y de la sombra falaz del mundo que lo siembra de s o l e s t é r i l ...[15]

In dem Drama *Sobald fünf Jahre vergehen* wendet sich die Braut zu Beginn des zweiten Aktes (989) von ihrem früheren, zögernden Bräutigam ab und einem naturhaft-derben Rugby-Spieler zu. Sie fühlt sich „quemada por el sol"[16], als das sinnliche Liebesverlangen wie eine Naturgewalt über sie kommt.

Generell muß hinzugefügt werden, die Symbolik Lorcas ist zwar im wesentlichen einheitlich gefügt und in ihrer Grundbedeutung beibehalten, jedoch so, daß für die jeweilige Nuancierung ein gewisser Spielraum bleibt. Insbesondere werden durch hinzugefügte Adjektiva solche Bedeutungsver-

---

[13] (Liebe, Liebe.
   Zwischen meinen geschlossenen Schenkeln
   schwimmt wie ein Fisch die Sonne.)
[14] (Thamar, in deinen hohen Brüsten
   sind zwei Fische, die mich rufen ...)
[15] (Jetzt mehr als je bedarf ich des Schweigens und der geistigen Dichte der Luft
   von Granada, um den Kampf auf Leben und Tod durchzuführen, den ich mit
   meinem Herzen und der Dichtkunst führe.
   Mit meinem Herzen, um es zu befreien von der unmöglichen Leidenschaft, die
   zerstört und von dem trügerischen Schatten der Welt, die es mit u n f r u c h t -
   b a r e r   S o n n e besät, ...)
[16] (von der Sonne versengt).

schiebungen deutlich gekennzeichnet. Beispielsweise ist, gemäß der dualen Weltauffassung Lorcas, die Sonne als Förderin des irdisch-kreatürlichen Lebens zugleich auch mit dessen Vergänglichkeit und der Zurückdrängung, dem Tod des geistigen Seins verknüpft, und darum wird sie, wenn dies betont werden soll, die „gran sol amarillo"[17] genannt, denn die Farbe gelb hat für Lorca einen Todesbezug[18]. Ein andermal wird in der Grabschrift *Epitafio a Isaac Albéniz*[19] dieser Mann als „sol maduro"[20] gekennzeichnet.

Wie ausgeprägt die dualistische Weltauffassung schon im jungen Lorca ist, läßt sich auch aus seinem Bühnenstück von 1919 *El maleficio de la mariposa* (579 ff.)[21] entnehmen. Hier vertritt der „Schmetterling" den Mond- und Sternenbereich der freien Phantasie und Einbildungskraft, des dichterischen Schaffens, der Illusion, wonach Curianito strebt. Curianita Silvia dagegen ist ganz im naturgegebenen Bereich des Irdischen verwurzelt und kennt keine andere als die irdisch-kreatürliche Liebe, die sie Curianito entgegenbringt, ohne Gegenliebe erwecken zu können. Sie repräsentiert die Sonnenwelt. Eine Dialogstelle möge als Beleg und zur Verdeutlichung dienen (597):

Curianito:	Mi ilusión está prendida en la estrella que parece una flor.
Curianita Silvia:	¿No es fácil que se seque con un rayo de sol?
Curianito:	Yo tengo el agua clara para calmar su ardor.
Curianita Silvia:	¿Y dónde está tu estrella?
Curianito:	En mi imaginación.[22]

---

[17] (große gelbe Sonne). Vgl. *Luna y panorama de los insectos*, S. 541.

[18] Als Beleg sei zitiert aus dem Gedicht *Clamor (Totengeläute)*, S. 244:

En las torres	(In den Türmen,
amarillas,	den gelben,
doblan las campanas.	läuten die Glocken zu Grab.)

Am Schluß von *Bodas de sangre (Bluthochzeit)*, S. 1182 wird von den beiden toten Männern gesagt, sie hätten „labios amarillos" (gelbe Lippen).

[19] Entsprechend der Stofferweiterung weichen bei hohen Seitenzahlen die verschiedenen Auflagen voneinander ab. Die erste Auflage enthält dieses Sonett noch nicht; es war erst kurz zuvor entdeckt worden. Die dritte Auflage bringt es auf S. 1644 f., die vierte S. 1769 f.

[20] (reife Sonne), S. 1644.

[21] *(Der Zauber des Schmetterlings)*

[22]

(Curianito:	Meine Illusion ist im Stern befestigt, der als Blume erscheint.
Curianita Silvia:	Ist es nicht leicht möglich, daß sie vertrocknet in einem Strahl der Sonne?
Curianito:	Ich habe reines Wasser, um ihre Glut zu beruhigen.
Curianita Silvia:	Und wo ist dein Stern?
Curianito:	In meiner Einbildungskraft.)

Im folgenden werden wir ausführlicher zu zeigen versuchen, was man bereits hieraus entnehmen kann: das r e i n e Wasser hat auch bei Lorca — wie in der christlichen und in vielen mythischen Auffassungen — einen läuternden Charakter, es gehört zu jener Sphäre, die bei Lorca als Reich der Mondgöttin Luna bezeichnet wird und die zu dem durch die Schöpfung gegebenen Naturbereich des Irdischen, welcher durch die Sonne repräsentiert wird, in einem Gegensatz steht, der noch näher erläutert werden muß.

Scheut man sich nicht vor der Vergröberung, die in einer vereinfachenden Zusammenfassung vollzogen wird, so kann man etwa sagen, daß die Sonne bei Lorca vornehmlich die Liebe in ihrer körperlichen Realität repräsentiert, wobei der sexuelle Bereich der Liebe inbegriffen sein kann oder nicht.

Vom Mond werden wir im folgenden Kapitel zu zeigen versuchen, daß er in einer mythischen Zusammenschau Tod und Liebe symbolisiert, wobei mit Liebe jene Form gemeint ist, die in der Phantasie lebt, oder sich in solchen körperlichen Beziehungen äußert, die keine sexuelle Verwirklichung erfahren. Da Lorcas Dichtung wesentlich um diese Liebe in der Phantasie kreist, so meint er häufig seine Dichtung, das Reich der Poesie, wenn er von „luna" spricht.

Der Mond (La luna)

Das Symbol des Mondes spielt in Lorcas Dichtung eine Rolle ersten Ranges. Welche Vorstellung ist mit ihm verknüpft, was symbolisiert er? Günter Lorenz[23] glaubt, der Mond sei das Symbol einer Göttin, die aller Leidenschaft feindlich ist. Bereits im übernächsten Satz sagt er, der Mond sei „personifiziertes Schicksal". Leider unterließ es der Autor, seine beiden Behauptungen durch entsprechende Zitate zu stützen oder auf andere Weise hinreichend glaubhaft zu machen.

Wesentlich tiefer führt eine andere Behauptung, die von mehreren Autoren vertreten wird und die, soweit ich sehe, auf Díaz-Plaja zurückführen dürfte[24]. Danach ist der Mond bei Lorca ein Symbol des Todes. Aber dies ist nur eine halbe Wahrheit, d. h. diese Behauptung trifft bei weitem nicht immer zu. Immerhin gibt es Stellen, wo etwa, in Übereinstimmung mit alten mythischen Vorstellungen, der Mond als Ort der Toten erscheint, so sagt im Canción de la madre del Amargo die Mutter des toten Amargo am Schluß:

> La cruz. No llorad ninguna.
> El Amargo está en la luna.[25]

---

[23] G. W. Lorenz, *Federico García Lorca*, Karlsruhe 1961, S. 249 f.
[24] G. Díaz-Plaja, *Federico García Lorca*. Buenos Aires 1954, S. 62.
[25] S. 270: (Das Kreuz. Niemand weine.
Amargo ist im Mond.)

Weiterer Belege für die Todessymbolik des Mondes bedarf es hier nicht, da diese in der Literatur über Lorca vielfach erkannt ist. Es sei nur darauf hingewiesen, daß Mond und Tod nicht gleichgesetzt werden dürfen, wie dies meist geschieht. Die beiden stehen jedoch in enger Beziehung zueinander, sie helfen einander, so in der *Bluthochzeit*, wo der Tod als Bettlerin auftritt (como mendiga, 1081) und den Mond in der Todesszene herberuft (III. Akt, 1. Bild, S. 1160 ff.).

Auch das Gedicht *La luna y la muerte* (192 f.) zeigt schon im Titel, daß wohl eine Relation, aber keine Identität zwischen den beiden besteht. Es heißt dort (193):

> La luna le ha comprado
> pinturas a la Muerte.[26]

Wichtiger und in der Literatur noch weniger klar erkannt ist etwas anderes. Man kann nämlich unschwer eine große Zahl von Stellen finden, wo der Mond die Liebe bedeutet. In seinem Gedicht *Dos lunas de tarde* (1. Teil) macht Lorca der traurig gestimmten Freundin seiner Schwester Mut und sagt, Frühling und Liebe werden bald wiederkehren:

> La luna está muerta, muerta;
> pero resucita en la primavera.[27]

Setzt man hier für „Mond" die „Liebe" ein, so bekommt das Gedicht seinen guten Sinn. Der Tod dagegen stirbt nicht, und noch viel weniger erlebt er im Frühjahr seine Wiederauferstehung. Es gibt sogar ganz explizite Aussagen, wenn es z. B. in *Paisaje con dos tumbas y un perro asirio* heißt, der Mond besitze einen „monte de Venus"[28] oder „Doña Luna es una Venus"[29]. Venus ist sowohl in der Antike wie heute die Göttin der Schönheit und meist auch der Liebe, nicht aber eine Todesgöttin.

Bereits in der frühen Prosaschrift *Impresiones y paisajes* ist die Rede von „el color hipnótico de la luna" (S. 1483). Todesgedanken pflegen auf einen normalen Menschen wohl mahnend und drohend zu wirken, aber kaum hypnotisch, wie nicht selten die Liebe. Zudem spricht Lorca gleich danach von dem Entzücken und den Wonnen, die mit dem Mond, d. h. doch wohl mit der Liebe verbunden sind. Auf die Wonnen des Todes pflegt man im allgemeinen lieber zu verzichten (Lorca selbst war durchaus dem Leben zugewandt). Ein andermal heißt es, der Mond verbreite „un mareo vago de sensualidad abismática" (S. 1482). Diese Worte von der „abgründigen Sinnlichkeit" im Zusammenhang mit dem Mond passen ebenfalls sehr viel besser für die Liebe als für den Tod. In der *Ode an Walt Whitman* wird von den

---

[26] (Der Mond kaufte sich / Farben beim Tod.)
[27] S. 322: (Der Mond ist tot, tot;
jedoch im Frühling erwacht er zu neuem Leben.)
[28] S. 438: (Venusberg).
[29] S. 528.

36

„maricas", den Effeminierten und Homosexuellen, gesagt, daß der Mond sie peitscht (La luna los azota, S. 452 unten). Lorca hat die „maricas" immer zutiefst verachtet. Diese Leute, die nur ihren sinnlichen Begierden frönen, werden von der Liebesleidenschaft gepeitscht, schwerlich vom Gedanken an den Tod. Von den vielen vorhandenen Belegstellen sei noch eine hinzugefügt. In der Romanze *Thamár y Amnón* wird die biblische Geschichte der Vergewaltigung Thamars durch ihren Bruder Amnon behandelt, und dort heißt es (393):

> Amnón estaba mirando
> la luna redonda y baja,
> y vió en la luna los pechos
> durísimos de su hermana.[30]

Der Mond kann demnach bei Lorca die Liebe bedeuten und braucht nicht immer ein Symbol des Todes zu sein.

Befinden wir uns aber damit nicht in einem bösen Dilemma? Wie kann der Mond einmal mit dem Tod und ein andermal mit der Liebe gleichgesetzt werden? Ist Lorca am Ende ein Gaukler? Im logischen Denkbereich sind doch derartige Gegensätzlichkeiten unvereinbar. Gewiß, aber gibt es nicht noch andere Denkformen und Seinsweisen als die logische? Es gehört zum Wesen und zur Eigentümlichkeit des mythischen Denkens, daß es in ihm zur Gleichsetzung zweier Inhalte kommen kann, die als verschieden gewußt werden[31]. Ein naheliegendes Beispiel für die entgegengesetzte Denkweise des logischen und des mythischen Bereichs ist das Verhältnis von Leben und Tod. Gemäß der Logik der antiken Philosophie steht die Idee des Lebens in einem polaren Gegensatz zum Tod. In der mythischen Anschauungsform aber bilden Leben und Tod nur die beiden Seiten einer und derselben Sache, sie stehen im Verhältnis einer tieferen Identität zueinander. Diese Auffassung finden wir in den alten Mondmythen, wonach die Mondgöttin Selene den befruchtenden Tau spendet, eine Göttin der Entbindung darstellt und auch zur Göttin der Liebe wurde. Die griechische Göttin Artemis, die seit dem 5. Jahrhundert als Mondgöttin aufgefaßt wird, ist aber nicht nur die Göttin der Liebe, Fruchtbarkeit und Entbindung, sondern sie erscheint zugleich als Todesgöttin. Auch in den Mythen anderer Völker erscheint der Mond nicht nur als Ort, aus dem die neugeborenen Seelen und Wesen entspringen, sondern auch als Ort der Toten, als Stätte, wohin die Seelen nach dem Tod zurückkehren. Lorcas Auffassung vom Mond des Todes und vom Mond der Liebe schließt sich den Mythen der Antike an. Lorca schafft selbst aus einem mythischen Denken heraus. Diese mythische Denkweise ist in der Dichtung

---

[30] (Amnon blickte unentwegt
auf den runden, niederen Mond,
und er sah im Monde die sehr harten
Brüste seiner Schwester.)

[31] Vgl. etwa E. Cassirer, *Wesen und Wirkung des Symbolbegriffes*, Darmstadt 1956, S. 147 ff.

Lorcas keineswegs auf das Symbol des Mondes beschränkt; sie kehrt vielmehr in mannigfacher Gestalt bei anderen Erscheinungsformen wieder. Von Gustavo Correa[32] ist das mythische Element in Lorcas Werk auf anderem als dem von mir soeben dargestellten Weg bereits erkannt und entwickelt worden.

Die Zusammenschau von Liebe und Tod im Mondsymbol erkennt man auch aus folgenden Versen Lorcas (439):

> Pronto se vió que la luna
> era una calavera de caballo ...[33]

Das Wort „calavera" impliziert den Tod, während „caballo" die Leidenschaft, insbesondere die Liebesbegierde symbolisiert, wie in dem Abschnitt „Pferd" (S. 103 bis 106) noch gezeigt werden soll. Nun müssen wir aber eine genauere Unterscheidung treffen. Der Mond hat verschiedene Phasen und danach auch verschiedene Bedeutungen. Der Mond am Himmel ist anders als sein Spiegelbild im Wasser. Die durch den Mond oder Halbmond dargestellte Liebe kann je nachdem einen mehr geistigen oder mehr sinnlichen Charakter haben, ausgeschlossen bleibt jedoch immer die reale, sexuelle Erfüllung.

Im ersten Gedicht von *Nocturnos de la ventana* (296) ist vom Himmelsmond die Rede, der hoch über dem Wind des Liebesbegehrens dahinzieht und von seinem Spiegelbild im Wasser, über das der Wind der Liebesleidenschaft dahinstreicht[34]. Beim Nahen der sinnenhaften Wirklichkeit in Gestalt von zwei Mädchen wendet sich Lorca mühelos von dieser ab und dem Himmelsmond zu:

> Las voces de dos niñas
> venían. Sin esfuerzo,
> de la luna del agua,
> me fuí a la del cielo.

Jedoch wird auch der Mond am Himmel von sinnlichen Regungen bewegt, etwa wenn der Wind, besonders der Südwind, ihn berührt (101):

> Viento del Sur,
> . . .
> Pones roja la luna ...[35]

Man sieht hier, wie an vielen anderen Stellen, daß Lorca nicht schematisch, sondern mit feinen Abstufungen und Übergängen arbeitet.

---

[32] G. Correa, *La poesía mítica de Federico García Lorca*. Eugene, Oregon 1957.

[33] Aus *Ruina:*
(Bald sah man, daß der Mond / ein Pferdeschädel war ...)

[34] Die sinnliche Funktion des Windes wird in dem Abschnitt „Wind" (S. 73 bis 78) nachgewiesen.

[35] Aus: *Veleta (Wetterfahne)*

In dem Gedicht *El concierto interrumpido* (184 f.) aus dem Jahr 1920 erscheint der Halbmond. Hier bedeutet „la media luna" die sinnliche Liebeshälfte des Mondes. Er hat mit seinem Aufgang die reine Harmonie der tiefen Nacht zerstört, und die einsame Schwarzpappel, die als Pythagoras der keuschen Ebene dargestellt wird, möchte mit ihrer jahrhundertealten Hand dem Mond einen Schlag ins Gesicht versetzen:

> y un chopo solitario — el Pitágoras
> de la casta llanura —
> quiere dar con su mano centenaria
> un cachete a la luna.

In Pythagoras sieht Lorca den griechischen Philosophen, dessen Zentralerlebnis die elementare Gewalt der Musik, die Sphärenharmonie, war und der den streng sittlichen Lebenswandel pries. Der sinnliche Halbmond macht die Harmonie fragwürdig, bringt Verwirrung und ein unendliches Verlangen, das ohne Verwirklichung bleiben muß. Die Erfüllung des Liebesverlangens führt zum Tod, die Liebe ist in den Tod verschlungen, der Tod tritt verkleidet in der Gestalt der Liebe auf (580).

> ¡Y es que la Muerte se disfraza de Amor![36]

Die mythische Sehweise ist nicht zu verkennen.

In dem Gedicht *Tierra y luna* (557 f.) repräsentiert der Mond den Bereich des Geistigen im Gegensatz zur irdischen Sinnenwelt. Lorca preist hier das fröhliche Erdenleben, dem allein er sich zuwenden will:

> Tierra tan sólo. Tierra.
> . . .
> Es la tierra alegrísima, ...
> . . .
> ¡Viva la tierra de mi pulso ...!
> . . .
> Es tierra, ¡Dios mío!, tierra, lo que vengo buscando.

Es ist die Haltung des Aufbegehrens. Lorca möchte sich endlich auch einmal den irdischen Dingen zuwenden. Doch die Mondwelt, die er preisgeben wollte, nimmt Rache. Der Mond stieg die Treppen hinauf und hinab und löschte die Scheingestalt des Dichters aus, wie es am Schluß heißt:

> Pero la luna subía y bajaba las escaleras,
> . . .
> ... borrando mi apariencia ...

Schließlich noch ein Beispiel, wo in „luna" das sinnliche Element vorherrscht, wie aus dem Zusammenhang mit der Schlange der Verführung hervorgeht. Es findet sich in *Gacela de la muerte oscura* (491 f.):

---

[36] Aus: *El maleficio de la mariposa* (Prólogo).

Quiero dormir el sueño de las manzanas,

. . .

No quiero enterarme de los martirios que da la hierba,
ni de la luna con boca de serpiente
que trabaja antes del amanecer.[37]

Der Apfel ist die Frucht vom Baum der Erkenntnis. Der Schlaf der Äpfel
ist das Ruhen in der vollen Erkenntnis wie Gott. Das Gras ist, wie wir noch
sehen werden, der Ausdruck einer sinnlich irdischen Liebe, welche in den
Tod verstrickt ist. Davon und von dem schlangenhaften Mond der Versuchung möchte er befreit sein.

Der Kürze halber werden im allgemeinen als Belegstellen nur einzelne
Verse herangezogen. Seiner Wichtigkeit und Bedeutung wegen sei das Ein-
gangsgedicht der berühmten Sammlung des *Romancero gitano* vollständig
wiedergegeben (353 f.)[38]:

Romance de la luna, luna	Romanze vom Monde, vom Monde
La luna vino a la fragua	Luna kam zur Schmiede
con su polisón de nardos.	mit einem Reifrock von Narden.
El niño la mira mira.	Und das Kind betrachtet, betrachtet sie.
El niño la está mirando.	Das Kind betrachtet sie dauernd.
En el aire conmovido	In der unruhvollen Luft
mueve la luna sus brazos	bewegt Frau Luna ihre Arme
y enseña, lúbrica y pura,	und zeigt, geil und rein,
sus senos de duro estaño.	ihre Brüste von hartem Zinn.
Huye luna, luna, luna.	Fliehe Luna, Luna, Luna.
Si vinieran los gitanos,	Wenn die Zigeuner kämen,
harían con tu corazón	würden sie aus deinem Herzen
collares y anillos blancos.	Halsbänder und weiße Ringe machen.
Niño, déjame que baile.	Kind, laß mich, daß ich tanze.
Cuando vengan los gitanos,	Wenn die Zigeuner kommen,
te encontrarán sobre el yunque	werden sie dich auf dem Amboß finden
con los ojillos cerrados.	mit geschlossenen Augen.
Huye luna, luna, luna,	Fliehe Luna, Luna, Luna,
que ya siento sus caballos.	ihre Pferde hör' ich schon.
Niño, déjame, no pises	Kind, laß mich, zertritt nicht
mi blancor almidonado.	mein gestärktes Weiß.
El jinete se acercaba	Der Reiter näherte sich
tocando el tambor del llano.	und schlug die Trommel der Ebene.
Dentro de la fragua el niño,	Das Kind in der Schmiede drinnen,
tiene los ojos cerrados.	es hat die Augen geschlossen.

---

[37] (Ich will den Schlaf der Äpfel schlafen,

. . .

Ich will nicht Kenntnis haben von den Martyrien, die das Gras gibt,
noch vom Mond mit dem Schlangenmund,
der wirkt, ehe es Tag wird.)

[38] Übersetzungen wollen in dieser Abhandlung nur denjenigen das Verständnis
des Originaltextes erleichtern, die des Spanischen nicht mächtig sind, Künstlerische Prätentionen haben sie nicht.

40

Por el olivar venían, bronce y sueño, los gitanos. Las cabezas levantadas y los ojos entornados.	Durch den Olivenhain kamen, Bronze und Traum, die Zigeuner. Das Haupt erhoben und die Augen halb geöffnet.
¡Cómo canta la zumaya, ay cómo canta en el árbol! Por el cielo va la luna con un niño de la mano.	Wie ruft die Zwergohreule, ach, wie ruft sie in dem Baum! Am Himmel geht die Luna mit einem Kind an der Hand.
Dentro de la fragua lloran, dando gritos, los gitanos. El aire la vela, vela, el aire la está velando.	In der Schmiede weinen schreiend die Zigeuner. Die Luft hält Wache, Wache, die Luft ist dabei zu bewachen.

Die beiden letzten Verse könnten auch heißen:

> Die Luft verschleiert, verschleiert sie,
> die Luft ist dabei, sie zu verschleiern.

Dabei bezieht sich „sie" auf ein Femininum Singularis, also entweder auf die Schmiede oder auf Luna.

Dieses Gedicht ist vieldeutig. Es ist eine Rätseldichtung. Allerdings scheint auf den ersten Blick alles klar zu sein: ein Kind liegt im Sterben; die Todesgöttin Luna führt das halb neugierige, halb widerstrebende Kind, genauer gesagt, dessen Seele hinweg; die heimkehrenden Zigeuner finden nur noch den toten Körper des Kindes[39] und brechen in Klagerufe aus. Eine in sich widerspruchsfreie und daher mögliche Deutung.

Besonders die letzte Strophe gibt Anlaß zu anderen Interpretationsmöglichkeiten. Bezieht sich das Pronomen „la" der beiden letzten Verse auf „luna" oder auf „fragua"? Ferner sind in dem spanischen Wort „velar" zwei ganz verschiedene Bedeutungen enthalten: verschleiern, verhüllen (von lat. vēlāre) oder wachen, bewachen, Wache halten, Totenwache halten, genau beobachten (von vĭgĭlāre). Aus diesen zweimal zwei Sinngebungen gehen vier Kombinationsmöglichkeiten hervor. Nun ist aber auch „luna" kein eindeutiger Begriff. Er kann entweder den Tod bedeuten oder jenen Liebesbereich sinnlich-geistiger Art ohne irdische Erfüllung, der Lorca so wichtig ist und der im wesentlichen auch der Bereich seiner von ihm angestrebten Dichtungsart ist. Damit hätten wir zweimal vier Möglichkeiten der Interpretation. „Aire" ist ebenfalls doppeldeutig, denn dieses Wort kann, wie wir in den entsprechenden Abschnitten (S. 65 ff. und S. 73 ff.) zeigen werden, „Luft" und „Wind" bedeuten. Die unbewegte Luft hat für Lorca eine wesentlich geistige Bedeutung, während die bewegte Luft, der Wind (viento) eine sinnlich-erotische Funktion hat. Damit hätten wir zweimal acht, d. h. 16 Kombinationsmöglichkeiten. Natürlich stehen diese 16 Interpretationen zueinander nicht alle in kontradiktorischem Gegensatz. Einige weichen voneinander nur in der Art von Varianten ab, aber verschieden sind sie alle.

---

[39] Das Wort „niño" bedeutet bei Lorca nicht nur „Kind", sondern oft einen Jüngling.

Sie sind jedoch nicht gleich sinnvoll. Wir werden sie daher nicht alle vorführen, sondern scheiden aus, was nicht in Lorcas Art ist. Zunächst darf man annehmen, daß sich das Pronomen „la" auf das Substantiv „fragua" bezieht und nicht auf „luna". Lorca bezieht nämlich seine Fürwörter fast immer auf die unmittelbar benachbarten Hauptwörter und nicht auf ein Wort, das in einer anderen, durch einen Punkt getrennten Strophe steht. Es bleiben also noch acht Möglichkeiten der Interpretation. Von ihnen können wir weitere vier ausscheiden. Im Zusammenhang mit dem toten Kind und den von Schmerz ergriffenen Zigeunern kann „aire" nicht gut eine sinnlich-erotische Funktion im Sinne von „viento" haben, wohl aber eine geistig-seelische, wie sie durch die nicht, oder nur leicht bewegte Luft bei Lorca gewöhnlich symbolisiert wird[40]. Auch ist in dem Begriff „velar" mehr das Statische als das dynamisch Bewegte angedeutet. Man kann also annehmen, daß „aire" hier nicht den Sinn von „viento" hat, sondern einen geistigen Zustand oder Vorgang kennzeichnet.

Was bedeutet „luna" in dieser Romanze? Die eingangs versuchte, zunächst einleuchtende Interpretation, daß es sich einfach um eine etwas ausgeschmückte, deskriptive Darstellung vom Sterben eines Kindes handle, das von „luna" als personifiziertem Tod hinweggeführt werde, schöpft nicht die Tiefe dieser Romanze aus. Lorca redet nämlich oft vom Tod, ohne den körperlichen Tod zu meinen, sondern er deutet damit den Übergang in einen anderen Denk- und Empfindungsbereich an. Da „luna" auch die Liebe, und zwar die Liebe in der Phantasie, repräsentiert, womit sie zum Symbol für diese Art der Dichtung wird, die Lorca erstrebt, so kann der Mond in dieser Romanze als Bild jener neuen Weise zu dichten verstanden werden, die im *Romancero gitano*[41] zum erstenmal voll verwirklicht wird.

Die *Romance de la luna, luna* ist das erste Gedicht dieser Sammlung; ihr kommt die Funktion eines Prologs zu, einer Einführung in die neue Dichtungsart. Die Schmiede ist die Werkstätte, der Ort, wo den Dingen eine Form gegeben wird, ein Bild für die Stätte, wo auch die Dichtung geschmiedet wird. Die Zigeuner sind fähig zu formen und zu dichten, sie tragen das Haupt erhoben, haben die Augen nur halb geöffnet für die äußere Wirklichkeit und sind dem Traum verbunden (drittletzte Strophe). Doch die große, hohe Dichtung bleibt ihnen verschlossen. Aus dem Herzen der Mondgöttin würden sie nur „Halsketten und weiße Ringe" schmieden; die Größe der „luna" könnten sie nicht erfassen. Auf dem Amboß werden die Dinge gestaltet, dort ist das Kind, welches in der Zigeunerart geformt werden soll. Die Mondgöttin nimmt es mit sich in ihr Reich der hohen Dichtung. Lorcas bisherige Dichtungsart bleibt wie etwas Überwundenes als toter Körper auf dem Amboß der Schmiede zurück. Luna ist damit das neue Leben der hohen Dichtung und zugleich die Ursache des Todes der alten, früheren Dichtung.

---

[40] Vgl. Abschnitt „Luft" (aire), S. 65 ff.
[41] Zum ersten Mal erschienen in der „Revista de Occidente" im Jahr 1928.

Von den ursprünglich 16 verschiedenen Interpretationsmöglichkeiten bleiben somit nur noch zwei sinnvolle übrig, je nachdem man „velar" als „verschleiern" oder als „Wache halten" deutet. Wir fassen zusammen, was wir bisher erreicht haben: „la" bezieht sich auf die Schmiede, „aire" hat die geistige Funktion, „luna" repräsentiert das neue Leben jener hohen Dichtung, die Lorca erstrebt und in die er von der Mondgöttin eingeführt wird. Seine frühere Seinsart bleibt als tote Hülle in der Schmiede zurück.

Wie man nun das allein als doppeldeutig übriggebliebene Zeitwort „velar" erklärt, ist nicht von ausschlaggebender Bedeutung. Nimmt man es im Sinn von „verschleiern", „mit einem Schleier bedecken", so wird damit ausgedrückt, daß es den Zigeunern in der Schmiede verwehrt bleibt, einen Blick in das Luna-Reich der hohen Dichtung, in welche das Kind gelangte, zu werfen. Es bleibt verhüllt. Hohe Dichtung ist Geheimnis: „La creación poética es un misterio indescifrable... Se oyen voces no se sabe de donde..."[42]. Der Mond wird damit auch zum Ausdruck für das Geheimnisvolle der Dichtung. Faßt man „velar" als „bewachen" auf, so besagen die letzten Verse der Romanze, daß der Geist der neuen Seinsart Wache hält, um dem Kind die Rückkehr zur Schmiede und damit die Verstrickung in die sinnliche Wirklichkeit zu verwehren. Im Anschluß an mythologische Vorgänge und den Dämonenglauben alter Zeiten kann man, wenn man will, damit auch die Vorstellung von der Totenwache verbinden. Danach sollte die Totenwache die Seele des Verstorbenen daran hindern, nochmals vom irdischen Körper Besitz zu ergreifen.

Wichtig jedoch ist, daß man in dieser Romanze erkennt, wie die neue Dichtung charakterisiert ist. Luna ist „lúbrica y pura"[43]. Diese neue Seinsweise und Dichtung soll von starker Sinnlichkeit erfüllt sein, aber ohne sinnlich-irdische Erfüllung bleiben. Für Lorca entsteht nun folgendes Dilemma. Wendet er sich der irdischen Realität zu, so gefährdet er die Reinheit und Größe seiner Dichtung. Er möchte daher ganz im Luna-Bereich der Phantasie leben, spürt jedoch, daß er mit der Abkehr von der sinnlichen Wirklichkeit den blutvollen Strom des dichterischen Schöpfertums einengt, wenn nicht abschneidet und damit in die Gefahr der Abstraktion kommt. Der Mond leidet darunter, daß er von der irdischen Wirklichkeit ausgeschlossen bleibt und sich in der geistigen Kälte des Himmels bewegen muß. Deshalb will er in der *Bluthochzeit*[44] sich am Blut der Menschen wärmen. „¡Tengo frío!" sagt der Mond und:

---

[42] S. 1637: (Die dichterische Schöpfung ist ein nicht entzifferbares Geheimnis... Man hört Stimmen und weiß nicht, woher sie kommen...)
[43] „geil und rein".
[44] III. Akt, 1. Szene, S. 1159 f.
(Ich friere!
Wie verlangt mich danach, in eine Brust
einzudringen, um mich wärmen zu können!
Ein Herz für mich!
Glühend!...)

¡Que quiero entrar en un pecho
para poder calentarme!
¡Un corazón para mí!
¡Caliente!...

Ähnlich heißt es in einem Gedicht, in welchem die Erde durch die süße Frucht einer Orange versinnbildlicht wird:

La tierra es una naranja.
La luna llorando dice:
Yo quiero ser una naranja.

Aber Lorca erwidert der Frau Luna:

No puede ser, hija mía,
aunque te pongas rosada.
Ni siquiera limoncito.[45]

Der Mond ist in die Kühle des Unterirdischen gebannt. Er kann nicht einmal eine saure, kleine Zitrone werden. Er sehnt sich vergeblich nach dem sinnenhaften Erdenleben.

Symbolbereich Erde

Die Erde (La tierra)

Das Mondsymbol war nicht leicht zu deuten. Der jetzige Abschnitt wird einfacher sein. Schließlich liegen in seinem so geheimnisvollen Gestirn wie dem Mond mehr Deutungsmöglichkeiten als in der uns vertrauten Erde.

In der *Casida de la mujer tendida* (498 f.) wird eine sinnliche, nackt daliegende Frau mit der Erde in Beziehung gebracht:

Verte desnuda es recordar la tierra.
. . .
Verte desnuda es comprender el ansia
de la lluvia que busca débil talle,
o la fiebre del mar de inmenso rostro
. . .

La sangre sonará por las alcobas
y vendrá con espada fulgurante,

---

[45] S. 322 f. Aus: *Dos lunas de tarde:*
(Die Erde ist eine Orange.
Der Mond sagt weinend:
Ich will eine Orange sein.

Das kann nicht sein, meine Tochter,
auch wenn du dich rosenrot färbst.
Nicht einmal ein Zitrönchen.)

> pero tú no sabrás donde se ocultan
> el corazón de sapo o la violeta.
>
> Tu vientre es una lucha de raíces,
> tus labios son un alba sin contorno, ...[46]

Es ist dies das Bild der arabischen Auffassung von der Frau, die keine eigentliche Seele besitzt, die in dumpfer Kreatürlichkeit ihrer Bestimmung entgegengeht und nur die irdisch-sinnliche Liebe kennt. Sie vermag nicht den Unterschied zwischen einer gröblichen und einer zarten Liebe zu erkennen. Sie lebt in der Dunkelheit und Dumpfheit sich bekämpfender Wurzeln, und ihre Liebe hat kein Profil, ist ohne seelisch ausgeprägte Züge. Von solcher Art ist die Erde, unfähig einer Selbstbesinnung und des Denkens.

In dem späten Gedicht (vom Jahr 1935) *Tierra y luna*[47] werden Erde und Mond als Gegensatzpaar einander gegenübergestellt. Lorca, der sich fast immer dem Luna-Reich zuwendet, begibt sich hier auf die Suche nach der Erdenwelt. Die Erde ist für alles das, was von der Erde flieht:

> Tierra para todo lo que huye de la tierra.

Damit ist der Vergänglichkeitscharakter der Erde umschrieben.

> Es la tierra desnuda que bala por el cielo
> . . .
> Es la tierra alegrísima, imperturbable nadadora,
> . . .
> ¡Viva la tierra de mi pulso y del baile des los helechos,
> que deja a veces por el aire un duro perfil de Faraón![48]

Der Mondbereich ist die Welt des Verzichts und des Schmerzes. Lorca möchte endlich einmal die Fröhlichkeit der Erde erfahren. Die Farnkräuter deuten

---

[46] (Dich nackt sehen heißt, sich der Erde erinnern.
. . .
Dich nackt sehen heißt, das Verlangen des Regens begreifen,
der eine zarte Gestalt sucht,
oder das Fieber des Meeres mit dem unermeßlichen Antlitz
. . .
Das Blut wird tönen in den Alkoven
und wird kommen mit blitzendem Schwert,
jedoch du wirst nicht wissen, wo sich verbergen
das Krötenherz oder das Veilchen.
Dein Leib ist ein Kampf von Wurzeln,
deine Lippen sind ein Tagesgrauen ohne Kontur, . . .)

[47] S. 557 f. (In der ersten Auflage von 1954 S. 1502 f.):

[48] (Es ist die nackte Erde, die zum Himmel blökt
. . .
Es ist die höchst fröhliche Erde, die unerschütterliche Schwimmerin,
. . .
Es lebe die Erde meines Pulsschlags und des Tanzes von Farnkräutern,
die manchmal in der Luft ein hartes Profil von Pharao zurückläßt.)

wieder auf das Vergängliche[49]. Pharao, der ägyptische König, wird im alten Testament als „hart" bezeichnet[50]. Lorca erkennt, daß die Erde nicht nur fröhlich ist. Sie hinterläßt manchmal im geistigen Bereich (aire) ein hartes Pharaoprofil. Er wird inne, daß er hart und unerbittlich getötet werden wird, wenn er im Raum des Sinnlichen verbleibt. Er ist also noch kein völliger Tierra-Mensch, sonst könnte er das nicht merken.

In der 6. Strophe erleben wir das Hereinbrechen der Luna-Sphäre. Nun sieht er mit Schrecken, was er alles aufgegeben hat. Diana, die keusche Jägerin, die ihm, wenn er dichtete, bei seiner Jagd nach Metaphern[51] beistand, ist wegen seiner Abwendung von der Luna „leer" geworden. Dahin ist seine Liebe zum Durchgang, zum Übergang und zum langen Kosten jener Todesgefühle, die ein „Stirb und werde" sind. Es ist als Schreckensruf zu verstehen, wenn er aufschreit:

> Es tierra, ¡Dios mío!, tierra, lo que vengo buscando.
> Embozo de horizonte, latido y sepultura.[52]

Jedoch der Mond, so schließt dieses Gedicht, löschte ihn aus, weil er sich der Erde zugewandt und den Luna-Bereich verlassen hatte.

Sand (arena)

Im wesentlichen eindeutig und daher leicht in seiner Bedeutung zu erfassen ist das Bild des Sandes. Der Sand ist der Ort des Trockenen, Unfruchtbaren, des Todes und der Bestattung. Der Dichter sagt von sich selbst (251):

> enterradme con mi guitarra
> bajo la arena.[53]

Ganze Dörfer vermag das mächtige Licht im braunen Sand zu begraben (393):

> La luz, maciza, sepulta
> pueblos en la arena parda ...[54]

und es ist sogar die Rede vom Schmerz der unter dem Sand begrabenen Küchen (416):

> y el dolor de las cocinas enterradas bajo la arena ...[55]

---

[49] Vgl. *Poema doble del lago Edem*, S. 426, und *Cielo vivo*, S. 428.
[50] Vgl. 2. Mose 7,14 und 13,15.
[51] S. 77 (1. Aufl. S. 79). Aus Lorcas Vortrag über *La imagen poética en Góngora*: ... debe lanzar sus flechas sobre las metáforas ... (... man muß seine Pfeile auf die Metaphern schleudern ...).
[52] (Es ist die Erde, mein Gott, die Erde, die ich suche. Verhüllung von Horizont, Pochen und Grab.)
[53] Aus: *Memento*: (begrabt mich mit meiner Gitarre / unter dem Sand.)
[54] Aus: *Thamár y Amnón*.

46

Auch Verse wie (459): Aus *Son de negros en Cuba:*

> El mar ahogado en la arena.[56]

oder (439): Aus: *Ruina*

> la lucha de la arena con el agua.[57]

deuten auf die Todessymbolik. Schließlich verrinnt auch Ignacios Blut im Sand (467): Aus: *Llanto por Ignacio Sánchez Mejías:*

> ... sangres
> derramadas en la arena ...

und im *Canción de la muerte pequeña* (538) erscheint dreimal das Wort „Sand".

In der *Romance de la Guardia Civil española* (381 ff.) wird in ähnlichem Sinn die zerstörte Zigeunerstadt als ein „Spiel von Mond und Sand" bezeichnet (385). Wahrscheinlich ist auch in der Romanze *La casada infiel* das Wort „arena" nicht nur im realen Sinn gemeint, wenn von der untreuen Frau gesagt wird, sie sei „schmutzig von Küssen und Sand" (363). Sie hat durch die Lüge, daß sie noch ein Mädchen sei, die Liebe des Zigeuners zu ihr getötet. Im *Danza de la muerte,* der zur Sammlung *Poeta en Nueva York* gehört, ist immer wieder von der Lorca verhaßten, weil geistig toten Hauptstadt die Rede, und der Dichter ruft (413):

> ¡Arena, caimán y miedo sobre Nueva York!

Schließlich sagt in dem Drama *Sobald fünf Jahre vergehen* das Mannequin in der Rolle einer Braut, die nicht heiraten wird (1009):

> Mi anillo, señor, mi anillo de oro viejo,
> se hundió por las arenas del espejo.[58]

Die Einheitlichkeit des Symbolbegriffs „Sand" ist — ein seltener Fall in der Dichtung García Lorcas — nicht nur im mythischen, sondern auch im logischen Denkbereich gegeben.

Kalk (cal)

Durch die Einheitlichkeit der Bedeutung zeichnet sich auch der Begriff Kalk aus. Seine weiße, opale Farbe weist bereits auf den Tod, wie wir in dem Abschnitt über die Farbensymbolik (S. 137 ff.) Lorcas noch näher sehen

---

[55] Aus: *Paisaje de la multitud que vomita*
[56] (Das Meer, im Sand erstickt.)
[57] (der Kampf des Sandes mit dem Wasser.)
[58] Mein Ringlein, Herr, mein Ringlein aus altem Gold
versank im Sand des Spiegels.)

werden. In südlichen Ländern wird der Kalk nicht allein zur Desinfektion verwendet, es werden damit auch oft Metallsärge sowie Urnen mit den Überresten Verstorbener in Nischen und Wänden der Friedhofsgänge eingemauert. Vom „Emplazado", dessen Tod vorherbestimmt ist, heißt es (380) in der *Romance del emplazado*:

> y agujas de cal mojada
> te morderán los zapatos.[59]

Beim Tod von Ignacio hat der Korb mit Kalk dieselbe symbolische Vorbedeutung (465):

> Una espuerta de cal ya prevenida
> a las cinco de la tarde.[60]

Schließlich sind wir nicht einmal auf Interpretationen angewiesen, denn Lorca erklärt selbst ganz eindeutig in einem Vortrag über *Teoría y juego del duende* (43):

> La cuchilla ... y la luna pelada, y la mosca, ... y la cal, y la línea hiriente de aleros y miradores tienen en España diminutas hierbas de muerte, alusiones y voces perceptibles para un espíritu alerta, que nos llama la memoria con el aire yerto de nuestro propio tránsito[61].

Berg, Gebirge (monte, sierra)

„Monte" bedeutet im Spanischen außer Berg auch noch Wald. Wir berücksichtigen hier nur Stellen mit der ersteren Bedeutung, die übrigens bei Lorca vorwiegen. Berge versperren die Sicht in die Ferne, sagt Mariana Pineda, die hofft, ihr Bräutigam werde kommen und sie vor der Hinrichtung retten (790):

> Dice: „Si no hubiera sierras,
> lo vería en la distancia."[62]

Die Berge selbst blicken in die Ferne (228):

> Las montañas miran
> un punto lejano.[63]

---

[59] (und Nadeln von gelöschtem Kalk / werden deine Schuhe ätzen)
[60] (Ein Korb mit Kalk, schon vorbereitet,
um fünf Uhr am Abend.)
[61] (Das Messer ... und der kahle Mond und die Fliege ... und der Kalk und die verwundende Linie der Traufdächer und Fenstererker haben in Spanien winzige Gräser von Tod, Anspielungen und Stimmen, die ein wacher Geist wahrnimmt und wodurch unser Denken auf die starre Gestalt unseres eigenes Hingangs gewiesen wird.)
[62] (Sie sagt: „Gäbe es keine Berge,
könnt' ich ihn von weitem sehen.")
[63] Aus: *Después de pasar*:
(Die Berge betrachten / einen fernen Punkt.)

Das Gebirge ist der Ort der Ferne und Entrückung, des Enthobenseins von irdischem Verlangen, so empfindet es die Stenotypistin, nachdem sie der irdischen Verwirklichung ihrer Liebe entsagt hat, in *Sobald fünf Jahre vergehen* (1031):

> Amor, déjame en el monte
> harta de nube y rocío ...[64]

Im Grenzfall wird die Ferne zum Ort der Toten, zum Jenseits. Die Mutter in der Tragödie *Bluthochzeit* sagt von ihrem toten Sohn (1177):

> Mi hijo es ya una voz oscura detrás de los montes.[65]

Das Jenseits als Ort Gottes dürfte auch gemeint sein, wenn Lorca in seiner Ode gegen den Papst (*Grito hacia Roma*) sagt, die Meister lehrten „una luz maravillosa que viene del monte"; aber das Wort wird verzerrt und „lo que llega es una reunión de cloacas".. (449)[66]. Auch in der *Romance del emplazado* sind die Berge der Ort, wo der vom Tod gezeichnete Amargo der Voraussage gemäß sterben wird (380):

> Será de noche, en lo oscuro
> por los montes imantados, ...[67]

und ähnlich heißt es in der Romanze *Muerto de amor* (378):

> Viejas mujeres del río
> lloraban al pie del monte, ...[68]

in naher Entsprechung zum *Diálogo del Amargo*, wo es von dem, der dem Tod entgegenzieht, heißt: „Altas montañas le rodean" (263)[69]. Die Berge sind hart, „duros"[70]. Sie stehen im Gegensatz zu den großen Städten. In seiner Anklage gegen *New York* (443) sagt Lorca sich selber zum Trost: „Existen las montañas. Lo sé."[71] Aber er will das schmachvolle Treiben dieser Stadt sehen und darstellen (443):

---

[64] (Geliebter, laß mich auf den Berg,
ich bin der Wolke und des Taues überdrüssig, . . .)
Zur Bedeutung „Wolke" und „Tau" siehe entsprechende Abschnitte. (Wolke, S. 78 ff. und Tau, S. 63 ff.).

[65] (Mein Sohn ist nun eine dunkle Stimme hinter den Bergen.)

[66] (ein wunderbares Licht, das vom Berg kommt),
(was anlangt, ist eine Vereinigung von Kloaken)

[67] (Bei Nacht wird es sein, im Dunkeln,
auf den magnetischen Bergen, . . .)

[68] (Alte Frauen vom Fluß
weinten am Fuße des Berges, . . .)

[69] (Hohe Berge umgeben ihn.)

[70] Vgl. *Bluthochzeit*, S. 1095: A los montes duros (Zu den harten Bergen) und *Tres historietas del viento*, S. 531: . . . con lo duro / de la montaña. (. . . mit dem Harten / des Gebirges.)

[71] (Es gibt die Berge. Ich weiß es.)

Die Berge können zum Sinnbild des Schönen werden, so etwa, wenn die Braut in der *Bluthochzeit* „flor de los montes"[73] genannt wird (1128). Es ist schön, die Berge zu sehen. Die Mutter in der soeben genannten Tragödie klagt darüber, daß ihr Mann und ihre Söhne getötet wurden, während die Mörder im Zuchthaus am Leben sind: „¡Allí comen, allí fuman, allí tocan los instrumentos!"... „Los matadores, en presidio, frescos, viendo los montes ..." (1083)[74]. Der Berg erscheint somit in der Dichtung von Lorca sowohl als Bild für das Schöne — dies oft in Verbindung mit dem Harten —, als auch für das Ferne, Entrückte und das Jenseits als Reich des Todes und der Transzendenz.

Lorcas dualistische Weltauffassung, sein dem mythischen Denken entsprechendes Zusammensehen polarer Entsprechungen, legt die Vermutung nahe, daß der Berg, insofern er den Todesbereich bedeuten kann, auch den irdisch-sinnlichen Lebensraum, der für Lorca weitgehend mit der sensuellen Liebeserfahrung konform ist, umschließen wird. Tatsächlich gibt es dafür viele Belege in seiner Lyrik und in seinen Dramen. In der *Bluthochzeit* heißt es ausdrücklich, die Braut, an deren Dasein sich die tragische Leidenschaft der beiden sie begehrenden Männer entzündet, wohne in den Bergen (1107), ja sogar in einer Höhle, also im Innern des Berges (1104), dort, wo die Ebene aufhört: „al límite de los llanos" (1097). Das Pferd stellt bei Lorca gewöhnlich die sinnliche Leidenschaft dar, wie wir in dem Abschnitt über die Tiersymbolik (Pferd, S. 103 ff.) noch zeigen werden. In dem Wiegenlied der *Bluthochzeit* ist das Pferd in Analogie zu Leonardo zu deuten, der die Braut des anderen begehrt, die in den Bergen wohnt und zu der Leonardo mehrfach hinreitet. Daher die Verse (1095):

A los montes duros
sólo relinchaba.[75]

Im gleichen Sinn verstehen sich die Worte der erbosten Schwiegermutter Leonardos, die vom Pferd das Lied singt (1096):

Vete a la montaña.
Por los valles grises
donde está la jaca.[76]

---

[72] (Ich weiß. Doch bin ich nicht gekommen, um den Himmel zu sehen.
Ich kam, um zu sehen das trübe Blut.)

[73] (Blume der Berge).

[74] (Dort essen sie, dort rauchen sie, dort machen sie Musik!... Die Mörder, im Zuchthaus, frisch, sie sehen die Berge ...)

[75] (Nur zu den harten Bergen hin
wieherte es.)

[76] (Geh zum Gebirge.
Durch die grauen Täler,
wo die kleine Stute ist.)

Entsprechend ist in der *Romance de la pena negra* (364 f.) die Rede von Soledad Montoya, die vom „dunklen Berg" kommt, „nach Pferd riecht" und von einem dunklen Liebesverlangen umgetrieben wird. Auch in der *Romance sonámbulo* (358 ff.) finden wir am Anfang und Ende das Symbol des Pferdes und des Gebirges miteinander im Sinne einer inneren Entsprechung verbunden. In der Romance *La monja gitana* (361 f.) ist die Verbindung von „nubes y montes" in gleicher Weise zu verstehen. Weitere Belege — ich kenne über zwanzig — dürften sich damit erübrigen.

Das Symbol des Berges in Lorcas Dichtung bedeutet vor allem, um es nochmals zusammenzufassen, sowohl das Gebiet des sinnlichen Liebesverlangens, als auch das hiermit im mythischen Sinn verschlungene Reich des Todes. Als Nebenbedeutung kommt in naheliegender Verknüpfung hinzu der Berg als Bild des Schönen, dies oft in Verbindung mit dem Harten, sowie des Fernen und Entrückten.

Symbolbereich Wasser

Das Wasser (agua)

Die Bedeutung des Wassers in Lorcas Dichtung ist nicht eindeutig, sondern komplexer Art, ohne jedoch willkürlich zu sein. Es entspricht der mythischen Denkart des Dichters, daß das Wasser zum Repräsentanten zweier im logischen Denkbereich unvereinbarer Gegensätze wird. Bereits in den ältesten Mythologien kommt dem Wasser sowohl eine Lebens- wie eine Todesfunktion zu. Es ist lebenspendend, besitzt eine Fruchtbarkeitspotenz, aber es erscheint auch als der Totenstrom Styx bei den Griechen. Das Wasser des arkadischen Styx galt als „tödlich für jedes Lebewesen und wirkt auf der Stelle, indem es wie Gips erstarren macht"[77].

Dieser antiken Konzeption steht Lorcas Wassersymbolik nicht fremd gegenüber. Es fehlt auch nicht die Vorstellung von der chthonischen Natur des Wassers, die in der Antike häufig hervortritt, etwa in der Vorstellung vom Ursprung der Flüsse aus der Tiefe der Erde. Auch das Spiegelbild im Wasser scheint aus der Tiefe zu kommen, und es steht seinerseits in einer gewissen Analogiebeziehung zum Schatten, der durch die schwarze Farbe und die horizontale Lage auf den Tod hindeutet. In solchem Zusammenhang verwendet Lorca meist das Adjektiv „oscura", wenn er vom Wasser spricht. So heißt es z. B. in dem Gedicht vom Sterben des Kindes Stanton (430):

---

[77] Vgl. zu diesem Kapitel etwa M. Ninck, „Die Bedeutung des Wassers im Kult und Leben der Alten". In: *Philologus*, Supplementband 14, 1921, S. 37 und an anderen Orten.

Mi agonía buscaba su traje,
polvorienta, mordida por los perros,
y tu la acompañaste sin temblar
hasta la puerta del agua oscura.[78]

Oder in der *Casida del herido por el agua* (496):

Quiero bajar al pozo,

. . .

para mirar el corazón pasado
por el punzón oscuro de las aguas.[79]

Die ebenfalls sehr alte, mythische Beziehung des Wassers zur Fruchtbarkeit
und zum sinnlichen Bereich kommt auch bei Lorca vor, ohne jedoch im
Vordergrund zu stehen. In dieser Verwendung wird das Wasser oft mit dem
Adjektiv „tibia" (lau) verbunden. So heißt es in dem erotischen Lied, welches
Belisa im *Don Perlimplín* singt (892):

Entre mis muslos cerrados,
nada como un pez el sol.
Agua tibia entre los juncos,
amor.[80]

Am Hochzeitstag sagt Don Perlimplín zu Belisa (898): „Desde que tú viniste
de la iglesia está mi casa llena de rumores secretos, y el agua se entibia ella
sola en los casos."[81]

Nahezu immer, wenn in Lorcas Dramen von einer sinnlichen Begierde die
Rede ist, wird diese durch Verlangen nach Wasser angedeutet[82]. Im Prolog
sagt Perlimplín, der sich zu verheiraten gedenkt, zu seiner Magd Marcolfa
(897): „... siento una seda ... ¿Por qué no me traes agua?"[83] Yerma, die sich
ein Kind wünscht und von ihrem Mann vernachlässigt wird, drückt sich ähnlich aus (1238): „Yo pienso que tengo sed y no tengo libertad. Yo quiero

---

[78] Aus: *El niño Stanton:*
(Staubig, von den Hunden gebissen,
suchte meine Agonie ihr Kleid,
und du hast sie begleitet, ohne zu zittern
bis zum Tor des dunklen Wassers.)
[79] (Ich will zum Brunnen hinabsteigen,
. . .
um zu sehen das Herz, durchstoßen
vom dunklen Pfriem des Wassers.)
[80] (Zwischen meinen geschlossenen Schenkeln
schwimmt wie ein Fisch die Sonne.
Laues Wasser zwischen den Binsen,
Liebe.)
[81] (Seit du von der Kirche kamst, ist mein Haus voll von geheimem Raunen, und
das Wasser in den Gefäßen wird von allein lau.)
[82] Der Wein hat in Lorcas Leben und Dichtung so gut wie keine Bedeutung
gehabt.
[83] (... ich fühle einen Durst ... Warum bringst du mir nicht Wasser?)

tener a mi hijo en los brazos ..."[84] Gegen den Schluß dieser Tragödie heißt
es (1255):

Vieja:
„Cuando se tiene sed, se agradece el agua."
Yerma:
„Yo soy como un campo seco donde caben arando mil pares de bueyes y lo que
tú me das es un pequeño vaso de agua de pozo."[85]

Im dritten Akt von *Bernarda Albas Haus* sagt Adela zu ihrer Mutter, ehe
sie sich heimlich zu ihrem Geliebten aufmacht, sie gehe „Wasser trinken"
(1419). Sie spricht diese Worte unmittelbar, nachdem der Hengst zweimal
mit den Hufen gegen die Stallmauern geschlagen hat. Wir werden im Abschnitt über die Symbolik des Pferdes (S. 103 ff.) noch sehen, daß hiermit
ebenfalls eine sinnliche Begierde angedeutet wird[86]. Bald danach heißt es in
der Regieanweisung für Martirio, die ebenfalls heimlich jenen Mann liebt
und ihn der Schwester Adela nicht gönnt: „Martirio trinkt Wasser und geht
langsam hinaus, während sie zur Stalltür hinsieht" (1428). Kurz darauf erscheint nochmals Adela „im weißen Unterrock und Mieder". Auf die Frage
der Dienerin La Poncia, ob sie denn nicht zu Bett gegangen sei, erwidert
Adela: „Ich will Wasser trinken.. der Durst weckte mich auf" (1432).

Es wäre jedoch verfehlt, wenn man diesen Aspekt des sinnlichen Begehrens in Lorcas Wassersymbolik für dominierend hielte. Besonders in dem
Jugendgedicht *Mañana* (120 ff.) kommt ein ganz anderer, geistiger Aspekt
des Wassers zum Ausdruck, wodurch dieses sogar dem sakralen Bereich
nahegerückt wird. Danach verbreitet das Wasser Harmonie, es ist zu Gesang
gewordenes Licht. Es ist fest und mild, voll von Himmel. Die heilige Taufe
ist Gott, der sich in Wasser verwandelt, ist sein Gnadenblut. Das Wasser
steigt in weißen Hüllen zum Himmel empor und macht uns besser. Es ist ein
göttliches Gut, und seine Ufer sind heilig. Für die heilende Wirkung des
Wassers spricht folgende Stelle (461):

... la luna lavó con agua
las quemaduras de los caballos ...[87]

Als Beleg für die sakrale Eigenschaft des Wassers seien noch zwei Beispiele
gegeben. Von der heiligen Eulalia, die sich zum Märtyrertod bereitet, heißt
es (387):

---

[84] (Ich denke, daß ich Durst habe und nicht frei bin. Ich will meinen Sohn in den
Armen halten ...)
[85] (Alte: „Wenn man Durst hat, ist man dankbar für Wasser."
Yerma: „Ich bin wie ein ausgetrockneter Acker, wo tausend Paar Ochsen Raum
zum Pflügen haben, und was du mir gibst, ist ein kleines Glas Brunnen-
wasser.")
[86] Auch bei Faulkner und D. H. Lawrence findet sich diese Symbolik.
[87] Aus: *[La luna pudo detenerse al fin]*
(... der Mond wusch mit Wasser
die Verbrennungen der Pferde ...)

Flora desnuda se sube
por escalerillas de agua.[88]

Vom Erlöser wird gesagt (449):

... Cristo puede dar agua todavía, ...[89]

Den Übergang von der sinnlichen zu dieser geistigen und sakralen Bedeutung
bildet die schon erwähnte Beziehung des Wassers zum Mond, der, wie wir
sahen, erotische Elemente vereint mit transzendental-geistigen. In der *Som-
nambulen Romanze* (358 ff.) ist die Rede von dem Verlangen des Mannes,
der die Geliebte sucht (359):

¡dejadme subir! dejadme
hasta las verdes barandas.
Barandales de la luna
por donde retumba el agua.[90]

Hier ist mit dem Wasser und dem Mond der Liebesbereich angedeutet. Am
Ende des Gedichts wird jedoch deutlich, daß die geliebte Frau tot ist (360):

Un carámbano de luna
la sostiene sobre el agua.[91]

Der Liebesbezug ist zur Todessymbolik geworden: Liebe und Tod sind nur
die beiden Seiten einer und derselben Sache. Mond und Wasser stehen als
Symbole dafür.

In der Romanze *Thamár y Amnón* (392 ff.) wird die erotische Atmosphäre durch die Gegenwart des Mondes beschworen. Amnons wildes Begehren erscheint im Bild der Natur als „Tiger und Flamme", während seine
Schwester Thamar in Analogie zur trockenen Erde gesehen wird, die ohne
das Wasser der Liebesempfindung ist. Dies ist der Sinn der Eingangsverse,
die scheinbar nur eine Naturschilderung geben (392):

La luna gira en el cielo
sobre las tierras sin agua
mientras el verano siembra
rumores de tigre y llama.[92]

---

[88] Nach *Martirio de Santa Olalla*:
(Die nackte Flora steigt hinauf
über kleine Treppen von Wasser.)
[89] In *Grito hacia Roma*:
(... Christus kann gleichwohl Wasser geben, ...)
[90] (Laßt mich hinaufsteigen! laßt mich
bis zu den grünen Geländern.
Geländer des Mondes,
wo das Wasser widerhallt.)
[91] (Ein Mondeiszapfen
hält sie auf dem Wasser.)
[92] (Der Mond kreist am Himmel   während der Sommer sät
über der wasserlosen Erde,   Geräusche von Tiger und Flamme.)

Oft wird der sehr komplexe Begriff des Wassers durch ein Adjektiv in seiner gemeinten Bedeutung näher umschrieben. Wir sprachen bereits vom „Tor des dunklen Wassers", vom „dunklen Pfriem des Wassers", vom „lauen" Wasser. Die Beispiele lassen sich leicht erweitern:

> ... moja con agua dura mis zapatos
> para que resbale la pinza de su alacrán. (492)[93]

> La piedra es una frente donde los sueños gimen
> sin tener agua curva ni cipreses helados. (470)[94]

In Nordamerika, dem Land, in welchem sich Lorca nicht wohlfühlte, sind die Wasser „podridas" (verfault, 425)[95]; dort ist das „Wasser zerlumpt", „agua harapienta" (399)[96].

Schon diese wenigen Hinweise lassen erkennen, wie vielschichtig die Bildersprache Lorcas ist und welche Schwierigkeiten sich dem tieferen Verständnis dieser Dichtung entgegenstellen.

Schnee (nieve)

Weniger kompliziert, aber dennoch mehrdeutig ist das Bild des Schnees. Oft ist damit das Reich der Kälte, der Erstarrung und des Todes angedeutet. In der Romanze *Reyerta* versehen die Engel die auf den Tod Verwundeten mit Schneewasser (357):

> Ángeles negros traían
> pañuelos y agua de nieve.[97]

In ähnlichem Todeszusammenhang wird der Schnee im dritten Teil des Gedichtes über den *Märtyrertod der heiligen Eulalia* dreimal erwähnt (388). Als Sinnbild für den Bereich der Erstarrung und des Todes erscheint der Schnee im *Pequeño poema infinito* (459):

> Equivocar el camino
> es llegar a la nieve ...[98]

---

[93] Aus: *Gacela de la muerte oscura:*
(... benetze mit h a r t e m Wasser meine Schuhe,
damit abgleite der Stachel ihres [der Aurora] Skorpions.)

[94] Aus: *Llanto por Ignacio Sánchez Meiías*, 3. Teil: *Cuerpo presente:*
(Der Stein ist eine Stirn, wo die Träume seufzen,
ohne g e k r ü m m t e s Wasser noch gefrorene Zypressen zu haben.)

[95] Aus: *La aurora.*

[96] Aus: *Vuelta de paseo.*

[97] (Schwarze Engel trugen herbei
Tücher und Wasser von Schnee.)

[98] (Den Weg verfehlen
heißt zum Schnee gelangen ...)

und in dem Drama *Bluthochzeit* heißt es von dem toten Bräutigam (1180):

> Era hermoso jinete,
> y ahora montón de nieve.[99]

Todesschweiß heißt auf spanisch „sudor mortal" oder „sudor de la muerte". Lorca hingegen bringt ihn in Zusammenhang mit dem Schnee, wenn er vom Tod des berühmten Stierkämpfers Ignacio Sánchez Mejías redet (466):

> Cuando el sudor de nieve fué llegando
> *a las cinco de la tarde, ...*[100]

In dem Drama *Sobald fünf Jahre vergehen* ist die Rede von einem Kind des Jünglings, das jedoch in Wirklichkeit nie gelebt hat, sondern nur im Bereich des Nichtseins existiert (1014):

> Tu niño canta en su cuna
> y como es niño de nieve
> espera la sangre tuya.[101]

Die andere Hauptbedeutung des Schnees ist das Reine und das Heilige. So wird in der *Ode an das Allerheiligste Altarsakrament* das Bild des Schnees für das Allerheiligste herangezogen (555):

> ¡Oh Forma sacratísima, vértice de las flores,
> . . .
> ¡Oh Forma limitada para expresar concreta
> muchedumbre de luces y clamor escuchado!
> ¡Oh nieve circundada por témpanos de música![102]

Schließlich wird Christus selbst als „el hombre de nieves" bezeichnet (557).

Meer (mar)

Gegensätzliche Aspekte birgt auch die Vorstellung des Meeres in sich. Schon von den ältesten Mythologien wird das Meer einerseits als allzeugender Ur-

---

[99] (Er war ein herrlicher Reiter,
nun ist er ein Haufen Schnee.)
[100] (Als der Todesschweiß kam,
um fünf Uhr am Abend, ...)
[101] (Dein Kind singt in seiner Wiege
und, da es ein Kind von Schnee ist,
erwartet es dein Blut.)
[102] (O Allerheiligste Form, höchste Blüte,
. . .
O begrenzte Form, um faßbar auszudrücken
Überfülle von Licht und vernommenes Rufen!
O Schnee, umgeben von Pauken von Musik!)

vater gedacht, aus dem auch nach der Auffassung des Philosophen Thales alles Leben herkommt, andererseits hat es auch einen verderbenbringenden, feindlichen Aspekt[103]. Nach einem bekannten griechischen Mythos entsprang Aphrodite dem Meer. Plato sieht im Wasser das Element der Tiefe, der nie gestillten Zeugungsbereitschaft; die Seele wird durch das feuchte Element zu Stoff und Begierde hinabgezogen, beschwert und in Übel verstrickt. In der modernen Psychologie erscheint das Meer als Bild für das Unbewußte, auch für Mutterleib und Wiege[104].

Bei Lorca erscheint das Meer als Ort des geheimnisvoll Ungewissen, der Gefährdung, etwa in den Versen (354):

> El silencio sin estrellas,
> huyendo del sonsonete,
> cae donde el mar bate y canta
> su noche llena de peces.[105]

Oder (364):

> Soledad de mis pesares,
> çaballo que se desboca,
> al fin encuentra la mar
> y se lo tragan las olas.[106]

In der berühmten *Romance de la Guardia Civil española* wünscht Lorca der geliebten Zigeunerstadt, sie möge nicht vom Meer heimgesucht werden (383):

> Dejadla lejos del mar, ...[107]

denn das Meer gefährdet und verschlingt seine Opfer (403):

> y ... el mar recordó ¡de pronto!
> los nombres de todos sus ahogados.[108]

---

[103] J. J. Bachofen, *Versuch über die Gräbersymbolik der Alten*. Basel 1925, S. 384.

[104] C. G. Jung und K. Kerényi, *Einführung in das Wesen der Mythologie*. Zürich 1951, S. 142 und 73.

[105] Aus: *Preciosa y el aire*:
(Die sternenlose Stille
flieht den Klingklang,
stürzt dorthin, wo das Meer brandet,
und besingt seine Nacht, erfüllt von Fischen.)

[106] Aus: *Romance de la pena negra*:
(Soledad meines Kummers,
das Pferd, welches durchgeht,
stößt am Ende auf das Meer,
und die Wellen reißen es davon.)

[107] (Laßt sie weit entfernt vom Meer, ...)

[108] Aus: *Fábula y rueda de los tres amigos*:
(und ... das Meer brachte plötzlich in Erinnerung
die Namen all seiner Ertrunkenen.)

Dort liegt auch die Liebe (449):

> el amor está ...
> en el triste mar que mece los cadáveres de las gaviotas ...[109]

Nicht selten ist das Meer ein Bild des Lebens, insbesondere der sinnlich-irdischen Wirklichkeit. In diesem Sinn ist „mar" in *Tu infancia en Mentón* (403 f.) zu verstehen. Entsprechend sagt der Vater, welcher im Krieg Sohn und Tochter verlor: „Yo tenía un mar" (411)[110], denn sein Kind war ihm alles, das ganze Meer, so wie für einen Fischer das Meer alles ist. In *Asesinato* (418 f.) wird der Tod des Ermordeten ähnlich ausgedrückt (419):

> Y el mar deja de moverse.[111]

Von Bernarda Alba, die mit ihrer Tochter nicht fertig wird, sagt die Magd (1430):

> Cuando una no puede con el mar lo más fácil es volver las espaldas para no verlo.[112]

In dem Warngedicht an einen Freund (*Paisaje con dos tumbas y un perro asirio*, 437 f.) ist mit „mar" der irdisch-sinnliche Lebensbereich umschrieben, an den sich der Angeredete nicht verlieren möge (438):

> Amigo,
> despierta, ...
> No importa que estés lleno de agua de mar.[113]

In seiner berühmten *Ode an Walt Whitman*, jenen amerikanischen Dichter, den Lorca tief verehrte, erscheint ihm dieser als „hombre solo en el mar", als „Mann allein auf dem Meer" des Lebens (452). Immer wieder bringt Lorca zum Ausdruck, daß er sich befreien will aus der allein naturgegebenen Form des Lebens, die er mit dem Wort „Meer" umschreibt (492):

> porque quiero vivir con aquel niño oscuro
> que quería cortarse el corazón en alta mar.[114]

---

[109] Aus: *Grito hacia Roma*:
(die Liebe liegt ...
im traurigen Meer, das die Leichen der Möwen wiegt ...)

[110] Aus: *Iglesia abandonada*:
(Ich hatte ein Meer).

[111] (Und das Meer hört auf, sich zu bewegen.)

[112] (Wenn es jemand mit dem Meer nicht aufnehmen kann, so ist es das Einfachste, ihm den Rücken zu kehren, um es nicht zu sehen.)

[113] (Freund,
wach auf, ...
nimm es nicht wichtig, daß du voll Meereswasser bist.)

[114] Aus: *Gacela de la muerte oscura*:
(denn ich will leben mit jenem dunklen Knaben,
der sich auf hohem Meer das Herz herausschneiden wollte.)

Die irdische Wirklichkeit, der Raum unserer Sinne und Empfindungen, auch unseres Fühlens (Herz!) bedeutet ihm zugleich Gefährdung. Dies sagt er auch in *Gacela de la huída* (493):

> Muchas veces me he perdido por el mar,
> como me pierdo en el corazón de algunos niños.[115]

Das Meer befindet sich in einem dem Fieber vergleichbaren Zustand („fiebre del mar", 498), es besitzt ein ungeheures Antlitz („de immenso rostro", 498), aber ungestillt bleibt das Verlangen, das göttliche Licht auf seiner Wange zu finden (498)[116]. In dem Drama *Sobald fünf Jahre vergehen* erscheint das Meer als Bild für das Reich der sinnlichen Liebe, wenn das Mädchen sagt (1019):

> Mi amante me aguarda
> en el fondo del mar.[117]

Dort leben (1019):

> Tiburones y peces
> y ramos de coral.[118]

Wir werden in dem Abschnitt über die Tiersymbolik (Fisch, S. 110 ff.) sehen, daß der Fisch ein uraltes sinnliches Symbol oft sexueller Prägung ist. Die Koralle deutet ihrer roten Farbe wegen in dieselbe Richtung. So erkennt man immer wieder, daß das Meer in der Dichtung Lorcas ein Symbol für den sinnenhaften Lebensbereich darstellt und in seiner Betonung des Irdischen eine Gegenwelt zum Reich des Geistigen, Unsterblichen und Göttlichen ist.

Regen (lluvia)

Im Regen empfindet Lorca etwas Stilles, Franziskanisches, etwas, das eine unbestimmte Traurigkeit erweckt (124 ff.)[119] und die Herzen erweicht (461)[120]. Der Regen ist wie eine Harfe (1013)[121]. Man muß auch den Regen über sich ergehen lassen, erleiden, wie die Schwiegermutter in der *Bluthochzeit* zu ihrer Tochter sagt, deren Mann getötet wurde (1174):

---

[115] (Viele Male habe ich mich auf dem Meer verloren,
wie ich mich im Herzen mancher Kinder verliere.)
[116] Aus: *Casida de la mujer tendida.*
[117] (Mein Geliebter erwartet mich
auf dem Grunde des Meeres.)
[118] (Haie und Fische
und Zweige von Korallen.)
[119] Vgl. *Lluvia.*
[120] Aus: *[La luna pudo detenerse al fin].*
[121] Aus: *Así que pasen cinco años.*

Tú, a tu casa.
Valiente y sola en tu casa.
A envejecer y a llorar.
. . .
Clavaremos las ventanas.
Y vengan lluvias y noches
sobre las hierbas amargas.[122]

In der letzten Szene dieser Tragödie sagt die Mutter (1180): „... bendita sea
la lluvia, porque moja la cara de los muertos."[123] Alles in allem ist der Regen
positiv empfunden: Lorca spricht geradezu vom „dulce lluvia" (1226)[124] und
empfindet ihn überwiegend als schön („La lluvia es hermosa", 983)[125] und
erfrischend („la lluvia fresca", 172)[126] und als Ruhespender (199)[127]:

¡Oh, qué tranquilidad del jardín con la lluvia!

Fluß, Strom (río)

Während das Wesen der weiblichen Natur vorwiegend im Ruhenden erblickt wird, deutet die rastlose Bewegtheit des Flusses, zusammen mit einer
zeugenden, befruchtenden Kraft auf ein männliches Prinzip. Tatsächlich sind
auch die antiken Flußgötter männlichen Geschlechts. Die beliebtesten Personi-
fikationen des Flusses sind das Pferd und der Stier, letzterer nicht nur wegen
seiner körperlichen Kraft und Zeugungsfähigkeit, sondern auch wegen seines
Gebrülls, welches an das Tosen bewegten Wassers erinnert. Wie allgemein
beim Wasser tritt auch beim Fluß die polare Doppelheit seines Wesens als
Lebens- und als Todesstrom in den Mythen hervor. Wir werden sehen, wie
diese Auffassungen auch in der Dichtung Lorcas weiterleben.
    Der Fluß wird zuweilen als Bild für einen bestimmten Mann gebraucht.
Die Braut in der *Bluthochzeit* sagt zu der Mutter ihres Bräutigams: „... tu hijo
era un poquito de agua de la que yo esperaba hijos, tierra, salud; pero el
otro era un río oscuro, lleno de ramas, que acercaba a mí el rumor de sus

---

[122] (Du, in dein Haus
Tapfer und einsam in deinem Haus.
Um zu altern und zu weinen.
. . .
Wir werden die Fenster zunageln.
Und es mögen Regen und Nächte kommen
über die bitteren Gräser.)
[123] (... gesegnet sei der Regen, denn er benetzt das Antlitz der Toten.)
[124] Aus: *Yerma:* (süßen Regen)
[125] Aus: *So vergehen fünf Jahre.*
[126] Aus: *Balada interior.*
[127] Aus: *Meditación baja la lluvia:*
(O, welche Ruhe des Gartens unter dem Regen!)

juncos y su cantar entre dientes" (1179)[128]. Die bewegte Kraft des dunklen, rauschenden Stromes als Bild des drängenden Liebhabers, im Gegensatz zu dem „bißchen Wasser" des stillen und wenig geliebten Bräutigams, gibt den Unterschied zwischen den beiden Männern deutlich wieder. Auch der von Lorca verehrte Dichter Walt Whitman wird von ihm unter dem Bild des Stroms gesehen (452)[129]. In Wien will Lorca mit einer Maske tanzen, die ein „cabeza de río" haben soll (456)[130].

Der Fluß und sein Ufer als Ort des sinnlichen Geschehens tritt wiederholt in der Dichtung Lorcas hervor. So heißt es im Zusammenhang mit der von sinnlichem Verlangen erfüllten Belisa des Bühnenstücks *Don Perlimplín* (921):

> Por las orillas del río
> se está la noche mojando.
> y en los pechos de Belisa
> se mueren de amor los ramos.[131]

Daraus wird es auch verständlich, warum die Romanze von der ungetreuen Frau (362 ff.) am Ufer eines Flusses spielt (364):

> cuando la llevaba al río.[132]

In diesem Gedicht wird viermal auf den „río" hingewiesen. Hierher gehört auch das Bild des Baches in der Vergewaltigungsszene von *Thamár y Amnón* (394):

> Ya la coge del cabello,
> ya la camisa le rasga.
> Corales tibios dibujan
> arroyos en rubio mapa.[133]

Die phallische Natur, die dem Fluß in alten Mythen[134] eignet, wird von Lorca u. a. in dem Tribut angedeutet, der ihm gezollt wird (451):

> y los judíos vendían al fauno del río
> la rosa de la circuncisión ...[135]

---

[128] (... dein Sohn war ein wenig Wasser, von dem ich Söhne, Erde, Wohlbefinden erwartete; aber der andere war ein dunkler Strom, voller Zweige, der mir das Rauschen seiner Binsen und seinen verhaltenen Gesang brachte.)

[129] In: *Oda a Walt Whitman.*

[130] In: *Pequeño vals vienés:* (Flußhaupt)

[131] (An den Ufern des Flusses
netzt sich die Nacht.
Und an den Brüsten von Belisa
sterben die Zweige vor Liebe.)

[132] Aus: *La casada infiel:* (als ich sie zum Flusse trug.)

[133] (Schon ergreift er sie beim Haar
und zerreißt ihr Hemd.
Warme Korallen zeichnen
Bäche auf blonder Karte.)

[134] J. J. Bachofen, *Gesammelte Werke,*
Bd. IV, Basel 1954, S. 143, 275, 78 f., 278, 432, 376.

[135] (und die Juden verkauften dem Faun des Flusses
die Rose der Beschneidung), aus: *Oda a Walt Whitman.*

In der Dichtung Lorcas finden wir das mythische Gegenbild zu Liebe und Leben, nämlich den Tod, auch im Fluß und seiner Umgebung symbolisiert. So enthält die Romanze vom *Tod des Antoñito el Camborio* zweimal das Verspaar (375):

> Voces de muerte sonaron
> cerca del Guadalquivir.[136]

Wie dieser scheinbar so sehr im Erdhaften verwurzelte Dichter sich immer wieder von der irdisch-sinnlichen Welt trennt und das Eitle, das Hohle in ihr erlebt, zeigen u. a. folgende Verse, die an einen toten Freund gerichtet sind (436):

> *Para ver que todo se ha ido.*
> *Para ver los huecos de nubes y ríos.*
> *Dame tus manos de laurel, amor.*
> *¡Para ver que todo se ha ido!*[137]

Der Fluß als Bild der irdischen Existenz, der leiblichen Form des Lebens, ist auch in den Versen über eine tote Katze enthalten (445):

> Hay un mundo de ríos quebrados
> y distancias inasibles
> en la patita de ese gato
> quebrada por el automóvil, ...[138]

Wie eingangs bemerkt, übergehen wir bloße Topoi, wie z. B. „un río de sangre" (443)[139], da hier, wie auch im Deutschen, „río" nur eine große Menge ausdrückt. Kein nur herkömmlicher Ausdruck ist es jedoch, wenn Lorca von dem Stierkämpfer Ignacio sagt (469):

> Como un río de leones
> su maravillosa fuerza, ...[140]

Das Roß galt von altersher dank seiner schnellen, vorwärtsdrängenden Kraft und Leidenschaft als ein dem Strom verwandtes Wesen. Auch diese

---

[136] (Stimmen vom Tod erklangen
beim Guadalquivir.)
[137] Aus: *Nocturno del hueco*, I:
(Um zu sehen, daß alles dahinging.
Um zu sehen das Hohle von Wolken und Flüssen.
Gib mir deine Lorbeerhände, Geliebter.
Um zu sehen, daß alles dahinging!)
[138] Aus: *New York*:
(Es gibt eine Welt zerbrochener F l ü s s e
und ungreifbarer Entfernungen
in dem Pfötchen dieser Katze,
das ein Auto zermalmte, ...)
[139] Aus: *New York*: (ein Strom von Blut)
[140] Aus: ... *Ignacio* ...:
(Wie ein Strom von Löwen
war seine wunderbare Kraft, ...)

Vorstellung findet sich bei Lorca, der Männer schätzt, „que doman caballos y dominan los ríos" (471)[141]. Immer wieder wird von ihm die ganze irdische Wirklichkeit als ein großer Strom versinnbildlicht. Mariana Pineda sagt gegen Ende der Tragödie, kurz vor ihrer Hinrichtung (796):

> ¡Ya estoy muerta, Fernando! Tus palabras me llegan
> a través del gran río del mundo que abandono.[142]

Dagegen wird in dem Drama *Sobald fünf Jahre vergehen* der Jüngling, welcher im Leben versagt hat, als „la sombra de un río"[143] bezeichnet (1031). Man sieht also auch beim Sinnbild des Flusses, wie Lorca keineswegs eine willkürlich erdachte Phantasiewelt in seiner Bildersprache erbaut, sondern wie er sich anschließt an eine jahrtausendalte, traditionelle, mythische Vorstellungswelt, die in ihren wesentlichen Zügen auf die Antike zurückgeht.

Tau (rocío)

Der Tau ist, da er aus Wasser besteht, von fruchtbringender, zeugender Kraft erfüllt, und da er vom Himmel kommt, ist es naheliegend, daß er in der Antike als eine über den Menschen sich ergießende Weisheit gedeutet worden ist. So wurden Orpheus und Pythagoras von Tau genährt[144]. Auch Grille und Zikade nähren sich diesen Mythen gemäß von Tau. Diese Vorstellung von einer übernatürlichen Weisheit übernimmt Lorca nicht. Bei ihm ist der Tau häufig ein Bild für die Liebe (623):

> sabemos que el amor
> es igual que el rocío.[145]

Er ist auch ein Bild ihrer Vergänglichkeit (623):

> como el amor, se pierde
> en la paz del olvido.
> Y mañana, otras gotas
> brillarán en la hierba
> que a los pocos momentos
> ya no serán rocío.[146]

---

[141] Aus: ...*Ignacio*...: (die Pferde zähmen und Ströme beherrschen.)
[142] (Schon bin ich tot, Fernando! Deine Worte kommen zu mir
über den großen Strom der Welt, die ich verlasse.)
[143] (der Schatten eines Flusses)
[144] Vgl. etwa J. J. Bachofen, *Gesammelte Werke*, III. Mutterrecht, Basel 1948,
S. 793 f.
[145] Aus: *El maleficio de la mariposa*:
(wir wissen, daß die Liebe
gleich ist dem Tau.)
[146] ebd.: (wie die Liebe verliert er sich   im Gras erglänzen,
im Frieden des Vergessens.   die in wenigen Augenblicken
und morgen werden andere Tropfen   schon nicht mehr Tau sein werden.)

Ähnlich spricht Lorca von der Trauer eines Liebenden (611):

llorando del rocío del amanecer.[147]

Denn mit dem Kommen des Tages vergeht der Tau und die Liebe. Analog zu deuten ist der zunächst dunkel anmutende Vers, wo von einem geliebten Wesen gesagt wird, es sei (614):

más digna del rocío que la carne del nardo.[148]

Die Narde ist nämlich ihrerseits für Lorca ein Blumenbild für Freundschaft und Liebe (1314 f.):

Dice el nardo: „Soy tu amigo";
. . .
Las flores tienen su lengua
para las enamoradas.

Son celos el carambuco;
desdén esquivo, la dalia;
suspiros de amor, el nardo; ...[149]

Lorca hat bereits 1919 in seiner *Aire de nocturno* mit dem Bild des Taus seiner Furcht vor der Liebe Ausdruck gegeben (215 f.):

Tengo mucho miedo
de las hojas muertas,
miedo de los prados
llenos de rocío.

. . .

¿Qué es eso que suena
muy lejos?
Amor. El viento en las vidrieras.
¡Amor mío![150]

---

[147] ebd.: (der den Tau des Morgengrauens beweint.)

[148] Aus: *El maleficio de la mariposa:*
(würdiger des Taus als das Fleisch der Narde.)

[149] Aus: *Doña Rosita la soltera o El lenguaje de las flores:*
(Es sagt die Narde: „Ich bin dein Freund";
. . .
Die Blumen haben ihre Sprache
für verliebte Mädchen.

Von Eifersucht spricht die Duftakazie;
von stolzer Verachtung die Dahlie;
von Liebesseufzern die Narde; . . .)

[150] (Ich habe sehr Angst
vor den toten Blättern,
Angst vor den Wiesen,
die voll sind von Tau.

. . .

An seinen Freund Ignacio, dem berühmten Stierkämpfer, hebt er dessen Härte im Kampf und seine Zartheit in der Liebe hervor (469):

> ¡Qué duro con las espuelas!
> ¡Qué tierno con el rocío![151]

Auch in *Madrugada* sind Liebe und Tau aufeinander bezogen (240):

> ... y las aljabas
> se llenan de rocío.
>
> ¡Ay, pero como el amor
> los saeteros
> están ciegos![152]

Nicht anders ist es im *Prólogo*, wo Lorca auf Faust und Gretchen anspielt und sich von Satan wünscht, er möge ihm ein brünettes Gretchen in den Olivenhain bringen (171):

> ... mientras todos mis sueños
> se llenan de rocío.[153]

Weitere Dinge, wie „Brunnen", „Zisterne", „Lagune", „Rinnsal" u. a. sind leichter zu deuten, spielen keine fundamentale Rolle und seien daher übergangen. Wir verlassen damit Lorcas Wassersymbolik und wenden uns den Symbolen Luft, Wind und Wolke zu.

Symbolbereich Luft

Die Luft (aire)

Das spanische Wort „aire" bedeutet nicht nur Luft, sondern auch eine Reihe ganz anderer Dinge, wie Gestalt, Miene, Gebärde, Gesichtszüge, Äußeres, Anschein, Anmut; ferner hat dieses Wort in der Musik noch den Sinn von

---

Was ist dieses Tönen
von weither?
Liebe. Der Wind an den Fenstern,
meine Liebe!)

[151] (Wie hart mit den Sporen!
Wie zart mit dem Tau!)

[152] (... und die Köcher
füllen sich mit Tau.

Ach, wie die Liebe
sind blind
die Bogenschützen!)

[153] (... während alle meine Träume
sich füllen mit Tau.)

Takt, Tonmaß, Arie, Melodie, Lied. Wir betrachten nur jene Stellen, wo „aire" Luft bedeutet und lassen auch die meisten jener Stellen weg, wo dieses Wort den ausschließlichen Sinn von „Wind" hat, da wir den letzteren Begriff in der Folge gesondert behandeln werden. So ist offensichtlich in der Romanze *Preciosa y el aire* (354 ff.) mit „aire" der Wind gemeint, der auch in diesem Gedicht viermal als „viento" erscheint, während das Wort „aire" nur im Titel vorkommt. Ebenso bezieht sich „aire" in (101):

> Aire del Norte,
> ¡oso blanco del viento![154]

auf den Nordwind, als Gegensatz zum „viento del Sur", womit dieses Gedicht beginnt. Auch Belisa meint den Wind, wenn sie sagt (908):

> Porque esta noche ha corrido el aire como nunca.[155]

Die Untersuchung der Bedeutung des Wortes „Luft" in der Dichtung Lorcas ist jedoch nicht nur darum schwierig, weil zunächst einmal all die genannten Fälle auszuscheiden sind, sondern auch wegen der mehrschichtigen Bedeutung, welche dem Begriff Luft bei Lorca zukommt. Am wenigsten Schwierigkeiten bereiten jene Fälle, wo durch ein hinzugefügtes Adjektiv die Bedeutung näher gekennzeichnet ist. So wird zusammen mit dem Adjektiv „duro" (hart) gewöhnlich die Atmosphäre des Todes bzw. das Jenseits angedeutet. In dem Gedicht *Sorpresa* (232) heißt es:

> Muerto se quedó en la calle
> con un puñal en el pecho.
> No lo conocía nadie.
> . . .
> Era madrugada. Nadie
> pudo asomarse a sus ojos
> abiertos al duro aire.
> Que muerto se quedó en la calle ...[156]

Im *Cementerio judío* ist unter anderem vom Eingang zu den weißen, marmornen Grabkapellen und Gewölben die Rede, die zu den Toten führen (446):

---

[154] Aus: *Veleta:*
(Nordwind,
weißer Bär des Windes!)
[155] Aus: *Don Perlimplín:*
(Denn heute nacht hat der Wind wie nie geweht.)
[156] (Tot blieb er auf der Straße,
einen Dolch in der Brust.
Keiner kannte ihn.
. . .
Es war beim Morgengrauen. Niemand
konnte sich seinen Augen zeigen,
die in die kalte Luft hinein geöffnet waren.
Tot blieb er auf der Straße ...)

y las blancas entradas de mármol que conducen al
aire duro ...[157]

Im dritten Akt der *Bluthochzeit* sagt der Mond im Hinblick auf den nahen Tod der beiden Männer (1161):

El aire va llegando duro, con doble filo.[158]

Der tote Bräutigam wird hereingetragen mit den Worten (1181):

¡Ay, qué cuatro galanes
traen a la muerte por el aire![159]

Mit den Eigenschaftswörtern „frio", „helado" (kalt, vor Kälte erstarrt) wird ebenfalls der Hinweis auf den Todesbereich gegeben (380):

Aprende a cruzar las manos,
y gusta los aires fríos
de metales y peñascos.
Porque dentro de dos meses
yacerás amortajado.[160]

Im *Martyrium der heiligen Eulalia*, die verbrannt und dann aufgehängt wurde, heißt es (388):

Nieve ondulada reposa.
Olalla pende del árbol.
Su desnudo de carbón
tizna los aires helados.[161]

Häufig bezeichnet Lorca mit „aire" das Medium von etwas Hohem, Geistigem, bisweilen sogar Heiligem. So bewegt die Mondgöttin „luna" ihre Arme (353):

En el aire conmovido ...[162]

Engel kommen Sterbenden zu Hilfe und fliegen (357):

por el aire del poniente.[163]

---

[157] (und die weißen Marmoreingänge, die zur harten Luft führen ...)
[158] (Die Luft ist im Begriff, hart zu werden, mit doppelter Schneide.)
[159] (Ach, vier stattliche Männer
tragen den Tod durch die Luft!)
[160] Aus: *Romance del emplazado:*
(Lerne deine Hände falten,
freue dich an kalten Lüften
von Metallen und von Felsen.
Denn ins Leichentuch gehüllt
bist du binnen von 2 Monden.)
[161] (Gewellter Schnee liegt ruhig.
Eulalia hängt am Baum.
Ihr nackter Leib aus Kohle
schwärzt die eisigen Lüfte.)
[162] Aus: *Romance de la luna, luna:* (In der bewegten Luft ...)
[163] Aus: *Reyerta:* (durch die Luft des Westens.)

Der Erzengel Gabriel steigt in der Luft eine Treppe empor (372):

> Ya San Gabriel en el aire
> por una escala subía.

Auch der Patron von Spanien, der heilige Jakobus (Santiago), bewegt sein Schwert aus Sternennebel in der Luft (380):

> Espadón de nebulosa
> mueve en el aire Santiago.[164]

Wie im indischen Denkbereich ist die Kuh auch für Lorca ein hohes, geistiges und heiliges Wesen, das er sogar manchmal als Bild für Christus gebraucht, wie wir in dem Abschnitt über die Tiersymbolik (Kuh, S. 114 ff.) noch genauer sehen werden. Von der getöteten Kuh wird gesagt, daß ihre „pezuñas tiemblan en el aire" (432)[165]. Der Idealist Don Quijote hat die Luft zu seinem Element: „Don Quijote anda por los aires ..." (1578)[166]. Die positive Bewertung des „aire"-Symbols erkennt man auch an Versen wie diesen: „la gracia visible del aire" (1581)[167], „las delicadas criaturas del aire" (422)[168]. Auch die schmerzliche Erkenntnis des „hueco", der Leere, der Einsamkeit und der Nichtigkeit aller Dinge, erscheint in Verbindung mit dem Element der Luft:

> Hay un dolor de huecos por el aire sin gente ...(400)[169]
> Es una cápsula de aire donde nos duele todo el mundo, ...
> (423)[170]
> El hueco de una hormiga puede llenar el aire, ... (436)[171]
> *No, no me des tu hueco,*
> *¡que ya va por el aire el mío!* (436)[172]

Die Luft wird in ihrem „Kern" geradezu als Ort der Wahrheitserkenntnis erfahren (428):

> Allí bajo las raíces y en la médula del aire
> se comprende la verdad de las cosas equivocadas, ...[173]

---

[164] Aus: *Romance del emplazado.*
[165] Aus: *Vaca:* (Hufe in der Luft erzittern.)
[166] Aus: *Varia. — Prosa. — Cartas. — A Ana María Dalí:*
(Don Quijote geht durch die Lüfte ...)
[167] Ebd.: (die sichtbare Anmut der Luft)
[168] Aus: *Panorama ciego de Nueva York:* (die zarten Kreaturen der Luft).
[169] Aus: *1910 (Intermedio):*
(Es gibt einen Schmerz von Hohlem in der Luft ohne Leute ...)
[170] Aus: *Panorama ciego de Nueva York:*
(Es ist eine Kapsel von Luft, wo uns die ganze Welt schmerzt, ...)
[171] Aus: *Nocturno del hueco, I:*
(Das Hohle einer Ameise kann die Luft erfüllen, ...)
[172] Ebd.: *(Nein, gib mir nicht dein Hohles,*
denn schon geht in der Luft das meine!)
[173] Aus: *Cielo vivo:*
(Dort unter den Wurzeln und im Kern der Luft
versteht man die Wahrheit der mehrdeutigen Dinge, ...)

Die Luft als Ort oder Medium der Erkenntnis löst die Illusion, bzw. die Zähne, mit denen man sie packen und festhalten möchte, wie Zucker auf (428):

> porque el aire disuelve tus dientes de azúcar, ...[174]

Die Verbindung der Luft mit dem Geistigen erkennt man auch aus den folgenden, auf den ersten Blick dunkel anmutenden Versen (435):

> Puede el aire arrancar los caracoles
> muertos sobre el pulmón del elefante ...[175]

Der Elefant ist das mächtigste Landtier. Die Lunge steht als Organ des Atmens dem Geistigen nahe: Schon in der Antike, bei den Indern und anderen Völkern bedeutet „pneuma" den Hauch, den Geist, auch den Heiligen Geist. Die Schnecken, welche die Atmungsorgane anfressen, können entfernt werden von der Luft, die geistiger Natur ist. Zur Bekräftigung sei noch erwähnt, daß die Wortverbindung „aire mental" von Lorca verwendet wird (47 f.)[176].

Die Luft hat für ihn geradezu Unsterblichkeitscharakter: „El aire es inmortal." (544)[177]. Sie ist freilich dem Leiden des Menschen gegenüber indifferent und unbekümmert, also nicht mit dem christlichen Geist zu verwechseln (459)[178]: „... el aire no hace caso de los gemidos ..." Ohne Lorca einen Nihilisten nennen zu wollen, kann man doch nicht leugnen, daß er mehrmals in die Nähe nihilistischer Gedankengänge kam[179]. In solcher Stimmung negiert er selbst den sonst hoch eingestuften „aire"-Begriff (441 f.):

> Son mentira las formas. Sólo existe
> el círculo de bocas del oxígeno.
> Y la luna.
> Pero no la luna.
> . . .
> Son mentira los aires ...[180]

---

[174] ebd: (denn die Luft löst deine Zuckerzähne auf, . . .)
[175] Aus: *Nocturno del hueco*, I:
(Es kann die Luft losreißen die Schnecken,
die tot auf der Lunge des Elefanten liegen . . .)
[176] Aus: *Prosa. — Teoría y juego del duende*: (geistige Luft)
[177] Aus: *El poeta pide a su amor que le escriba*: (Die Luft ist unsterblich)
[178] Aus: *Pequeño poema infinito*:
(. . . die Luft kümmert sich nicht um die Seufzer . . .)
[179] Vgl. Kapitel I, Einführung in die Welt Lorcas (S. 7 ff.).
Die *Casida de las palomas oscuras* (502 f.), die am Ende dieser Arbeit (S. 161 ff.) interpretiert wird, läßt sich kaum anders deuten. Ferner sei auf die bedeutungsvolle *Klage um Ignacio* verwiesen, in der besonders im letzten Teil (472 f.) nihilistische Gedanken anklingen.
[180] Aus: *Luna y panorama de los insectos*:
(Es sind Lüge die Formen. Es existiert nur
der Kreis von Sauerstoffmündern.
Und der Mond.

Erwähnt sei noch, daß in einigen nicht sehr häufigen Fällen die Luft, insbesondere wenn sie in Verbindung mit gewissen Adjektiven auftritt, auch eine erotische Bedeutung erhalten kann. Beispielsweise wird in der Romanze *Thamár y Amnón* die sinnliche Atmosphäre mit „Aire rizado" (gekräuselte Luft) angedeutet (392), und von dem aufreizenden Kastagnettenklang wird gesagt (254):

> rizas el aire
> cálido, ...[181]

Die Luft als Medium oder Atmosphäre sinnlicher Strömung ergibt sich auch aus dem Gedicht *Ruina*, wo „aire" zu dem erotischen[182] Apfelsymbol in Analogie gesetzt wird (439):

> Pronto se vió que la luna
> era una calavera de caballo
> y el aire una manzana oscura.[183]

In *Sobald fünf Jahre vergehen* sagt die Magd zu der Braut, die sich dem robusten, sinnlichen Bräutigam zuwenden will (997):

> El aire le va a quemar el cutis.[184]

Zusammenfassend läßt sich sagen, daß der Begriff Luft bei Lorca meist eine Art Fluidum, ein Medium oder eine gewisse Atmosphäre ausdrückt, die häufig geistiger Natur ist, jedoch auch zuweilen erotischer Art sein kann. Wie eng für Lorca der Bereich des Geistigen und des Denkens mit dem Schönen verknüpft ist, erhellt aus einer Äußerung über seine geliebte Vaterstadt Granada. Er sagt, dort lebe man „en un aire que a fuerza de belleza es casi pensamiento" (7)[185].

Brise (brisa)

Das spanische „brisa", das als Seemannswort bei uns, im Englischen (breeze) und in skandinavischen Ländern Eingang fand, bezeichnet einen angenehmen,

---

Jedoch nicht der Mond.
. . .
Es sind Lüge die Lüfte . . .)
[181] Aus: *Crótalo:* (du kräuselst die Luft / warm, . . .)
[182] Siehe Kapitel I, Erstes Beispiel für Interpretationsschwierigkeiten, *Amantes asesinados por una perdiz* (S. 19 ff.).
[183] Aus: *Ruina:*
(Bald sah man, daß der Mond
ein Pferdeschädel war
und die Luft ein dunkler Apfel.)
[184] (Die Luft wird Ihnen die Haut verbrennen.)
[185] Aus: *Prosa. — Semana Santa en Granada:*
(in einer Luft, die mit viel Schönheit fast Denken ist.)

erfrischenden, leichten Wind, der gewöhnlich mit gutem Wetter verbunden ist. Auch dieser Begriff ist in Lorcas Dichtung mehrschichtig. Es kann damit etwas Schönes gemeint sein. Der Erzengel Gabriel sagt in seiner Verkündigung (371):

> Tendrás un niño más bello
> que los tallos de la brisa.[186]

Das schöne Fest der Zigeuner wird durch die Guardia Civil vernichtet (384):

> Los sables cortan las brisas
> que los cascos atropellan.[187]

Ähnliches drücken die Worte aus, die kurz vor der Hinrichtung zu Mariana Pineda gesprochen werden (800):

> Ni sentirás la dulce brisa de primavera
> pasar de madrugada tocando tus cristales.[188]

In der Mehrzahl der Fälle hat jedoch dieses „Angenehme" oder „Schöne" nicht nur diesen generellen Sinn, sondern es ist damit speziell ein erotisch-sinnliches Gefühl oder Verlangen gemeint. Beispielsweise lebt die Romanze *La monja gitana* (Die Zigeunernonne, 361 f.) aus dem Gegensatz zwischen der strengen, asketischen Abgeschlossenheit in der Klausur und dem zurück-gehaltenen erotischen Gefühl der Nonne. Dies wird zunächst mit verschiede-nen Blumenbildern angedeutet wie Gräser, Sonnenblume, Orange und anderen, auf deren sinnliche Bedeutung wir im Abschnitt über Lorcas Pflanzensymbolik (S. 80 ff.) näher eingehen werden. Darauf folgen die Verse (361):

> Por los ojos de la monja
> galopan dos caballistas.
> Un rumor último y sordo
> le despega la camisa, ...[189]

In den weiteren Versen, die von „zwanzig Sonnen" und von „Eifersucht" sprechen, fehlt nicht das Wort „brisa" (362). Die Romanze *Muerto de amor* (377 f.) handelt, wie schon der Titel sagt, von Liebe und Tod, und auch hier

---

[186] Aus: *San Gabriel:*
(Einen Sohn wirst du bekommen,
schöner als der Brise Stiele.)
[187] Aus: *Romance de la Guardia civil española:*
(Ihre Säbel schneiden Brisen,
die die Hufe niederrennen.)
[188] Aus: *Mariana Pineda:*
(Du wirst nicht die süße Brise des Frühlings fühlen,
wenn sie in der Morgenfrühe deine Kristalle berührt.)
[189] (In den Augen der Nonne
galoppieren zwei Reiter.
Ein letztes, dumpfes Rauschen
löst ihr Hemd, ...)

ist die Rede von „Brisas de caña mojada" (377), d. h. von „Brisen aus feuchtem Ried", und es ist bekannt, wie gerade Ried- und Sumpfgebiete mit ihren feuchten Tiefen von altersher als Ort erotisch-sinnlicher Kräfte gelten[190]. Wiederum im Zusammenhang mit der Liebe, der Liebe, die verwundet, finden wir die Brise in (420):

¡Oh brisa mía de límites que no son míos!
¡Oh filo de mi amor, oh hiriente filo![191]

Ähnliches drücken die Verse aus (436):

Es la piedra en el agua y es la voz en la brisa
bordes de amor que escapan de su tronco sangrante.[192]

Oder (427):

quiero mi libertad, mi amor humano
en el rincón más oscuro de la brisa que nadie quiera.
¡Mi amor humano![193]

Auch in der *Casida de la muchacha dorada* (501 f.) dürfte der Einbruch der Sinnlichkeit mit dem Ausdruck „brisa parda" („pardo" bedeutet „braun" und „trüb") angedeutet sein, zusammen mit dem vorhergehenden „turbia" (trüb), das sich auf die Nacht bezieht.

Wir sahen bisher, daß die Brise in engem Zusammenhang mit der Liebe steht. Dies bedarf einer Präzisierung. Es handelt sich dabei nicht um jede Art der Liebe, insbesondere nicht um deren real sinnliche Form. Gemeint ist vielmehr, daß eine geistige Liebesleidenschaft mindestens im Vordergrund steht, ohne daß ihr erotisch betonte Züge zu fehlen brauchen. Ein Beleg hierfür ist der Ausdruck (102): „chopo, maestro de la brisa"[194], denn die Schwarzpappel[195] ist ein unserem Dichter besonders lieber Baum, von dem er sagt, er sei „starken Geistes" (188)[196] und auf das Denken gerichtet; die Schwarz-

---

[190] Vgl. z. B. J. J. Bachofen, *Gesammelte Werke*, IV. Basel 1954, S. 46, 116, 224, 381 f., 441.
[191] Aus: *Navidad en el Hudson*:
(O meine Brise von Grenzen, die nicht die meinen sind!
O Schneide meiner Liebe, o verletzende Schneide!)
[192] Aus: *Nocturno del hueco*, I:
(Der Stein im Wasser und die Stimme in der Brise
sind Ränder von Liebe, die ihrem blutenden Rumpf entrinnen.)
[193] Aus: *Poema doble del lago Edem*:
(ich will meine Freiheit, meine menschliche Liebe
im dunkelsten Winkel der Brise, von niemand begehrt.
Meine menschliche Liebe!)
[194] Aus: *Veleta*.
[195] „chopo" bedeutet Schwarzpappel und nicht „Erle", wie sowohl Langenscheidts Taschenwörterbuch (Spanisch-Deutsch, Berlin 1955) als auch das sonst sehr gute und ausführliche Wörterbuch von Slaby und Grossmann (Span.-Deutsch, Leipzig 1932) irrtümlich angehen. Eine rühmliche Ausnahme stellt der Duden-Español dar, der „chopo" mit „Schwarzpappel" angibt und auch die unverwechselbare Form der Blätter dieser Bäume abbildet.
[196] Aus: *Chopo muerto*.

pappel verschließe die „Lava" ihrer Leidenschaft in ihrem Leib und sie
sei (185) „.. — el Pitágoras de la casta llanura —"[197]. Dieser Hinweis auf
Pythagoras unterstreicht die enthaltsame, streng sittliche Lebensauffassung,
die bekanntlich den Pythagoreern eigen war. Mariana Pineda sagt gegen
Ende ihres Lebens, sie sei wie eine „última débil brisa que se pierde en los
álamos" (786)[198]. Auch das Gedicht *Normas* (539 f.), das von den Formen der
Liebe handelt und sich abwendet von der (540):

> Norma de seno y cadera
> bajo la rama tendida; ...[199]

drückt ähnliche Gedankengänge aus, wenn es mit folgenden Versen schließt,
die das Wort „pura" enthalten (540):

> ... pero mi amor busca pura
> locura de brisa y trino.[200]

Wind (viento)

Die mythische Vorstellung vom Wind als Verführer, Verfolger und Frucht-
barkeitsdämon liegt der menschlichen Phantasie nahe und sie findet sich auch
bei Lorca, insbesondere in der Romanze vom Mädchen Preciosa (355):

> Al verla se ha levantado
> el viento que nunca duerme.
> . . .
> El viento-hombrón la persigue
> con una espada caliente.
> . . .
> ¡Preciosa, corre, Preciosa,
> que te coge el viento verde!
> ¡Preciosa, corre, Preciosa!
> ¡Míralo por dónde viene!
> Sátiro de estrellas bajas
> con sus lenguas relucientes.[201]

---

[197] Aus: *El concierto interrumpido:* (. . . — der Pythagoras / der keuschen Ebene —)
[198] Aus: *Mariana Pineda:*
(letzte schwache Brise, die sich in den Pappeln verliert.)
[199] (Norm von Busen und Hüfte
unter dem ausgebreiteten Zweig; . . .)
[200] (. . . jedoch meine Liebe sucht reinen
Wahnsinn von Brise und Triller.)
[201] Aus: *Preciosa y el aire:*
(Als er sie sah, erhob sich
der Wind, der niemals schläft.
. . .
Der große Windmann verfolgt sie
mit einem heißen Schwert.
. . .

Dieselbe Bedeutung haben die „vientecillos" (Diminutiv von „viento") in *Thamár y Amnón,* wo es heißt (394):

> Son tus besos en mi espalda
> avispas y vientecillos ...[202]

Für die sinnliche Funktion des Windes ist es auch bezeichnend, daß für Lorca der „viento" in einem antagonistischen Verhältnis zum Licht steht, das bei ihm, wie übrigens bei den meisten Dichtern, eine ausgesprochen geistige Bedeutung hat. Eine solche Auffassung vom „conflicto de luz y viento" (405)[203] läßt auch das dualistische Prinzip im Denken und Fühlen Lorcas erkennen, worauf wir bereits mehrfach hinweisen konnten.

Im Abschnitt über die Pflanzensymbolik (S. 80 ff.) werden wir Belege dafür erbringen, daß die Orange bei Lorca ein Bild für das sinnliche Leben und die irdische Liebe ist. So ist es nicht verwunderlich, daß der Wind gern in der Verbindung mit dieser Frucht erscheint, deren Farbe übrigens dem Rot nahesteht (223):

> *¡Ay, amor*
> *que se fué y no vino!*
> Guadalquivir, alta torre
> y viento en los naranjales.[204]

Auch die von Liebessehnsucht und Klage erfüllte *Romance sonámbulo* (358 ff.) spricht wiederholt von drei Begriffen, die alle auf diesen Bedeutungsbereich weisen: grün, Wind, Zweige[205]. Die Liebesleidenschaft des Mannequins in *Sobald fünf Jahre vergehen* wird durch die Verknüpfung mit dem erotischen Schlangensymbol verstärkt zum Ausdruck gebracht (1011):

Preciosa, eile, Preciosa,
sonst ergreift dich der grüne Wind!
Preciosa, eile, Preciosa!
Schau, woher er kommt!
Satyr niederer Sterne
mit seinen leuchtenden Zungen.)

[202] (Deine Küsse sind auf meiner Schulter
Wespen und der Winde Hauch . . .)

[203] Aus: *Norma y paraíso de los negros:* (Konflikt von Licht und Wind)

[204] Aus: *Baladilla de los tres ríos:*
(*Ach, Liebe,*
die dahinging und nicht kam!
Guadalquivir, hoher Turm
und Wind in den Orangenhainen.)

[205] „Verde" bedeutet im Spanischen neben „grün" im figürlichen Sinn auch „jung, kräftig, wollüstig, geil". Für „Zweige" vergleiche man etwa das dritte Bild im *Don Perlimplín,* wo es heißt (921):
Y en los pechos de Belisa   (Und an den Brüsten von Belisa
se mueren de amor los ramos.   sterben die Zweige vor Liebe.)

¿Por qué no viniste antes?
Ella esperaba desnuda
como una sierpe de viento
desmayada por las puntas.[206]

Schon 1919 schrieb Lorca in seinem ersten Theaterstück *El maleficio de la mariposa* (611):

¿Qué madejas de amores me ha enredado aquí el viento?[207]

Für diese Art der Bedeutung von „Wind" mögen die genannten Belege genügen. Bei der komplexen Natur von Lorcas Symbolik wäre es jedoch verfehlt, wollte man diese Deutung für allein gültig und erschöpfend halten. Bereits 1920 findet man in dem Gedicht *Ritmo de otoño* (211 ff.) den Wind als Symbol für den ewigen Rhythmus, als Lebensstrom (Blut) des Unendlichen aufgefaßt, wovon die Liebe nur ein wichtiger Einzelfall ist.

En la tristeza húmeda
el viento dijo:
— Yo soy todo de estrellas derretidas,
sangre del infinito.

. . .

yo llevo los suspiros
en burbujas de sangre invisibles
hacia el sereno triunfo
del amor inmortal lleno de Noche.

. . .

En mi alma perdiéronse solemnes
carne y alma de Cristo,

. . .

Llevo las carabelas de los sueños
a lo desconocido.
Y tengo la amargura solitaria
de no saber mi fin in mi destino —.

. . .

... — Soy eterno ritmo —.[208]

---

[206] (Warum kamst du nicht früher?
Sie wartete nackt,
wie eine Schlange aus Wind,
ohnmächtig durch die Spitzen.)
In ihrer unerwiderten Liebe fühlte sich sich wie durch spitze Lanzenstiche verwundet bis zur Ohnmacht. Enrique Beck, der im allgemeinen vorzüglich übersetzt, glaubte diesen Vers folgendermaßen übertragen zu müssen: „ohnmächtig über Wipfeln." *(Die dramatischen Dichtungen.* Wiesbaden 1954, S. 193 unten).
[207] (Mit welchen Strähnen der Liebe hat der Wind mich hier umgarnt?)
[208] (In der feuchten Traurigkeit
sagte der Wind:
— Ich bestehe ganz aus Sternen, die in Liebe entbrannt,
Blut des Unendlichen.
. . .

Eine solche elementare Kraft des Lebens kann auch zerstörend wirken:

Viento del Este:
un farol
y el puñal
en el corazón. (231)[209]

Todas las ventanas
preguntan al viento,
por el llanto oscuro
del caballero. (389)[210]

azul donde el desnudo del viento va quebrando
los camellos sonámbulos de las nubes vacías. (406)[211]

y el viento empañaba espejos
y quebraba las venas de los bailarines. (408)[212]

mientras mis ojos se quiebran en el viento ... (426)[213]

y el viento acecha troncos descuidados. (427)[214]

---

ich trage die Seufzer
unsichtbaren Blutes
zum heiteren Triumph
der unsterblichen Liebe, erfüllt von Nacht.
. . .
In meiner Seele verloren sich
feierlicher Leib und Seele von Christus,
. . .
Ich trage die Karavellen der Träume
ins Unbekannte.
Und ich habe die einsame Bitternis,
mein Ziel nicht zu kennen noch mein Geschick. —
. . .
. . . — Ich bin ewiger Rhythmus —.)

[209] Aus: *Encrucijada:*
(Wind des Ostens:
eine Laterne
und der Dolch
im Herzen.)
[210] Aus: *Burla de Don Pedro a caballo:*
(Alle Fenster
fragen den Wind
wegen des dunklen Weinens
des Reiters.)
[211] Aus: *Norma y paraíso de los negros:*
(Bläue, wo das Nackte des Windes zerbricht
die schlafwandelnden Kamele der leeren Wolken.)
[212] Aus: *Oda al rey de Harlem:*
(und der Wind trübte Spiegel
und zerbrach die Adern der Tänzer.)
[213] Aus: *Poema doble del lago Edem:*
(während meine Augen im Winde zerbrechen . . .)
[214] ebd.: (und der Wind umlauert sorglose Stämme.)

76

Einem allgemeinen Brauch folgend werden auch bei Lorca dem Wind zuweilen personifizierende Züge beigelegt. Es gibt einen „viento triste" (500)[215], einen anderen, der Furcht hat (490):

> Algunas veces el viento
> es un tulipan de miedo, ...[216]

Die Winde werden auch entsprechend ihrer Himmelsrichtung gekennzeichnet. Natürlich bringt der Südwind das Liebesverlangen (101):

> Viento del Sur,
> moreno, ardiente,
> llegas sobre mi carne,
>
> . . .
>
> Pones roja la luna ...[217]

Der Nordwind hingegen wird mit den Sternen und der Farbe weiß verbunden (101 f.):

> Aire del Norte,
> ¡oso blanco del viento!
> Llega sobre mi carne
> tembloroso de auroras
> boreales,
> con tu capa de espectros
> capitanes,
> y riyéndote a gritos
> del Dante.
> ¡Oh pulidor de estrellas![218]

Wie vielschichtig Lorcas Symbolik ist und wie es bisweilen nicht möglich ist, über eine hypothetische Deutung mit Sicherheit hinauszukommen, mögen etwa folgende Verse zeigen (489):

---

[215] Aus: *Casida de la mano imposible:* (trauriger Wind)
[216] Aus: *Gacela del recuerdo de amor:*
  (Bisweilen ist der Wind
  eine Tulpe aus Furcht . . .)
[217] Aus: *Veleta:*
  (Wind des Südens,
  dunkelbraun, glühend
  kommst du über mein Fleisch,

  . . .

  Rot machst du den Mond . . .)
[218] Ebd.: (Luft des Nordens,
  weißer Bär des Windes!
  Du kommst über mein Fleisch,
  zitternd von Nordlichtern,
  mit deinem Mantel von
  Kapitänsgespenstern,
  und schreiend machst du dich lustig
  über Dante.
  O Schleifer von Sternen!)

El viento nublado y el viento limpio
son dos faisanes que vuelan por las torres
y el día es un muchacho herido.[219]

Es wird hier ein „viento nublado" von einem „viento limpio" unterschieden. Im nächsten Abschnitt werden wir zeigen, daß die Wolke bei Lorca häufig als Bild für sinnliche Gefühlsbewegungen und ihre Wandelbarkeit verwendet wird. Im Einklang mit Lorcas dualistischer Denkart und insbesondere mit seiner dualistischen Liebesauffassung kann man annehmen, daß der „bewölkte Wind" ein Bild für die sinnlich-irdische Leidenschaft darstellt, während der „reine Wind" einer geistig-erotischen Bewegtheit entspricht, die dem platonischen Eros nahesteht. Diese beiden miteinander im Streit liegenden Arten des Windes sind wie große, farbenprächtige Fasanen, und der Lebenstag des Menschen ist der Kampfplatz, auf dem die Wunden geschlagen werden.

Wolke (nube)

Das Wort „nube"[220] ist in vielen Fällen ein Bild für sinnliche Gefühlsbewegungen, die sich wandeln und dahinziehen wie das Gewölk. Lorca gebraucht einmal den Ausdruck „la pupila viciosa de nube" (die lasterhafte (geile) Pupille der Wolke)[221]. Von der Göttin Diana sagt er, sie sei gewöhnlich hart und unzugänglich; nur zuweilen sei sie es nicht, sondern habe „bewölkte Brüste" (403):

> Diana es dura
> pero a veces tiene los pechos nublados.[222]

Bei einem solchen Überwiegen des sinnlichen und vergänglichen Aspekts der Liebe in dem Begriff „nube" ist es nicht verwunderlich, daß Lorca die Wolken als „vacías", als hohl und leer bezeichnet, als Erscheinungen, die an den Pforten des Totenreichs zerfallen:

---

[219] Aus: *Gacela del niño muerto*:
(Der bewölkte Wind und der reine Wind
sind zwei Fasanen, die um die Türme fliegen,
und der Tag ist ein verwundeter Bursche.)

[220] Selbstverständlich werden stets auch die Stellen beigezogen, die vielleicht nicht genau das in Klammern erwähnte spanische Wort, aber verwandte Begriffe, seien es Synonyma, Verbalformen oder anderes enthalten; also in diesem Fall Wörter wie „nublo", „nublado".

[221] Aus: *Tierra y luna*. In der hier zugrunde gelegten 3. Auflage S. 557, jedoch in der 1. Auflage nicht, wie man erwarten sollte, S. 555 (zwei Seiten vorher), sondern S. 1502.

[222] Aus: *Fábula y rueda de los tres amigos*.

Para ver los huecos de nubes y ríos (436)[223]

Son los muertos que arañan con sus manos de tierra
las puertas de pedernal donde se pudren nublos y
postres. (416)[224]
Es por el ...
. . .
azul donde el desnudo del viento va quebrando
los camellos sonámbulos de las nubes vacías.(406)[225]

Man darf freilich auch hier, wie meist bei der Symbolik Lorcas, nicht vergessen, daß seine Bilder keine ganz und gar feststehenden, unverrückbaren Bedeutungen haben. Schließlich ist Lorca Dichter und nicht Logiker.

In der Tat finden sich Wendungen wie „nubes quietas" (467)[226] und Verse wie (431):

... celestiales palabras
que duermen en los troncos, en nubes, en tortugas, ...[227]

Die Wolke kann auch das geheimnisvoll Verhüllende bedeuten, das sich erst wegheben muß, damit man die Schönheit der Erde erfahren kann. So klagt das Kind, das soeben gestorben ist und sich nach der Erde zurücksehnt (977):

Nunca veremos la luz,
ni las nubes que se levantan,
ni los grillos en la hierba,
ni el viento como una espada.
¡Ay girasol!
¡Ay girasol de fuego!
¡Ay girasol![228]

---

[223] Aus: *Nocturno del hueco, I:*
(Um zu sehen das Hohle von Wolken und Flüssen.)
[224] Aus: *Paisaje de la multitud que vomita:*
(Es sind die Toten, welche mit ihren Händen aus Erde kratzen
an den Feuersteintoren, woran Wolken und Dessert verfaulen.)
[225] Aus: *Norma y paraíso de los negros:*
(Es ist im ...
Azur, wo das Nackte des Windes zerbricht
die schlafwandelnden Kamele der hohlen Wolken.)
[226] Aus: *Llanto por Ignacio Sánchez Mejías:* (ruhige Wolken)
[227] Aus: *El niño Stanton:*
(... himmlische Worte,
die schlummern in den Stämmen, in Wolken, in Schildkröten, ...)
[228] Aus: *Así que pasen cinco años:*
(Niemals werden wir sehen das Licht,
noch die Wolken, die sich erheben,
noch die Grillen im Gras,
noch den Wind, der ist wie ein Schwert.
Ach Sonnenblume!
Ach Sonnenblume aus Feuer!
Ach Sonnenblume!)

Die Sonne ist es, die mit hundert Hörnern von Gold die Wolken emportreibt (963)[229]. Im übrigen gilt für die „Wolke", was für alle diese Begriffe zutrifft: sie erscheinen nur sehr selten in ihrer realen, alltäglichen Bedeutung, sondern haben fast immer einen symbolischen Hintersinn. Gerade dies aber ist bezeichnend für die Dichte und Eigenmächtigkeit der Symbole und Bilder im Werke Lorcas.

Pflanzensymbolik

Vorbemerkung

Es wäre eine langwierige, im Grunde kaum dankbare Aufgabe, wollte man die genaue Anzahl feststellen, mit der jede einzelne Pflanze im Gesamtwerk Lorcas vorkommt. Wir beschränken uns darauf, einen möglichst gleichmäßig ausgewählten Teil der Dichtung für unsere Abzählung zu benutzen, wie wir dies auch im Vorhergehenden bereits getan haben[230]. Die ermittelten Häufigkeitszahlen haben also keinen Absolutheitscharakter, aber sie geben ein hinreichendes Bild von der relativen Häufigkeit, mit der die einzelnen Pflanzen erscheinen.

Die R o s e übertrifft alle anderen: an 97 Stellen fand sich ihr Name innerhalb des untersuchten Teiles. Für das G r a s ergaben sich 66 Belege und für die L i l i e 35. Dies sind die drei häufigsten und gedanklich wichtigsten Pflanzensymbole. Danach kommen mit einer relativen Häufigkeit, die sich zwischen 18 und 26 bewegt, folgende sieben botanische Begriffe: O r a n g e (Baum, Blüte und Frucht), Ö l b a u m (samt Frucht), P a p p e l (álamo, chopo), B a u m (árbol) als genereller Begriff, J a s m i n, N e l k e und N a r d e. Mit einer Häufigkeit von 10 bis 15 Malen fanden sich Äpfel, Binse und Schilf, Efeu, Moos, Dahlie und Lorbeer. Weniger oft, aber für das Verständnis der Dichtung Lorcas nicht ohne Belang, erscheinen: Alge, Anemone, Brennessel, Eiche, Eisenkraut, Farn, Hyazinthe, Immortelle, Myrte, Narzisse, Oleander, Quitte, Sonnenblume, Veilchen, Zitrone, Zypresse und noch manche andere. Wir untersuchen nun ihre symbolische Bedeutung.

R o s e (r o s a)

In der Dichtung der ganzen Welt spielt die Rose eine beherrschende Rolle. Meist ist sie ein Bild vollendeter Schönheit, oft hat sie die Bedeutung der Zu-

---

[229] Ebd.: los cien cuernos de oro con que levanta a las nubes el sol.
[230] Im wesentlichen wurden untersucht die lyrische Dichtung Lorcas (ausgenommen die *Cantares populares* und einige wenige frühe Gedichte) sowie folgende Dramen: *El maleficio de la mariposa, Don Perlimplín, Bodas de sangre, Doña Rosita, Así que pasen cinco años.*

neigung und Liebe[231], und schließlich tritt sie auch als Symbol in der religiösen Dichtung von Dante bis Claudel in Erscheinung. Bei Lorca findet sich insbesondere die rote Rose häufig als Symbol der Liebe, einer Liebe, die im Sinne der tragischen Weltauffassung dieses Dichters oft auf den Tod zueilt. In einer Liebesklage um ein früh verstorbenes Mädchen heißt es (252):

> Dentro, hay una niña muerta
> con una rosa encarnada
> oculta en la cabellera.[232]

In der *Romance sonámbulo* werden zwar die Rosen metaphorisch für das Blut des verwundeten Mannes gebraucht (359):

> Trescientas rosas morenas
> lleva tu pechera blanca.[233]

aber auch hier geht es um die Liebe und den Tod, der hinzutritt. In der *Romanze von der spanischen Guardia Civil* scheint die Rose nur ein Vergleichsbild für das Mündungsfeuer der Gewehre von Gendarmen zu sein (385):

> Y otras muchachas corrían
> perseguidas por sus trenzas,
> en un aire donde estallan
> rosas de pólvora negra.[234]

und doch bleibt die Verbindung von Sexual- und Todesbezug unverkennbar. Im Zusammenhang mit dem „Rosenstrauch" und seiner Liebes- und Todessymbolik wird auch das klassische Paar der jungen, tragischen Liebe, Romeo und Julia, erwähnt (458)[235]. Besonders deutlich zeigt das Gedicht *Gacela de la huída* (493) dieses Tendieren der Liebe auf den Tod, der durch das Wort „Knochen" angedeutet wird:

> Porque las rosas buscan en la frente
> un duro paisaje de hueso ...[236]

---

[231] Nach W. Stekel, *Die Sprache des Traumes*, Wiesbaden 1911, S. 153, ist die rote Rose in der Psychoanalyse und Traumdeutung „vielleicht das beliebteste Geschlechtssymbol".

[232] Aus: *Barrio de Córdoba. Tópico nocturno:*
(Drinnen liegt ein totes Mädchen
mit einer hochroten Rose,
verborgen im Haar.)

[233] (Dreihundert dunkle Rosen
trägt dein weißes Vorhemd.)

[234] (Und andere Mädchen rannten,
verfolgt von ihren Zöpfen,
in einer Luft, wo zerplatzen
Rosen aus schwarzem Pulver.)

[235] In: *Son de negros en Cuba:*
Y con el rosal de Romeo y Julieta.
(Und mit dem Rosenstrauch von Romeo und Julia.)

[236] (Denn die Rosen suchen auf der Stirn
eine harte Landschaft von Knochen ...)

Lorca bemühte sich, einer solchen Todesverhaftung zu entgehen, indem er versuchte, einer irdischen Liebeserfüllung auszuweichen. So erklärt sich sein Wunsch „cortarse el corazón en alta mar" (491)[237], wie es in einem späten Gedicht von 1935 heißt[238]. Er möchte seinen Tod nicht durch irdische Verwicklungen finden, sondern einen Lichttod sterben; so sagt er schon 1918 in dem Gedicht an die „Zikade" (116 ff.), und so schreibt er auch noch 1935 (493):

> una muerte de luz que me consuma.[239]

Entsprechend der genannten Tradition erscheint auch bei Lorca die Rose oft als Sexual- und Liebessymbol[240]. In *Thamár y Amnón* erscheinen kurz vor der Vergewaltigung die Verse (394):

> Thamár en tus pechos altos
> hay dos peces que me llaman,
> y en las yemas de tus dedos
> rumor de rosa encerrada.[241]

Bereits 1918 hat Lorca ein längeres Gedicht über die Rosen verfaßt, *La oración de las rosas* (510 ff.), worin er die verschiedenen Bedeutungen dieser Blume nennt und auf den Aspekt des Schönen, der Liebe, der Dichtkunst, des Göttlichen und Luziferischen, des Sinnlichen und Übersinnlichen, des Leides und des Todes, was alles im Rosensymbol beschlossen ist, zu sprechen kommt. Unter anderem wird von den Rosen gesagt, sie seien „feierliche Sterne", „Juwelen des Unendlichen", „Nachkommen von Pan", „Wesen eines Eden", Blumen „von Gott und Luzifer... von Faun und christlicher Jungfrau... von rasender und donnernder Venus... von himmlischer Maria...". Das Gedicht schließt mit den Versen (513):

> Rosas, rosas divinas y bellas,
> sollozad, pues sois flores de amor.[242]

Da für Lorca die Liebe untrennbar mit dem Schmerz verbunden ist, so bedeutet ihm die Rose nicht nur die „Blume der Liebe", „Mutter alles Schönen... der Poesie", sondern sie ist auch Ausdruck „von Leid, von Melancholie, von Trauer". Dieser Aspekt des Schmerzes ist weniger stark traditionsgebunden

---

[237] Aus: *Gacela de la muerte oscura:*
(sich auf hoher See das Herz herauszuschneiden.)

[238] Weitere Bestätigungen für Lorcas Ausweichen vor sinnlicher Verstrickung geben die Gedichte *El concierto interrumpido* (184 f.) und *Ruina* (438 f.).

[239] Aus: *Gacela de la huída:*
(einen Lichttod, der mich verzehrt.)

[240] Vgl. S. 25, Anmerkung 89 in dieser Arbeit.

[241] (Thamar, in deinen hohen Brüsten
sind zwei Fische, die mich rufen,
und in deinen Fingerspitzen
ist Geräusch von eingeschlossener Rose.)

[242] (Rosen, göttliche und schöne Rosen,
seufzet, denn ihr seid Blumen der Liebe.)

und weist auf Lorcas Eigenart hin, auch noch im Schönen das Schmerzliche
zu sehen. Dies ist ihm so wichtig, daß er jene als „schlechte Dichter" an-
prangert, welche die Rosen „nicht mit Schmerz besingen können" (512)[243].

Die Rose erscheint auch an anderen Stellen als Sinnbild des Schönen und
der hohen Dichtung. So fühlt er während seines Aufenthaltes in Nordamerika seine Dichterkraft bedroht, hofft aber:

> otro día
> veremos ... manar rosas de nuestra lengua (421)[244]

und wenige Seiten später (426):

> ¡Ay voz antigua de mi amor,
> ay voz de mi verdad,
> ay voz de mi abierto costado,
> cuando todas las rosas manaban de mi lengua
> y el césped no conocía la impasible dentadura del caballo![245]

Auch für die Musik ist diese Blume ein Bild (209):

> Las rosas estaban soñando en la lira, ...[246]

Wir sahen, daß Lorcas Rosensymbol den sinnlichen Teil der Liebe nicht aus-
schließt, aber doch vorwiegend für die hohe, reine und reinigende Form der
Liebe gebraucht wird, die auf Gleichgewicht und Harmonie gerichtet ist und
in diesem Fall auch außerhalb des Schmerzes stehen kann. In der Ode an den
Maler und Jugendfreund Salvador Dalí wird die Rose zum Symbol der
Freundschaft und ist auch Ausdruck der reinigenden Kraft der Kunst (551 f.):

> ¡Siempre la rosa, siempre, norte y sur de nosotros!
> . . .
> Rosa pura que limpia de artificios y croquis
> . . .
> Rosa del equilibrio sin dolores buscados.[247]

---

[243] sollozad por los malos poetas
   que no os pueden cantar con dolor, ...
[244] Aus: *Ciudad sin sueño:*
   (Eines Tages ...
   werden wir ... Rosen aus unserer Zunge sprießen sehen)
[245] Aus: *Poema doble del lago Edem:*
   (Ach Stimme meiner Liebe von einst,
   ach Stimme meiner Wahrheit,
   ach Stimme meiner offenen Seite,
   als alle Rosen meiner Zunge entsprangen
   und der Rasen nicht kannte das gefühllose Gebiß des Pferdes!)
[246] Aus: *Invocación al laurel:*
   (Die Rosen träumten in der Leier, ...)
[247] Aus: *Oda a Salvador Dalí:*
   (Immer die Rose, immer, Norden und Süden von uns!
   . . .
   Reine Rose, die reinigt von Künstlichkeiten und flüchtig Entworfenem
   Rose des Gleichgewichts ohne hervorgerufene Schmerzen.)

Die Tatsache, daß die Rose in dieser Dichtung die am häufigsten erwähnte Pflanze ist, deutet auf Lorcas ursprüngliche und elementare Lebenszuwendung hin, die jedoch das Bewußtsein von Schmerz und Tod keineswegs beiseite schiebt.

Gras (hierba)

Wir übergehen, wie wir dies auch sonst taten, die relativ wenigen Fälle, wo das Wort „Gras" keine hintergründige Bedeutung hat, sondern nur die reale Sache bezeichnet (z. B. 264, 116, 580, 1138). Das Gras liefert den Tieren der Weide jene Grundnahrung, deren sie zum Leben bedürfen. Diese Tatsache wird für Lorca zum Bild für die Lebensnahrung überhaupt, und da für ihn Leben wesentlich Leidenschaft und Liebe ist, so wird ihm das Gras zum Sinnbild der Nahrung für Leben und Liebesbegierde samt dem damit unabdinglich verbundenen Schmerz und Tod. Wiederum stoßen wir auf die dem mythischen Denken geläufige Vereinigung zweier im logischen Bereich einander polar gegenüberstehender Dinge: Lebensleidenschaft und Tod, die beide im Symbol des Grases dargestellt sind. Da das Symbol des Pferdes wie des Grases sowohl die Lebenskraft bzw. sinnliche Leidenschaft verkörpern als auch den Todesbezug gemeinsam haben, so wird man sich fragen, worin sie sich unterscheiden. Etwas summarisch mag man darauf antworten, daß das Pferd mehr die individuelle, personifizierte Lebens- und Liebesleidenschaft des Menschen darstellt, während das Gras häufig auf die sich einschleichende Liebesbegierde weist, wobei die Bezogenheit auf den Tod in beiden Symbolen enthalten ist.

Zunächst geben wir einige Belege für die Vitalbeziehung von „hierba". In dem Theaterstück *El maleficio de la mariposa* heißt es am Anfang des zweiten Aktes (613):

Meditad con la hierba que nace vuestras vidas ...[248]

Im vorhergehenden Akt stehen folgende scherzhafte Verse, die das Gras als den Ort der Überwältigung durch die Liebesleidenschaft charakterisieren (591):

Dése a los enamorados
dos palos en la cabeza
y no se los deje nunca
tumbarse sobre las hierbas.[250]

---

[248] (Meditiert mit dem Gras aus welchem euer Leben entsteht . . .)
[250] (Man gebe den Verliebten
zwei Stockschläge über den Kopf
und lasse sie niemals
sich in das Gras niederlegen.)

In der *Bluthochzeit* wird Leonardo von einer wilden Leidenschaft für die Braut eines anderen hingerissen, gegen die er sich vergeblich zu wehren sucht (1167 f.):

> Porque yo quise olvidar
> y puse un muro de piedra
> entre tu casa y la mía.
> . . .
> Pero montaba a caballo
> y el caballo iba a tu puerta.
> . . .
> y el sueño me fué llenando
> las carnes de mala hierba.[251]

In dem Gedicht *Ruina* ermahnt Lorca einen Freund, er möge die Kürze des Lebens bedenken und sich nicht in sinnlicher Begierde verlieren, wonach das Blut verlangt (439):

> Mi mano, amor. ¡Las hierbas!
> Por los cristales rotos de la casa
> la sangre desató sus cabelleras.[252]

Das Gras als Bild irdischen Lebens erscheint auch in dem Drama *Sobald fünf Jahre vergehen*. Dort tritt ein totes Kind auf, dessen Leben zu früh abbrach und das sich zurücksehnt nach dem irdischen Bereich (976 f.):

> con hierbas que se menean,
> . . .
> y el viento como una espada.[253]

Das Gras erscheint hier im Zusammenhang mit dem Wind, dessen sinnliche Bedeutung wir früher festgestellt haben. Auf den sinnlichen Bereich deutet das Gras auch in jenem Gasel, wo der Dichter sich auf hoher See das Herz herausschneiden möchte, um gegen die Liebe gefeit zu sein (491):

---

[251] (Denn ich wollte vergessen
und errichtete eine steinerne Mauer
zwischen deinem Haus und dem meinen.
. . .
Jedoch stieg ich zu Pferd,
und das Pferd trug mich zu deiner Tür.
. . .
und der Traum füllte
mein Fleisch mit schlimmem Gras.)

[252] (Meine Hand, Geliebter. Die Gräser!
Durch die zerbrochenen Scheiben des Hauses
band das Blut seine Haare los.)

[253] (mit Gräsern, die sich bewegen,
. . .
und dem Wind, der wie ein Schwert ist.)

No quiero enterarme de los martirios que da la hierba,
ni de la luna con boca de serpiente
que trabaja antes del amanecer.[254]

Fügen wir noch einige Belege für die Todesbedeutung des Grases hinzu. Zunächst eine Prosastelle aus Lorcas Vortrag über *Teoría y juego del duende:* „La cuchilla ... y la luna pelada. ... y la cal ... tienen en España diminutas hierbas de muerte" (43)[255]. In dem *Epitafio a Isaac Albéniz* wird von dem Grabstein gesagt:

Esta piedra que vemos levantada
sobre hierbas de muerte y barro oscuro, ...[256]

Im *Canción de la muerte pequeña* heißt es (538):

Luz de ayer y mañana.
Cielo mortal de hierba.[257]

Im Klagegesang um den toten Stierkämpfer Ignacio stehen die Verse (469):

Pero ya duerme sin fin.
Ya los musgos y la hierba
abren con dedos seguros
la flor de su calavera.[258]

Im Grunde sind die Gräser, auch wenn sie zunächst zur Nahrung für Leben und Leidenschaft dienen, eine Todesnahrung, die zu Schmerz und Martyrium führt (491), sie sind „hierbas de los cementerios", „Gräser der Friedhöfe", die der Mensch abweidet (459 f.)[259], wenn er sich nicht zurückhält von der Verwirklichung seiner Liebesbegierden. Dies ist eine fundamentale Überzeugung Lorcas, die unzählige Male in seiner Dichtung mehr oder weniger verhüllt zum Ausdruck kommt. Der inspirierende Dämon (duende) kommt nur dann, wenn das Gras der sinnlichen Begierde zerdrückt, zerstoßen wird; dazu kann die Schöpfung des Dichters gelingen, und es kommt jener geistige

---

[254] Aus: *Gacela de la muerte oscura:*
(Ich will nichts wissen von den Martyrien, die das Gras hervorbringt,
noch vom Mond mit dem Schlangenmund,
der arbeitet, bevor der Tag kommt.)
[255] Aus: *Theorie und Spiel des Dämons:*
(Das Messer ... und der kalte Mond ... und der Kalk ... enthalten in Spanien winzige Gräser von Tod).
[256] S. 1644; in der 4. Auflage S. 1769; in der 1. Auflage nicht vorhanden:
(Dieser Stein, den wir errichtet sehen
über Gräsern von Tod und dunkler Töpfererde, ...)
[257] (Licht von gestern und morgen.
Tödlicher Himmel von Gras.)
[258] (Jedoch schon schläft er ohne Ende.
Schon öffnen die Moose und das Gras
mit sicheren Fingern
die Blüte seines Schädels.)
[259] Aus: *Pequeño poema infinito*

Hauch „con olor de saliva de niño, de hierba machacada y velo de medusa
que anuncia el constante bautizo de las cosas recién creadas" (48)[260]. Dies war
Lorcas Auffassung — man mag sie bejahen oder ablehnen. Das Maß der
darin enthaltenen Wahrheit und der Grad der Einseitigkeit soll hier nicht
untersucht werden. Doch soviel dürfte klar sein: souverän in der Fülle des
Lebens wie etwa Goethe stand Lorca nicht.

Lilie (lirio, azucena)

Die Lilie bedeutet Hoffnung (1314; los lirios, la esperanza)[261]. Da die Liebe
ein Zentralmotiv von Lorcas Dichtung ist, so geht es oft um Liebeshoffnung,
wenn die Lilie auftaucht (138):

> ¿Por qué me diste llenos
> de amor tu sexo de azucena
> y el rumor de tus senos?[262]

In einer Aufforderung an Satan heißt es (171):

> ponme la Margarita
> morena ...
>
> ...
>
> que yo sabré encenderle
> sus ojos pensativos
> con mis besos manchados
> de lirios.[263]

Von einem Verliebten, der keine Gegenliebe fand, wird gesagt (628):

> Se ha pintado de azucena
> por enamorarla.[264]

---

[260] Aus: *Teoría y juego del duende:*
(mit Duft nach Kinderspeichel, zerdrücktem Gras und Medusenschleier, der
die beständige Taufe der neu geschaffenen Dinge verkündet.)
[261] Aus: *Doña Rosita la soltera o El lenguaje de las flores.*
[262] Aus: *Madrigal de verano:*
(Warum gabst du mir voll
von Liebe dein Geschlecht einer Lilie
und das Stimmengewirr deiner Brüste?)
[263] Aus: *Prólogo:*
(gib mir das brünette Gretchen
...
und ich werde ihre nachdenklichen Augen
in Brand setzen
mit meinen von Lilien
befleckten Küssen.)
[264] Aus: *El maleficio de la mariposa:*
(Er hat sich mit Lilien bemalt,
damit sie sich in ihn verliebe.)

Ein anderer, begeistert von den Beinen der Begehrten, ruft aus (674):

¡Oh piernecita de azucena![265]

In dem Theaterstück *Don Perlimplín* sagt die Mutter von ihrer schönen und sinnlichen Tochter Belisa, die sie gern an Perlimplín verheiraten möchte: „Es una azucena" (895)[266]. In *Balada triste*, einem Jugendgedicht aus dem Jahre 1918, klagt der Dichter darüber, daß für die Erfüllung seines Liebesverlangens nur vage Hoffnungen bestehen (119):

Y vi que en vez de rosas y claveles
ella tronchaba lirios con sus manos.[267]

Wo Lilien welken, schwindet auch die Liebeshoffnung (113):

Y veo secarse los lirios
al contacto de mi voz

. . .

... El amor
bello y lindo se ha escondido
bajo una araña ...[268]

Die Lilie kann eine heitere Stimmung ausdrücken (209):

canté con los lirios canciones serenas,[269]

aber auch eine traurige, verhaltene Gemütsverfassung (196):

El lirio de la fuente
no grita su tristeza.[270]

Die beiden Lilienarten „lirio" und „azucena" werden in Lorcas Symbolik nicht in wesentlich verschiedenem Sinn gebraucht. Gemäß der christlichen Tradition, wonach die Lilie mit der Unschuld und Reinheit verbunden ist, nähert sich auch in Lorcas Dichtung die Liebe dem sakralen Bereich. Wie von

---

[265] Aus: *Los títeres de Cachiporra*:
(O reizendes Lilienbein!)
[266] (Sie ist eine Lilie.)
[267] (Und ich sah, daß sie statt Rosen und Nelken
Lilien mit ihren Händen pflückte.)
[268] Aus: *Canción menor*:
(Und ich sehe, wie die Lilien vertrocknen
bei der Berührung meiner Stimme

. . .

... Die Liebe,
schön und zierlich, hat sich verborgen
unter einer Spinne ...)
[269] Aus: *Invocación al laurel*:
(ich sang mit den Lilien heitere Lieder.)
[270] Aus: *Los álamos de plata*
(Die Lilie der Quelle
ruft nicht ihre Trauer hinaus.)

den Malern in der Verkündigungsszene der Erzengel Gabriel gewöhnlich mit einer Lilie in der Hand dargestellt wird, so heißt es auch in der Romanze hierüber (371):

> El Arcángel San Gabriel
> entre azucena y sonrisa, ...[271]

Während an dieser Stelle das Wort „azucena" gebraucht ist, findet sich „lirio" ebenfalls in christlicher Verwendung (238):

> Cristo moreno
> pasa
> de lirio de Judea
> a clavel de España.[272]

Der heilige Jakobus, Santiago, hinterläßt auf seinem Weg (134):

> un olor de azucena y de incienso.[273]

Der Honig ist „la palabra de Cristo", die „divino licor de la esperanza", und er ist süß „como un lirio" (127 f.)[274]. Diese Belege dürften zeigen, wie das Symbol der Lilie in Lorcas Dichtung von der irdischen Hoffnung auf Liebeserfüllung bis in die religiöse Sphäre hineinreicht.

Orange und Orangenblüte (naranja, toronja, azahar)

In Spanien und Süditalien trägt die Braut als Hochzeitsschmuck Orangenblüten (azahar) im Haar. Die Verbindung des Orangenbaums, seiner Blüten und Früchte mit der Liebe ist also unmittelbar gegeben (245):

> ¡Ay, amor,
> bajo el naranjo en flor![275]

Der Tod ist mit verwelkten Orangenblüten bekränzt (245):

---

[271] Aus: *San Gabriel:*
(Der Erzengel San Gabriel,
zwischen Lilie und Lächeln, . . .)
[272] Aus: *Saeta:*
(Christus, dunkelbraun,
schreitet
von Judäas Lilie
zur Nelke Spaniens.)
[273] Aus: *Santiago:* (einen Duft von Lilie und Weihrauch.)
[274] Aus: *El canto de la miel:* (das Wort Christi), (göttliche Flüssigkeit der Hoffnung), (wie eine Lilie).
[275] Aus: *La Lola:*
(Ach Liebe,
unter dem blühenden Orangenbaum!)

> Por un camino va
> la muerte, coronada,
> de azahares marchitos.[276]

Die letzte Szene des *Don Perlimplín* spielt in einem Garten von Zypressen und Orangenbäumen (918): es ist der Ort, wo Belisa auf die Begegnung mit dem geliebten Jüngling wartet und wo der Tod seinen Einzug hält. (Die Zypresse ist bereits in der Antike der Baum der Toten.) Die Orange deutet schon durch ihre rote Farbe, im Gegensatz zur weißen Blüte, auf die Erfüllung irdischer Liebe und ist dadurch auch mit der Trauer verbunden (186):

> La naranja es la tristeza
> del azahar profanado,
> pues se torna fuego y oro
> lo que antes fué puro y blanco.[277]

Sie ist ein der Erde zugehöriges Symbol, das zum Mond im Gegensatz steht (322 f.):

> Mi hermanita canta:
> La tierra es una naranja.
> La luna llorando dice:
> Yo quiero ser una naranja.
> No puede ser, hija mía, ...[278]

Den Antagonismus zum Mond drücken auch folgende Verse aus (321):

> Nadie come naranjas
> bajo la luna llena.[279]

Ölbaum (olivo)

Der Ölbaum, welcher von jeher allgemein in hohem Ansehen stand und der in der Antike als Symbol von Weisheit, Friede und Ruhm galt, ist bei Lorca ein Bild für die Ganzheit des Menschen, für seine sinnliche, wie seine geistige und sakrale Sphäre. Olivenhaine als Ort sinnlicher Liebe erscheinen bereits

---

[276] Aus: *Clamor.*
[277] Aus: *Canción oriental:*
(Die Orange ist die Trauer
der entweihten Orangenblüte,
denn zu Feuer wird und Gold,
was zuvor rein und weiß war.)
[278] Aus: *Dos lunas de tarde, 2:*
(Mein Schwesterchen singt:
Die Erde ist eine Orange.
Der Mond sagt weinend:
Ich möchte eine Orange sein.
Das kann nicht sein, meine Tochter, . . .)
[279] Aus: *La luna asoma:*
(Niemand ißt Orangen
unter dem Vollmond.)

in dem Jugendgedicht *Prólogo* (168 ff.) aus dem Jahr 1920. Der Dichter begehrt ein brünettes Gretchen:

> sobre un fondo de viejos olivos,
>
> ...
>
> para que yo desgarre
> sus muslos limpios.
>
> ...
>
> ven, Satanás errante,
> sangriento peregrino,
> ponme la Margarita
> morena en los olivos ...[280]

Erinnert man sich daran, daß Vogel und Orangenbaum oft Träger sinnlicher Empfindungen sind, so ergibt sich auch aus den folgenden Versen der Zusammenhang des Ölbaums mit der Liebe (246):

> en el olivarito
> cantaba un gorrión.[281]

Den Zusammenhang zwischen Ölbaum und Liebe zeigen auch die Verse (548):

> Si yo te dijera un día
> — ¡te amo! —, desde mi olivar,
> ¿qué harías, amor mío?
> ¡Clavarme un puñal![282]

Liebe und Schmerz sind bei Lorca unzertrennlich verknüpft, und so wird der Ort der Ölbäume zum Ort der Seelenpein (365):

> que la pena negra, brota
> en las tierras de aceituna
> bajo el rumor de las hojas.[283]

---

[280] (auf einem Hintergrund alter Ölbäume,

...

damit ich zerreiße
ihre reinen Schenkel.

...

komm, schweifender Satan,
blutgieriger Pilger,
bring mir das brünette Gretchen
unter die Oliven ...)

[281] Aus: *La Lola:*
(im Olivenwäldchen
sang ein Sperling.)

[282] Aus: *Canción:*
(Wenn ich eines Tages von meinem Olivenhain aus
zu dir sagte — ich liebe dich! —
was würdest du tun, meine Liebe?
Mit einem Dolch mich durchbohren!)

[283] Aus: *Romance de la pena negra:*
(schwarzer Kummer bricht hervor
aus der Erde der Olive
unter ihrer Blätter Murmeln.)

Es ist verständlich, daß der Olivenhain zur Begräbnisstätte der Liebenden werden kann, wie in dem Gedicht *De profundis* (244):

> Los cien enamorados
> duermen para siempre
> bajo la tierra seca.
> Andalucía tiene
> largos caminos rojos.
> Córdoba, olivos verdes
> donde poner cien cruces,
> que los recuerden.
> Los cien enamorados
> duermen para siempre.[284]

Doch nicht nur für diesen, auch für den geistigen Bereich ist der Ölbaum ein Bild (210):

> ¡Conozco tu encanto sin fin, padre olivo,
> al darnos la sangre que extraes de la Tierra;
> como tú, yo extraigo con mi sentimiento
> el óleo bendito
> que tiene la idea![285]

Für Lorca sind „los olivos viejos, cargados de ciencia"[286] und in der Romanze *Reyerta* naht der Friedensrichter „por los olivares" (357)[287]. In einem anderen Gedicht wird der Ölbaum zum Bild festgegründeten Menschentums (186):

> El olivo es la firmeza
> de la fuerza y el trabajo.[288]

---

[284] (Die hundert Verliebten
schlafen für immer
unter der trockenen Erde.
Andalusien hat
weite, rote Wege.
Córdoba grüne Oliven,
um hundert Kreuze zu errichten,
die an sie erinnern.
Die hundert Verliebten
schlafen für immer.)

[285] Aus: *Invocación al laurel:*
(Ich kenne deinen Zauber ohne Ende, Vater Ölbaum,
wenn du uns das Blut gibst, das du aus der Erde ziehst;
wie du, ziehe ich mit meinem Fühlen
das geweihte Öl heraus,
welches die Idee enthält!)

[286] ebd.: (die alten Ölbäume, beladen mit Wissen)

[287] (durch die Olivenhaine)

[288] Aus: *Canción oriental:*
(Der Ölbaum ist die Festigkeit
der Kraft und der Arbeit.)

Schließlich wird dieser Baum in *El canto de la miel* in den sakralen Bereich erhoben (127):

> La miel es la palabra de Cristo,
>
> . . .
>
> La miel es ...
> ...el olivo, ...[289]

Pappel (álamo und chopo)

Unter den Pappeln bevorzugt Lorca besonders die Schwarzpappel („chopo", lat. „populus nigra"), mit der er sich eins fühlt (189):

> y escribo tu elegía,
> que es la mía.[290]

Sie ist „starken Geistes" (188), wird nicht vom Sturm umgerissen oder von Holzarbeitern gefällt, sondern sie selbst ruft den Tod herbei. Sie verschließt in ihrem Herzen „den zukunftslosen Samen von Pegasus". Sie trägt in sich den „schrecklichen Samen / einer unschuldigen Liebe" (188 f.). Man erkennt unmittelbar, wie stark der Dichter innerlich beteiligt ist, wenn er von diesem Baum spricht. Der Hinweis auf Pythagoras unterstreicht die Bedeutung. (Vgl. Abschnitt „Brise", S. 70). Die Pythagoreer weihten ihr Leben der Erkenntnis und der Kunst. Ein Zentralerlebnis für Pythagoras war die Musik, die auch im Leben Lorcas eine große Rolle spielte. — Von neuem wird bestätigt, was wir schon wiederholt feststellten, daß die nähere Untersuchung eines einzigen, speziellen und scheinbar beiläufigen symbolischen Bildes einen Zugang zur Mitte des Dichters eröffnen kann.

Das Bild, welches Lorca von den Pappeln im allgemeinen, den „álamos", entwirft, fügt dem Gesagten nichts Wesentliches hinzu: ihre Weisheit und Verschwiegenheit wird mehrfach hervorgehoben (195, 106). Auch mit dem Schmerz steht die Pappel in einer Relation (275):

> Si tú vinieras a verme
>
> . . .
>
> me encontrarías llorando
> bajo los álamos grandes.[291]

---

[289] (Der Honig ist das Wort Christi.

. . .

Der Honig ist ... der Ölbaum, ...)

[290] Aus: *Chopo muerto:*
(und ich schreibe deine Elegie,
welche die meine ist.)

[291] Aus: *Remanso, Canción final:*
(Wenn du kämst, um mich zu sehen

. . .

würdest du mich weinend finden
unter den großen Pappeln.)

Den Pappeln ist nicht der Wind zugeordnet, sondern die Brise, von der wir früher sprachen (229):

> Viento en el olivar,
> . . .
> Brisa en las alamedas.[292]

Die zum Tode verurteilte Patriotin Mariana Pineda sagt (796):

> Ya soy como la estrella sobre el agua profunda,
> última débil brisa que se pierde en los álamos.[293]

Baum (árbol)

Der Baum als genereller Begriff hält sich bei Lorca innerhalb jener uralten und bis in unsere Zeit verfolgbaren, im Grunde naheliegenden Tradition einer Analogie zum Menschen[294]. So ist bei Lorca, ähnlich wie etwa bei Verhaeren, Claudel und Valéry der Baum ein Symbol des Menschen, insbesondere des Dichters, und er ist auch ein Bild der von ihm geschaffenen Dichtung. Damit wird der Baum zum Inbegriff der Poesie. Es findet sich auch die Erhebung zum Sakralen. Wir geben zunächst einen Beleg für den Baum als Symbol des Menschen, wobei auch die religiöse Bedeutung zum Ausdruck kommt (196):

> ¡Hay que ser como el árbol
> que siempre está rezando, ...[295]

Noch deutlicher wird der sakrale Charakter des Baums in folgenden Versen (192):

> ¡Árboles!
> ¿Habéis sido flechas
> caídas del azul?
> ¿Qué terribles guerreros os lanzaron?
> ¿Han sido las estrellas?

---

[292] Aus: *Poema de la Soleá:*
(Wind im Olivenhain
. . .
Brise in den Pappelalleen.)

[293] (Schon bin ich wie der Stern über dem tiefen Wasser,
letzte, schwache Brise, die sich in den Pappeln verliert.)

[294] Vgl. u. a. Egon Huber, „Paul Valérys Metaphorik und der franz. Symbolismus." In: *Zeitschrift für franz. Sprache und Literatur,* insbesondere Bd. 68, Mai 1958, Heft 3/4, S. 175 ff.

[295] Aus: *Los álamos de plata:*
(Man muß sein wie der Baum,
der immer betet, . . .)

Vuestras músicas vienen del alma de los pájaros,
de los ojos de Dios,
de la pasión perfecta.[296]

Auch an anderen Stellen wird der Zusammenhang mit der Musik hervorgehoben, etwa wenn es heißt (99): „árbol músico de mi vida en flor."[297] Der Baum als Sinnbild für die Dichtung ergibt sich aus Wendungen wie dieser: „Árbol de canción" (319).

Jasmin (jazmín, biznaga)

Der Jasmin bedeutet die Treue (1313):

Dice el jazmín: „Seré fiel ..."[298]

Mariana Pineda, die bis zum Tode dem Mann, den sie liebt, in Treue verbunden bleibt, obwohl er sie im Stich läßt, wird „rosa y jazmín de Granada" genannt (789, 793). Jasmin bedeutet eine treue und besonnene Liebe — „jazmines de cordura" (1013) —, keine sinnliche Leidenschaft. Von der Braut in der *Bluthochzeit* heißt es am Hochzeitsmorgen mit Anspielung auf die Treue (1126):

Que despierte
con el largo pelo,
. . .
y jazmines en la frente.[299]

Sie entflieht jedoch am Hochzeitstag mit einem anderen Mann, und einer der Holzfäller bittet den Mond, die Verwegenen vom Treubruch zurückzuhalten (1158):

¡Llena de jazmines la sangre![300]

---

[296] Aus: *Árboles*:
(Bäume!
Seid ihr Pfeile gewesen,
die vom Himmel fielen?
Was für schreckliche Krieger schleuderten euch?
Waren es die Sterne?
Eure Musik kommt aus der Seele der Vögel,
aus den Augen Gottes,
aus der vollkommenen Passion.)
[297] Aus: *Palabras de justificación*:
(musikalischer Baum meines blühenden Lebens.)
[298] Aus: *Doña Rosita la soltera o El lenguaje de las flores*:
(Es sagt der Jasmin: „Ich werde treu sein ...")
[299] (Sie möge erwachen
mit dem langen Haar
. . .
und Jasmin auf der Stirn.)
[300] (Füll' mit Jasminen das Blut!)

Aber die wilde Leidenschaft des Blutes ist oft stärker als die Treue (499):

y el jazmín es un agua sin sangre.[301]

Nelke (clavel)

Die Nelke deutet auf Schmerz und Leid und zwar vornehmlich in Verbindung mit der Liebe. Im christlichen Bereich wird sie mit der Kreuzigung des Herrn in Verbindung gebracht. Handgeschmiedete Nägel haben eine ähnliche Form wie die Gewürznelke; so wurde aus clavellus, kleiner Nagel, im Spanischen „clavel" zur Bezeichnung für die Nelke. Entsprechend entstand die deutsche Bezeichnung Nelke über neilke(n) aus mittelniederdeutschem negelkin, das dem mitteldeutschen Nägelchen entspricht[302]. Die Beziehung zur Kreuzigung Christi legt die Deutung der Nelke als Blume des Schmerzes und Leidens nahe.

Bei Lorca wird die Nelke oft der Ausdruck unglücklicher Liebe (113):

> Princesa enamorada sin ser correspondida.
> Clavel rojo en un valle profundo y desolado.[303]

In der Elegie auf eine Frau, der keine Liebeserfüllung vergönnt war, heißt es (131):

> De tus ojos saldrán dos claveles sangrientos
> . . .
> Pero tu gran tristeza se irá con las estrellas, ...[304]

In der *Bluthochzeit* wird dem Kind, das bald seinen Vater verlieren wird und das später selbst der Familienfehde ausgesetzt sein wird, ein Schlaflied gesungen, worin der Vers „Schlaf ein, Nelke" mehrmals vorkommt (1094, 1095, 1096, 1103, 1104). Dieses Kind wird wie seine Eltern die Liebe erfahren — „Schlaf ein, Rosenbusch" ist ein anderer Vers des Wiegenlieds — und das Leid wie seine ganze Sippe. Von dem Bräutigam, der später im Kampf mit dem Rivalen fällt, sagen die Mädchen (1129):

---

[301] Aus: *Casida del sueño al aire libre*:
(und der Jasmin ist ein Wasser ohne Blut.)

[302] F. Kluge, *Etymologisches Wörterbuch der deutschen Sprache*, Berlin 1948 (und viele andere Auflagen).

[303] Aus: *Elegía a Doña Juana la loca*:
(Verliebte Prinzessin, die keine Gegenliebe fand.
Rote Nelke in einem tiefen und trostlosen Tal.)

[304] Aus: *Elegía*:
(Aus deinen Augen werden zwei blutige Nelken aufgehen
. . .
Jedoch deine große Traurigkeit wird mit den Sternen dahinziehen, ...)

> El novio
> parece la flor del oro.
> Cuando camina,
> a sus plantas se agrupan las clavelinas.[305]

Die Nelke ist der Ausdruck jener Leidenschaft, die zu Schmerz und Leid führt, und sie steht in einem gegensätzlichen Verhältnis zum treuen, besonnenen Jasmin (1313):

> Dice el jazmín: „Seré fiel";
> y el clavel: „¡Apasionada!"

Narde (nardo)

Die Narde ist in der Dichtung Lorcas ein Ausdruck des Hohen. Sie kann die Freundschaft bedeuten[306], aber auch Liebesseufzer „suspiros de amor" (1315) und jene Liebe, die von passionaler Kraft getragen ist, ohne eine sinnliche Erfüllung zu finden. Diese letztere ist beispielsweise in *Elegía* dargestellt (129–131), wo jene unerfüllte Frau zweimal mit einer Narde verglichen wird. Vor der ersehnten, aber illusorischen Liebesbegegnung mit dem schönen Jüngling wäscht Belisa in *Don Perlimplín* ihren Leib „con agua salobre y nardos" (921)[307]. In dem Bühnenstück *El maleficio de la mariposa* wird von einem Dichter gesagt (614):

> que un amor imposible era su último canto
> y hablaba de unas alas de mariposa herida,
> más digna del rocío que la carne del nardo.[308]

Wie hoch Lorca das Symbol der Narde stellt, zeigt schließlich seine *Oda al Santísimo Sacramento del Altar,* wo das Sakrament bzw. der Altar als „Nardensäule unter Schnee" (554) bezeichnet wird.

Apfel (manzana)

Der Apfel ist ein weit verbreitetes, erotisches Symbol[309]. Bekannt ist die biblische Geschichte vom Sündenfall, die auch bei Lorca erscheint (522, 281). Auf-

---

[305] (Der Bräutigam gleicht
lauterem Gold.
Wo er dahingeht,
Häufen sich Nelken zu seinen Füßen.)
[306] Vgl. Abschnitt „Tau" in dieser Arbeit (S. 63 ff.).
[307] (mit salzigem Wasser und Narden.)
[308] (eine unmögliche Liebe war sein letzter Gesang,
und er sprach von den Flügeln eines verwundeten Schmetterlings,
der des Taus würdiger war als das Fleisch der Narde.)
[309] J. J. Bachofen, *Gesammelte Werke,* Bd. 4, Basel 1954, S. 149. W. Stekel, *Die Sprache des Traumes,* Wiesbaden 1911, S. 150 f.

fallend ist, daß der Apfel fast gar nicht in Lorcas berühmtesten Gedichten vorkommt, nämlich im *Canto jondo,* in den *Zigeunerromanzen,* im *Dichter in New York,* in der *Klage um Ignacio Sánchez Mejías* und im *Diván del Tamarit.* Des öfteren erscheint dieses Symbol hingegen im lyrischen Jugendwerk, d. h. in den *Poemas, Canciones* und in den nur teilweise datierten *Poemas sueltos.* Für die erotische Bedeutung des Apfels sei an Verse erinnert, die in Kapitel I, *Amantes asesinados por una perdiz* (S. 19 ff.) zitiert wurden. Sie lauten (137):

> Junta tu roja boca con la mía,
> ¡oh Estrella la gitana!
> Bajo el oro solar del mediodía
> morderé la Manzana.[310]

und (186):

> La manzana es lo carnal,
> fruta esfinge del pecado,
> gota de siglos que guarda
> de Satanás el contacto.[311]

Binse und Schilf (junco, caña)

Binsen, Schilf und Röhricht gehören zum bacchischen Bereich des üppigen Sumpflebens und dessen regelloser Zeugung[312]. Auch bei Lorca erscheint diese Bedeutung. In seinem letzten großen Drama *La casa de Bernarda Alba* liebt Adela heimlich Pepe el Romano, den Bräutigam ihrer Schwester und findet Gegenliebe. Triumphierend sagt sie (1438): „Pepe el Romano es mío. El me lleva a los juncos de la orilla.“[313] Der Ausspruch der Braut in der *Bluthochzeit* besagt Ähnliches mit dem Wort „Binsen“ (siehe Abschnitt „Fluß“ in dieser Abschnitt S. 60 f.). Vergleiche ferner Belisas Liebeslied, zitiert im Abschnitt „Wasser“ (S. 52).

---

[310] Aus: *Madrigal de verano:*
(Vereine deinen roten Mund mit dem meinen,
o Sternenzigeunerin!
Unter dem Sonnengold des Mittags
werde ich in den Apfel beißen.)

[311] Aus: *Canción oriental:*
(Der Apfel ist das Fleischliche,
Sphinxfrucht der Sünde,
Tropfen von Jahrhunderten,
der die Berührung Satans bewahrt.)

[312] J. J. Bachofen, *Gesammelte Werke,* Bd. 7, S. 16, 87, 221, 228.

[313] (Pepe el Romano ist mein. Er trägt mich zu den Binsen des Ufers.)

Efeu (hiedra, yedra)

Der Efeu ist ähnlich wie die Weinranke ein altes bacchisches Symbol[314]. Die sinnliche Liebe führt nach Lorcas Überzeugung zu Schmerz und Trauer, und so lehrt der Efeu, wie übrigens auch Zypressen und Brennesseln „secretos de melancolía" (209)[315].

Moos (musgo)

Moos ist dem Tod zugeordnet (496):

> quiero morir mi muerte a bocanadas,
> quiero llenar mi corazón de musgo, ...[316]

Mariana Pineda, die hingerichtet werden soll und die Nähe des Todes fühlt, sagt (781):

> ... Ven a buscarme!
> Mira que siento muy cerca
> dedos de hueso y de musgo
> acariciar mi cabeza.[317]

Am Schluß der *Bluthochzeit* äußert sich die Frau Leonardos folgendermaßen über den toten Sohn der Mutter (1180):

> Era hermoso jinete,
> . . .
> Ahora, musgo de noche
> le corona la frente.[318]

Dahlie (dalia)

Die Dahlie hat in Lorcas Dichtung oft den Sinn von spröder Geringschätzung und stolzer Verachtung, von „desdén esquivo" (1315)[319]. Geringschätzung

---

[314] J. J. Bachofen, *Gesammelte Werke*, Bd. 7, S. 84, 107, 176 f.
W. F. Otto, *Dionysos*, Frankfurt/M. 1939 (2. Aufl.), S. 139, 141, 144. Siehe Kapitel I, „Einführung in die Welt Lorcas", S. 16 und S. 26, Anmerkung 97.
[315] Aus: *Invocación al laurel*: (Geheimnisse von Melancholie.)
[316] Aus: *Casida del herido por el agua*:
(ich will meinen Tod schluckweise sterben,
ich will mein Herz mit Moos füllen, . . .)
[317] (. . . Sie kommen um mich zu holen!
Schau, ich fühle ganz nah
Finger von Knochen und Moos
mein Haupt liebkosen.)
[318] (Er war ein schöner Reiter,
. . .
Nun bekränzt das Moos
der Nacht ihm die Stirn.)
[319] Aus: *Doña Rosita*.

und Verweigerung bedeutet die Dahlie auch in der tragischen Dichtung *Yerma*, die von der Frau handelt, welche vergeblich ein eigenes Kind ersehnt (1226):

> ¡Ay qué prado de pena!
> ¡Ay, qué puerta cerrada a la hermosura!,
> que pido un hijo que sufrir, y el aire
> me ofrece dalias de dormida luna.[320]

In der Romanze *Thamár y Amnón* ist von „coral de rosas y dalias" die Rede (393). Die rote Koralle und die Rosen deuten auf das Begehren Amnons, die Dahlie auf die Verweigerung Thamars.

Lorbeer (laurel)

Schon in der Antike galt der Lorbeer als Zeichen des Ruhms und wurde für den Sieger zum Kranz gewunden. Lorca schrieb ein hymnisches Gedicht an den Lorbeer (209 ff.):

> ¡Oh laurel divino, de alma inaccesible,
> siempre silencioso,
> lleno de nobleza![321]

Er ist von einer „tiefen und aufrichtigen Weisheit" und führt in seinen Adern die „mächtige Kraft von Apoll". Er ist der „große Priester antiken Wissens" und „Meister des Rhythmus". Seine Blätter sind mit „Mond übergossen".

Einige weitere Pflanzen

> Alge, Anemone, Brennessel, Eiche, Eisenkraut, Farn,
> Hyazinthe, Immortellen, Myrte, Narzisse, Oleander,
> Quitte, Sonnenblume, Veilchen, Zitrone, Zypresse.

Wir beschränken uns auf einige Hinweise und Angabe der Seiten, wo die betreffende Pflanze im Werke Lorcas zu finden ist, ohne dabei vollständig zu sein.

---

[320] (Ach, welche Wiese der Pein!
Ach, Pforte der Schönheit verschlossen!
Einen Sohn erbitte ich, will dafür leiden, und die Luft
bietet Dahlien schlafenden Mondes mir an.)
[321] Aus: *Invocación al laurel:*
(O göttlicher Lorbeer, von unzugänglicher Seele,
immer schweigsam,
voll Adel!)

Die A l g e dürfte als grüne Wasserpflanze oft mit sinnlichem Begehren in Verbindung stehen. Nicht immer ist sie einfach zu deuten (1056, 1022, 496, 556, 531). Die A n e m o n e drückt etwas Hohes aus, das bis in den sakralen Bereich hineinragen kann. In *Iglesia abandonada* sagt der Vater, welcher im Krieg Sohn und Tochter verlor (411):

> En las anémonas del ofertorio te encontraré,
> ¡corazón mío!,[322]

Weitere Stellen finden sich S. 1018, 1019, 1045, 418, 416. Die B r e n n e s s e l hat öfters die Bedeutung des Todes (380, 269), aber auch des Geheimnisses, der Melancholie (209). Von der E i c h e werden ihre „keuschen Schatten", ihre „heiligen Zweige", ihre „ruhige Passion", ihr „transzendenter Schmerz" und ihre „metaphysischen Früchte" gerühmt (207 f.). Das E i s e n k r a u t (verbena) hatte in der Antike eine wichtige Funktion in Zauberhandlungen und genoß hohes Ansehen. Vergil spricht von der Verwendung der Verbene im Liebeszauber. In romanischen Ländern gilt diese Pflanze allgemein als Liebesmittel. In diesem Sinn erscheint sie auch bei Lorca. Einmal sucht er eine Liebe, die er nicht findet und setzt der Frau, die er lieben möchte, „einen Kranz von Verbenen" auf (488), damit sich ihm die Liebe zeige. Ein andermal leidet ein Mädchen unter der fehlenden Gegenliebe ihres „bösen Geliebten" (563):

> Debajo de la hoja
> de la verbena
> tengo a mi amante malo:
> ¡Jesús, qué pena![323]

In dem Jugendgedicht *Balada triste* (118 ff.) sehnt sich Lorca nach Liebe (119):

> Pasé por el jardín de Cartagena
> la verbena invocando
> . . .
> ¿quién será la que coge los claveles
> y las rosas de mayo?[324]

Am F a r n wird die Vergänglichkeit, das Flüchtige, Zerbrechliche hervorgehoben (428, 426). Die H y a z i n t h e ist oft Ausdruck der Bitterkeit in der

---

[322] (In den Anemonen des Offertoriums werde ich dir begegnen, mein Herz!)
[323] Aus: *Las tres hojas*, 1:
(Unter dem Blatt
der Verbene
habe ich meinen schlimmen Geliebten:
Jesus, welche Pein!)
[324] (Ich ging durch den Garten von Cartagena
und rief die Verbene an
. . .
Wer wird die sein, welche die Nelken pflückt
und die Rosen des Mai?)

Liebe: „El jacinto es la amargura" (1313)[325]. Vgl. auch S. 362, 546, 456 bei Lorca. Die Immortellen deuten bei Lorca meist den Tod an — bekanntlich sind sie eine beliebte Friedhofspflanze. „Das Immergrün tötet dich" (1314)[326]. Weitere Stellen s. S. 383 und 542. Die Myrte (mirto, arrayán) ist Ausdruck des Schmerzes (1173) und des Schweigens (361). Sie ist eine „romantische" Pflanze (115) und steht in Beziehung zum Mond (309). Die Narzisse ist eine Blume der Liebe und des Deliriums (339). Der Oleander hängt mit der schmerzvollen, bitteren Liebesleidenschaft und auch mit dem Tod zusammen (1181, 1213, 227, 269, 380). Einmal spricht Lorca geradezu von den „verfluchten Oleanderbüschen" (1045). Die Quitte wird die Reinheit des Gesunden genannt (187). Siehe auch S. 168 und 490. Die Sonnenblume ist wie die Sonne Ausdruck des irdischen Lebens und seiner Fülle. Darum erzittern die Sonnenblumen auf den Friedhöfen (447), und deshalb ruft das tote Kind in *Sobald fünf Jahre vergehen* schmerzvoll und mit gekreuzten Händen, voll Sehnsucht nach dem verlorenen Leben (977):

> ¡Ay girasol!
> ¡Ay girasol de fuego![327]

Das Veilchen sagt: „ich bin schüchtern" (1313). Es gibt jedoch, wie in den meisten Fällen, so auch hier Stellen, die nicht leicht eindeutig interpretiert werden können, z. B. wenn die Braut in der *Bluthochzeit* zu Leonardo sagt (1167):

> ¡Te quiero! ¡Te quiero! ¡Aparta!
> Que si matarte pudiera,
> te pondría una mortaja
> con los filos de violetas.[328]

Die Zitrone ist eine herbe Frucht („agrio", 365), die zur spanischen Eigenart nach Lorcas Empfinden paßt wie der süße Honig zu Italien (247):

> La densa miel de Italia
> con el limón nuestro,
> iba en el hondo llanto
> del siguiriyero.[329]

---

[325] Aus: *Doña Rosita*.
[326] ebd.: la siempreviva te mata.
[327] (Ach Sonnenblume!
Ach Sonnenblume von Feuer!)
[328] (Ich liebe dich! Ich liebe dich! Verzichte!
Wenn ich dich töten könnte,
würde ich dir ein Leichentuch geben
mit Rändern von Veilchen.)
[329] Aus: *Retrato de Silverio Franconetti*:
(Der dichte Honig Italiens
mit unserer Zitrone
war in dem tiefen Weinen
des Seguidillasängers.)

Der Zitrone eignet auch im Einklang mit ihrer gelben Farbe eine Beziehung zum Tod. Vgl. dazu *Lamentación de la muerte* (249 f.) und *Antoñito el Camborio*, der Zitronen pflückt und später getötet wird (373 ff.). Die Z y p r e s s e ist der Baum der Trauer und der Friedhöfe. Auch bei Lorca hat sie die Bedeutung der Trauer, der Pein, des Todes und des Mysteriums (210):

> ¡Conozco el misterio que cantas, ciprés;
> soy hermano tuyo en noche y en pena; ...[330]

Oder (177):

> La Quietud hecha esfinge
> se ríe de la Muerte,
> que canta melancólica
> en un grupo
> de lejanos cipreses.[331]

Das letzte Bild des *Don Perlimplín* spielt in einem „Garten von Zypressen und Orangenbäumen" (918), an einem Ort, wo Tod und Liebesverlangen herrschen. (Vgl. Abschnitt „Orange", S. 89 ff.).

Tiersymbolik

P f e r d (c a b a l l o)[332]

In vielen mythischen Vorstellungen findet sich die Grundüberzeugung, daß Leben und Tod identisch sind. Die Kraft, welche zeugt, vernichtet auch. Entstehen und Vergehen sind untrennbar miteinander verbunden. So ist das Pferd einerseits verwandt mit dem Meer, hat wie der Esel eine priapeische Bedeutung, ist eine Verkörperung der animalischen Lebenskraft und wurde in der modernen Psychoanalyse zu einem Hauptsymbol der Libido[333]. An-

---

[330] Aus: *Invocación al laurel:*
(Ich kenne das Mysterium, das du besingst, Zypresse;
ich bin dein Bruder in Nacht und Pein . . .)

[331] Aus: *Patio húmedo:* (Die zur Sphinx gewordene Ruhe
lacht über den Tod,
der melancholisch singt
in einer Gruppe
ferner Zypressen.)

[332] Vgl. hierzu und zum Folgenden:
J. J. Bachofen, *Gesammelte Werke.* Insbesondere Bd. II. Basel 1948, S. 92 ff.
C. G. Jung, *Symbole der Wandlung*, Zürich 1952, S. 427 ff., 725 ff., 471 ff.,
484 ff., 687, 758 ff.
Handwörterbuch des deutschen Aberglaubens. Insbesondere Bd. 6. Berlin und
Leipzig 1934/35, S. 1611 f.
Paulys Real-Encyclopädie der klassischen Altertumswissenschaften, Stuttgart
1937 f. Bd. 19, S. 1442 f.

[333] C. G. Jung, *Symbole der Wandlung*, Zürich 1952, S. 726.

dererseits ist es das Tier, welches die Verstorbenen in das Reich der Toten trägt. Oft wurde das Roß den Toten als Grabgabe beigesellt. Pferdeopfer waren bei den Indern, Persern, Griechen, Römern und Germanen üblich. Auch auf Sarkophagen finden sich Darstellungen dieses Tieres. In manchen Kulturen wurde das Roß zum Totengott erhoben.

In Lorcas Dichtung spiegeln sich ähnliche Gedanken wider. Auch bei ihm gehören Pferd und Reiter zusammen und bedeuten Bewegung, Leben, Leidenschaft, insbesondere sinnliches Liebesbegehren. Das Pferd ist bei ihm nicht nur Symbol heftigen Liebesverlangens, sondern auch der damit verbundenen Bewegung auf den Tod hin. In *Bernarda Albas Haus* ist der brünstige Hengst zunächst ein Bild für das sinnliche Begehren der Adela. Am Anfang des ersten Aktes hört man, wie der im Stall eingesperrte Hengst zweimal gegen die Mauer schlägt. Am Schluß vernimmt man einen weiteren Schlag, und als die Tür aufgeschlossen wird, findet Bernarda ihre Tochter Adela, die sich erhängt hat. Sinnliches Verlangen und Untergang sind ineinander verschlungen und in dem Symbol des Rosses vergegenständlicht. Das Pferd als Zeugungskraft und Fruchtbarkeitssymbol findet sich in der Tragödie *Yerma*. Das ganze Sehnen dieser Frau, die mit einem älteren Mann verheiratet ist, richtet sich auf den Besitz eines eigenen Kindes. Auf ihre Frage an eine alte Frau, wie sie dazu gelangen könne, erhält sie zur Antwort: „Wer kann sagen, daß dein Leib nicht schön ist? Du schreitest dahin, und am Ende der Straße wiehert das Pferd" (1198). In der Romanze von der untreuen Frau wird diese als (363):

> ... potra de nácar
> sin bridas y sin estribos.[334]

geschildert. In der darauffolgenden Romanze heißt es, ein Mädchen, das die Liebe begehrt, sei ein Pferd, welches durchgeht, zum Meer gelangt und von den Wellen fortgerissen wird (364). Bei der Vergewaltigung Thamars wiehern die Pferde (392). Von einer der Sinnlichkeit ergebenen Frau wird gesagt, daß in den Nächten ein Pferd mit ihr auf die Terrasse stieg (1067). Der Biß des Pferdes der Leidenschaft kennt keine Gnade, ist „impasible" (426). Die zum Tod verurteilte Mariana Pineda erhofft Rettung aus der Gefangenschaft und Erfüllung ihrer Liebe von dem Mann, den sie in einer Vision heranreiten sieht, während sein (781):

> ... caballo pone
> cuatro lunas en las piedras
> y fuego en la verde brisa
> débil de la primavera, ...[335]

---

[334] Aus: *La casada infiel:*
(... Stutenfüllen aus Perlmutter
zügellos und ohne Bügel.)
[335] (... Pferd
vier Monde in die Steine schlägt
und Feuer in die grüne, schwache / Frühlingsbrise, ...)

Lorca, der sich in New York leer von Leidenschaft und Liebe fühlte, sagte von sich selbst (416):

> Yo, poeta sin brazos, perdido
> entre la multitud que vomita
> sin caballo efusivo ...[336]

Die wahren Männer sind nach seiner Überzeugung diejenigen, welche ihre Leidenschaften zu zähmen und den Strom des Lebens zu beherrschen vermögen (471):

> Los que doman caballos y dominan los ríos ...

Die besondere Art der Leidenschaft, die nicht immer sinnlicher Art zu sein braucht, wird von Lorca durch Adjektiva spezifiziert, wo dies nötig erscheint. Der heilige Santiago besteigt ein weißes Pferd, das „ein Stern war von intensivem Glanz" (132). Der vom Tod gezeichnete „Emplezado" reitet ein schlafloses Pferd mit großen Augen (379). Die hundert Reiter in Trauerkleidung, die dem Tod entgegenziehen, werden von schlaftrunkenen Pferden getragen (241). In der *Romanze von der spanischen Guardia Civil* klopft ein verwundetes Pferd an alle Türen als Vorzeichen für die Zerstörung der Stadt durch die Zivilgardisten, welche auf schwarzen Pferden heranstürmen (381). Schon der Antike war die Vorstellung geläufig, daß Pferde künftiges Geschehen vorausfühlen können. In Bezug auf sich selbst spricht Lorca vom „blauen Pferd meines Wahnsinns" (404), und er sagt, es gebe für ihn kein neues Jahrhundert noch ein neues Licht, sondern „nur ein blaues Pferd und eine Morgenfrühe" (437). Dies besagt, wenn wir die transzendente Bedeutung der Farbe blau vorwegnehmen, daß seine Leidenschaft transzendenter Art ist. Mit den „drei blinden Pferden" in der Dichtung *El niño Stanton* (429) dürften die drei Schicksalsparzen gemeint sein — das Gedicht handelt vom Sterben des Kindes Stanton — und man sieht hier, was auch an anderen Stellen deutlich wird, daß die im Pferd symbolisierte Kraft des Lebens und der Leidenschaft eine schicksalhafte Macht numinoser Art darstellt. Soll der Tod, in den das Leben mündet und auf den hin jede Leidenschaft letztlich tendiert, besonders hervorgehoben werden, so spricht Lorca mit Vorliebe vom Pferdeschädel. So in *Ruina* (439)[337] oder (493):

> ni hay nadie que, al tocar un recién nacido,
> olvide las inmóviles calaveras de caballo.[338]

Für Lorca ist das Leben schon von Anfang an in den Tod verschlungen.

---

[336] Aus: *Paisaje de la multitud que vomita*:
(ich, Dichter ohne Arme, verloren
in der speienden Menge,
ohne überströmendes Pferd...)
[337] Vgl. Abschnitt „Mond" (S. 35 ff.) in dieser Arbeit.
[338] (und es gibt niemand, der beim Berühren eines Neugeborenen
die unbeweglichen Schädel der Pferde vergißt.)

Zum Thema „das Pferd in der Dichtung von Lorca" gibt es verschiedene Äußerungen, auf die wir kurz eingehen wollen. Alfredo de la Guardia[339] sucht eine historische Entwicklungslinie aufzufinden, welche die Darstellung des Pferdes in der kastilischen, mittelalterlichen Dichtung mit der von Lorca verbindet. Es bleibt aber recht fraglich, ob von einem Einfluß die Rede sein kann, und vor allem kann die für Lorca charakteristische Auffassung des Pferdes hiermit nicht hinreichend erhellt werden. Tiefer sieht José Francisco Cirre[340]. Er weist mit Recht darauf hin, daß in der mittelalterlichen wie auch in der arabisch-andalusischen Dichtung das Pferd eine vorwiegend erzählerische und nur selten eine symbolische Funktion habe, wobei Pferd und Reiter nicht in einer so engen Verknüpfung schicksalhafter Art stehen wie bei Lorca. Leider bleiben jedoch die Aussagen von Cirre etwas verschwommen. In seiner Zusammenfassung sagt er (S. 245): „el caballo es un hilo en la madeja del destino", „das Pferd ist ein Faden im Knäuel des Schicksals". Es ist zu summarisch, wenn Cirre die ríos kurzerhand als „carrera del tiempo", das Pferd als „carrera del destino" (S. 240), den Mond als „esclava de la muerte" und den Stier als Personifikation des Schicksals bezeichnet (S. 244 f.). Immerhin ist jedoch Cirre dem wahren Sachverhalt sehr viel näher gekommen als etwa Cecil M. Bowra[341], der sich damit begnügt, das Pferd in der Dichtung von Lorca als bloßen Ausdruck von physischer Kraft, Gesundheit, Anmut und Schnelligkeit aufzufassen.

Hund (perro)

In der Grundkonzeption seiner Symbolik hält sich Lorca weitgehend an die aus Mythen und antiker literarischer Tradition überkommenen Vorstellungen, wie wir bereits wiederholt feststellen konnten. Dies gilt auch für das Symbol des Hundes und seine numinose Bedeutung. Schon Plutarch bezeugt, daß der Hund von den Ägyptern besonders verehrt wurde. Die Äthiopier stellten die höchste Gottheit in seiner Gestalt dar. In der griechischen und lateinischen Mythologie tritt der Hund in enge Beziehung zum Mond; er steht im Dienst von Diana und begleitet Dionysos auf seinen amourösen Abenteuern. Gemäß der zyklischen Verflechtung von Zeugung und Tod ist er beiden Bereichen zugeordnet. Der Hund ist ebenso ein Bild der stofflichen Fruchtbarkeit wie des Todesgedankens. Er ist nicht nur der zeugenden Natur verbunden (Aphrodite und Isis), sondern er wird auch auf Sarkophagen abgebildet und ist als Cerberus der Wächter des Totenreiches[342].

---

[339] A. de la Guardia, *Personajes y creación*, Buenos Aires, Schapire 1941.

[340] J. F. Cirre, „El caballo y el toro en la poesía de García Lorca". In: *Cuadernos Americanos*, No. 6, 1952. Noviembre-Diciembre, S. 231 bis 245.

[341] C. M. Bowra, *The Creative Experiment*, London 1949, zitiert bei Cirre, S. 234.

[342] Siehe dazu etwa: J. J. Bachofen, *Gesammelte Werke*, Bd. IV, Basel 1954, S. 137 f.; Bd. III, 1948, S. 709; Bd. II, 1948, S. 106.

Im dritten Akt der Frauentragödie *Bernarda Albas Haus* bellen die Hunde wie wahnsinnig, als Adela ihre Schwester Augustias mit deren Bräutigam betrügt: „Están ladrando los perros ... Los perros están como locos" (1432). Kurz danach will Bernarda den Bräutigam erschießen, und Adela, die glaubt, er sei getroffen, erhängt sich selbst. Lorca hat hier die Hunde in der oben angedeuteten Symbolik triebhafter Liebe, die in den Tod verschlungen ist, verwendet. In demselben Drama spricht die uralte Großmutter Maria Josefa, die in ihrer geistigen Verwirrung meint, sie könne noch Kinder bekommen, und die doch ihren Tod nahen fühlt, von Hunden, welche sie verfolgen: „Ich muß fortgehen, aber ich habe Angst, daß mich die Hunde beißen" (1435). Hier weisen die Hunde auf den Tod hin, der im Bewußtsein der alten Frau neben ihrem Lebensdrang erscheint. In dem Abschnitt über den Mond (S. 35 ff.) erkannten wir, wie eng dieses Gestirn mit Liebe und Tod verknüpft ist. So ist es kein Wunder, daß bei Lorca auch die Verbindung von Hund und Mond vorkommt (312):

> La luna cuenta los perros
> Se equivoca y empieza de nuevo.[343]

In der Romanze *Muerto de amor* (377) wird der an Liebe Gestorbene in Zusammenhang gebracht mit „tausend Hunden", welche die Nacht verfolgen, die sie nicht kennen.

Da der Hund nur Ausdruck der *stofflichen* Liebe und des Todes ist, aber niemals die geistige Schöpfung bezeichnet — hierin liegt ein Hauptunterschied gegenüber der Mondsymbolik —, so ist er auch das Tier, welches die Tintenfässer der geistig Schaffenden bepißt: „los tinteros que orina el perro" (402). Im *Poema doble del lago Edem* (426 f.) beklagt sich Lorca, daß er seine frühere Stimme, sein Dichtertum, in Amerika verloren habe und nun in einer auf ungeistige Arbeit und Sinnengenuß eingestellten, materialistischen Umgebung leben müsse, in der „esos perros marinos se persiguen" (427). Wir sahen, daß das Meer ein Bild für die Sinnenrealität ist. Somit dürften mit „perros marinos" eben jene auf stoffliche Zeugung und irdische Geschäftigkeit — also auf Dinge, die dem Tod verfallen sind — ausgehenden Menschen gemeint sein, was wiederum im Einklang mit der mythischen Bedeutung des Hundes steht.

Eine Todesfunktion haben die Hunde in der New Yorker Dichtung *El niño Stanton*. Der Knabe Stanton, den Lorca in sein Herz geschlossen hatte, liegt im Sterben, und der Dichter fühlt sich in seiner Verzweiflung selbst dem Tod nahe (430):

> Mi agonía buscaba su traje,
> polvorienta, mordida por los perros, ...[344]

---

[343] Aus: *Baco:*
(Der Mond zählt die Hunde.
Er irrt sich und beginnt von neuem.)
[344] (Meine Agonie, staubig, gebissen von Hunden,
suchte ihr Kleid ...)

Noch eine interessante Stelle findet sich in diesem Gedicht. Lorca fordert den sterbenden Knaben auf, himmlische Worte zu lernen (431):

> que duermen en los troncos, en nubes, en tortugas,
> en los perros dormidos, ...[345]

Diese Auffassung, daß nur im Schlafzustand himmlische Worte im Hund lebendig sind, gehen ebenfalls auf eine alte mythische Vorstellung zurück, von der Lorca über Maeterlinck Kenntnis hatte. Lorca schreibt (1468): „ . . . nach Maeterlinck wäre der Hund ein Wesen guter Seele, Sohn eines phantastischen Pferdes und einer seltsamen Jungfrau, jedoch der Tod nahm ihn, um seine Triumphe über die Menschen zu verkünden . . ., und der getreue Hund und Freund des Menschen hätte darunter unerhört gelitten, doch er wäre nun der geniale Herold des Bleichen . . . Der Tod kommt und befiehlt den Hunden, sein Lied zu singen. Sie schreien, wenn sie sein Kommen ahnen, sie wollen ihm nicht gehorchen, aber er verwundet sie mit seinen Sporen aus unsichtbarem Silber, und daher kommt ihr Heulen. Auf andere Weise versteht man nicht, wie ein so edles und friedliches Tier mit dieser erschreckenden und düsteren Feierlichkeit schreien kann . . . Ja, es ist der Tod, der Tod, der durch die umgebenden Lüfte schreitet mit seiner ungeheuren, blutbefleckten Sense, und die Hunde sehen ihn beim Licht des Mondes . . .". Damit dürfte erwiesen sein, in welch engem Zusammenhang Lorca den Hund mit Tod und Mond sieht, ganz im Einklang mit allgemeinen, mythologischen Vorstellungen. Im Zustand des Schlafes jedoch ist der Hund nicht der Herrschaft des Todes unterworfen und vermag himmlische Worte in sich zu tragen, wie obige Verse dies ausdrücken.

Nur, wenn man mit der Symbolik Lorcas vertraut ist, kann man es wagen, ein Gedicht wie *Muerte* (434) zu deuten. Es beginnt folgendermaßen:

> ¡Qué esfuerzo!
> ¡Qué esfuerzo del caballo por ser perro!
> ¡Qué esfuerzo del perro por ser golondrina!
> ¡Qué esfuerzo de la golondrina por ser abeja!
> ¡Qué esfuerzo de la abeja por ser caballo![346]

Wie wir wissen, symbolisiert das Pferd die vorwärts drängende Lebenskraft, zu der insbesondere die vitale Liebesleidenschaft gehört, wobei dies alles

---

[345] (die schlafen in den Stämmen, Wolken, Schildkröten,
in den eingeschlafenen Hunden, . . .)

[346] H. Friedrich zitiert und übersetzt dieses Gedicht in seiner *Struktur der modernen Lyrik*, Hamburg 1956, S. 172 (2. Auflage 1958, S. 174). Er gibt jedoch keine Deutung und bemerkt auch nichts über die Kreisstruktur.
(Welche Anstrengung!
Welche Anstrengung des Pferdes, um Hund zu sein!
Welche Anstrengung des Hundes, um Schwalbe zu sein!
Welche Anstrengung der Schwalbe, um Biene zu sein!
Welche Anstrengung der Biene, um Pferd zu sein!)

letzten Endes auf den Tod tendiert. Da der Hund ein Begleiter des Todes ist, so kann dies in mythischer Identifikation folgendermaßen ausgedrückt werden: das Pferd macht alle Anstrengungen, um Hund zu werden, aber nicht um in jeder Hinsicht tot zu sein; sterben soll nur die stofflich gerichtete Leidenschaft, um das geistige Leben zu ermöglichen, dessen Symbol die Schwalbe ist, der schnelle, schöne Vogel, der sich im Luftreich bewegt, einem Medium geistiger Natur, wie im Abschnitt „Luft" (S. 65 ff.) festgestellt wurde. Die Schwalbe jedoch möchte auch schöpferisch sein, edlen Honig bereiten und sammeln, darum ihr Drang, Biene zu werden. Diese ihrerseits sehnt sich nach der mächtigen Leidenschaft und Kraft des Pferdes, die ihr abgeht, und damit schließt sich der Kreis. Die Kreisstruktur im Denken Lorcas wird im Anhang „Strukturmerkmale" (S. 175 ff.) ausführlicher behandelt.

Das „Kreisgedicht" *Paisaje con dos tumbas y un perro asirio* (437) beginnt mit folgenden Versen, von denen die drei ersten am Schluß wiederholt werden und die, wie ein Kreis, das Ende an den Anfang zurückführen, was auch dem Gehalt dieser Dichtung entspricht, welche von Leben und Tod handelt, Formen des Seins, die für das mythische Denken zusammengesehen werden:

> Amigo,
> levántate para que oigas aullar
> al perro asirio.
> Las tres ninfas del cáncer han estado bailando,
> hijo mío.[347]

„Krebs" steht hier für die tödliche Krankheit überhaupt, letztlich für den Tod. Mit dem „assyrischen Hund" meint Lorca einen solchen, der aus großer, mythischer Ferne kommt. Diese Ausdrucksweise entspricht seiner Gewohnheit, abstrakte Ausdrücke nach Möglichkeit zu meiden. Die drei Nymphen sind die drei Parzen, und der Zusammenhang des Hundes mit dem Tod, dessen Nahen er ankündigt, ist auch hier unverkennbar. Über das Heulen der Hunde sagt Lorca an einer anderen Stelle (1467 f.): „... die Hunde begannen mit ihrem Gebell und ihren pathetischen Klagen. Ihre Stimmen hatten etwas Prophetisches in der Stille. Sie klagten schmerzerfüllt wider ihre Gestalt und ihr Leben... Das Weinen großer Seelen, die von unendlichem Schmerz berauscht sind, dunkle Fragen an einen kalten, gefühllosen Geist... apokalyptische Schreie, düstere Verwünschungen von biblischem Akzent, danteske Klänge, die das Herz verwunden... Es liegt etwas Ultradüsteres, das uns mit Furcht erfüllt, im Heulen des Hundes... ein übernatürlicher Geist verbirgt sich darin... Es ist eine sarkastische Verfluchung,

---

[347] (Freund,
erhebe dich, damit du heulen hörst
den assyrischen Hund.
Die drei Nymphen des Krebses haben getanzt,
mein Sohn.)

die von sehr weit herkommt, ein supremer Horror... abgründige und schwarze Töne..." Mit dem Ausdruck „schwarze Töne" deutet Lorca ausdrücklich auf das dämonische Wesen des Hundes hin, denn solche Töne sind nur dort möglich, wo der Dämon herrscht, wie aus Lorcas Vortrag *Teoría y juego del duende* hervorgeht[348].

Ein anderes Beispiel für die Todessymbolik: Das Weinen als Zeichen des tiefen Schmerzes, der immer irgendwie, sei es auch nur im übertragenen Sinn, mit dem Tod verbunden ist, wird als „ein ungeheurer Hund" (497) bezeichnet. In Verbindung mit unglücklichem Liebesverlangen erscheint der Hund in *Gacela del recuerdo de amor* (490 f.), wobei der Hinweis auf den Tod im Bild des Schierlings nicht fehlt:

> Toda la noche, en el huerto
> mis ojos, como dos perros.
> . . .
> Por el arco del encuentro
> la cicuta está creciendo.[349]

Es bedarf kaum der Erwähnung, daß der Hund in seltenen Fällen auch in nicht symbolischer Bedeutung vorkommt oder sich im Rahmen üblicher sinnbildlicher Klischees bewegt, etwa, wenn er die effeminierten Männer „Hündinnen" der Boudoirs der Weiber nennt (454) oder, wenn er jene, die Christi Botschaft nicht erkannten, als „hinkende Hunde" brandmarkt (460). Ein realer Hund ist schließlich gemeint, wenn Lorca dem Stanton verspricht: „ich werde ein Stück Käse für deinen Hund im Büro zurücklassen". (431)

Fisch (pez)

Fische sind reine Wassertiere und haben somit teil an diesem Element. In der modernen Psychologie und Psychoanalyse ist der Fisch ein Bild der Libido, oft ein phallisches Symbol. Nach C. G. Jung hat er mit Erneuerung und Wiedergeburt zu tun[350]. Welche Bedeutung kommt dem Fischsymbol bei Lorca zu? Sicher nicht die der ersten Christen, die den Fisch zum Symbol ihres Herrn erhoben, wovon die Bildnisse in den Katakomben Zeugnis ablegen. Sie leiteten ihre Verbindung zu Christus aus einer sprachlichen Beziehung

---

[348] S. 36 ff., S. 47 und besonders S. 37, wo Lorca folgenden Ausspruch des ihm befreundeten, berühmten Komponisten Falla als „espléndida frase" zitiert: „alles, was schwarze Töne enthält, hat Dämon." Lorca fügt hinzu: „Und es gibt keine größere Wahrheit."

[349] (Die ganze Nacht, im Garten
meine Augen wie zwei Hunde.
. . .
Beim Bogen der Begegnung
wächst der Schierling empor.)

[350] C. G. Jung, *Symbole der Wandlung*, Zürich 1952, S. 330.

des griechischen Wortes für Fisch her und nicht aus einer mythischen Versenkung in die Eigenart, Natur und Gestalt dieses Tieres.

Lorca sieht den Fisch im Zusammenhang mit seinem Element, dem Wasser. Der verprügelte Zigeuner ruft (260):

> dadme unos sorbitos de agua.
> Agua con peces y barcos.[351]

Aus dem mythischen Denken, wonach zeugendes Leben und Tod nur zwei Seiten desselben identischen Seins sind, erklärt es sich, warum auch das todbringende Messer zum Fisch werden kann. In der Romanze *Reyerta* erscheint dieses Bild (356):

> En la mitad del barranco
> las navajas de Albacete,
> bellas de sangre contraria,
> relucen como los peces.[352]

Eine dominierende Rolle spielt das tötende Messer in der *Bluthochzeit*, wo am Ende die Braut folgende Worte spricht (1182):

> Y esto es un cuchillo,
> un cuchillito
> que apenas cabe en la mano;
> pez sin escamas ni río,
> para que un día señalado, entre las dos y las tres,
> con este cuchillo
> se queden dos hombres duros
> con los labios amarillos.[353]

Interessant ist auch eine Stelle am Beginn des dritten Aktes von *Sobald fünf Jahre vergehen*, wo das Mädchen am Grunde des Meeres ihren Geliebten und (1019):

> Tiburones y peces
> y ramos de coral[354]

---

[351] Aus: *Canción del gitano apaleado*:
(gebt mir einen Schluck Wasser,
Wasser mit Fischen und Barken.)

[352] (In der Mitte der Schlucht
die Messer von Albacete,
schön vom Blute des Gegners,
sie leuchten wie Fische.)

[353] (Und dies ist ein Messer,
ein kleines Messer,
kaum hat es Platz in der Hand;
Fisch ohne Schuppen noch Fluß,
damit an einem vorbestimmten Tag, zwischen 2 und 3 Uhr,
durch dieses Messer
zwei harte Männer auf dem Platze bleiben
mit gelben Lippen.)

[354] (Haifische und Fische
und Korallengezweig.)

erblickt. Hier ist die Liebes- und Todessymbolik vereint: die Fische und die roten Korallen deuten auf das Liebesverlangen des Geliebten, die gefährlichen Haifische auf die Nähe des Todes. Für den tödlich Verwundeten der *Romance sonámbulo* (358 ff.), der die Geliebte sucht, kommt nicht der Fisch sinnlicher Liebeserfüllung, sondern ein „Schattenfisch", der die Alba ankündigt, das Ende der Liebeszeit. Die Libidobedeutung des Fisches als eines Sexual- und Fruchtbarkeitssymbols ist offenkundig in der Romanze *Die untreue Frau* (362 ff.), wo die Schenkel der Geliebten mit überraschten Fischen verglichen werden. Ähnlich singt die sinnliche Belisa in *Don Perlimplín* (892 und 897). Vergleiche Abschnitt „Sonne" in dieser Arbeit (S. 33). In der Ballade vom ersten Weltkrieg, die den Titel *Verlassene Kirche* trägt, klagt der Vater über die geschehenen Greuel: sein Sohn getötet, seine Tochter von den Soldaten mißbraucht (411):

> ... luego,
> comprendí que mi niña era un pez
> por donde se alejan las carretas.
> Yo tenía una niña.
> Yo tenía un pez muerto bajo las cenizas de los incensarios.[355]

Unverkennbar ist die sexuelle Bedeutung der Fische in der Thamar und Amnon-Romanze[356]. Der große Wert solcher Stellen offenkundiger Bedeutung liegt vor allem darin, daß man mit Hilfe des einmal geklärten Symbolbegriffs auch manche jener dunklen Sätze zu erhellen vermag, die aus sich selbst allein nicht erschließbar sind.

Wir geben zwei Beispiele für die Klärung solcher verrätselter Verse. Im *Panorama ciego de Nueva York* heißt es (423):

> Yo muchas veces me he perdido
> para buscar la quemadura que mantiene despiertas las cosas
> y sólo he encontrado marineros echados sobre las barandillas
> y pequeñas criaturas del cielo enterradas bajo la nieve.
> Pero el verdadero dolor estaba en otras plazas
> donde los peces cristalizados agonizaban dentro de los
> troncos; ...[357]

---

[355] (... dann
begriff ich, daß meine Tochter ein Fisch war,
wo sich die Karren entfernen.
Ich hatte eine Tochter.
Ich hatte einen toten Fisch unter der Asche des Weihrauchs.)
[356] S. 394. Vgl. dazu 2. Samuel, 13. Kapitel der biblischen Darstellung und Abschnitt „Sonne" in dieser Arbeit (S. 33).
[357] (Ich habe mich oftmals verirrt auf der Suche
nach der Verbrennung, welche die Dinge wach hält,
und ich fand nur Seeleute über die Geländer geschleudert
und kleine Himmelswesen unter dem Schnee begraben.
Jedoch der wahre Schmerz war an anderen Orten,
wo die zu Kristall gewordenen Fische im Todeskampf in den Stämmen
waren; ...)

Seeleute sind bei Lorca dem Leben zugewandte Menschen (vgl. Abschnitt „Meer" S. 56 ff.), welche die Gefahren des Daseins bewußt auf sich nehmen, ohne sich viel um transzendente Dinge zu kümmern. Solche Leute werden über die Reling geschleudert und ertrinken, ohne zu einer tieferen Einsicht gelangt zu sein. Andere schließen sich vom Leben ab und wenden sich ganz der himmlischen Existenz zu. Diese geraten nach Lorcas Überzeugung in Erstarrung, in eine Landschaft von Schnee und Eis, in der ihr Leben begraben wird. Der nach Lorcas Überzeugung allein richtige Weg besteht darin, das sinnliche Verlangen in allen seinen Formen wachzuhalten — der Baumstamm ist ihm Sinnbild des in sich ruhenden und schaffenden Lebens — ohne es jedoch in der Realität zu erfüllen. Die Fische müssen zu Kristallen werden, das Verlangen muß sublimiert und in eine reine Kristallsphäre gehoben werden, ohne daß die Intensität desselben verringert wird. Es muß in dem Baumstamm lebendigen Lebens bewahrt bleiben, ohne daß eine irdische Erfüllung zustandekommt. Darin besteht der „wahre Schmerz", er ist fruchtbar und voll schöpferischer Kraft. Denselben Gedanken drückt mit abgewandelten Bildern eine andere Stelle aus, die drei Seiten weiter steht (426):

> Déjame pasar la puerta
> donde Eva come hormigas
> y Adán fecunda peces deslumbrados.[358]

Diese Verse wurden in Nordamerika geschrieben, wo Lorca sich unglücklich fühlte und sich fortsehnte. Die „geblendeten Fische" bedeuten das sinnliche Verlangen, welches seinen Gegenstand nicht mehr erblicken kann und keine Erfüllung findet. Diese Nicht-Verwirklichung der Liebe und alles sinnlichen Verlangens ist allein fruchtbar. Auch die Symbolforschung führt zu diesen Erkenntnissen über Lorcas Denken und Weltbild. Selbstverständlich gibt es im Werk Lorcas auch einige, nicht häufige Fälle, wo der Fisch keine tiefere symbolische Bedeutung hat. So gilt der Delphin im Mythos als „Bild des seligen ozeanischen Daseins der geweihten Seelen ... Es erscheint die Seele selbst in Fischgestalt"[359]. Bei Lorca hingegen dient in der Romanze vom Tod des *Antoñito el Camborio* der Delphin vorwiegend als Vergleich für die Geschicklichkeit des um sein Leben kämpfenden Antoñito (375):

> En la lucha daba saltos
> jabonados de delfín.[360]

---

[358] Aus: *Poema doble del lago Edem:*
(Laß mich durch das Tor gehen,
wo Eva Ameisen ißt
und Adam geblendete Fische befruchtet.)

[359] J. J. Bachofen, *Gesammelte Werke*, Bd. 7, S. 134 f.

[360] (Im Kampfe tat er Sprünge,
seifenglatte des Delphins.)

Kuh (vaca)

Die Kuh wird in den einzelnen Kulturkreisen der Erde in sehr verschiedener Weise beurteilt. Bei uns ist diese Bezeichnung zum Schimpfwort herabgesunken. Auch im Italienischen ist mit dem Wort „Kuh" eine Herabsetzung verbunden; vor allem in vergangenen Jahrhunderten bedeutete „vacca" auch „liederliches Frauenzimmer". In Ägypten dagegen war die Kuh hoch angesehen und wurde der Isis geweiht. Die ägyptische Himmelskönigin Hathor wurde mit einem Kuhhaupt dargestellt. Ganz besondere Verehrung genießt die Kuh in Indien. Schon im Rigveda (10, 31, Deussen) heißt es:

> Und dies Gebet des Sängers, aus sich breitend,
> Ward eine Kuh, die vor der Welt schon da war.

C. G. Jung, der diese Stelle zitiert[361], äußert sich folgendermaßen: „Der Logos wird zur Kuh, d. h. zur Mutter, die schwanger ist mit den Göttern." „Die Kuh als Muttersymbol findet sich bei allen möglichen Formen und Abarten der Hathor-Isis und besonders bei dem weiblichen Nun (parallel dazu die Urgöttin Nit oder Nêith), dem feuchten Urstoff, der zugleich männlicher und weiblicher Natur ist." „Der Tod ist das Wiedereingehen in die Mutter. Daher auch der ägyptische König Mykerinos seine Tochter in einer hölzernen und vergoldeten Kuh beisetzen ließ. Das war die Garantie der Wiedergeburt. Die Kuh stand in einem Prunkgemach, und es wurden ihr Opfer gebracht."

Bei Lorca erscheint das Symbol der Kuh nur in einer Gedichtsammlung einigermaßen häufig, nämlich in *Poeta en Nueva York*. Für ihn hat die Kuh zweifellos transzendente Bedeutung (414):

> En mis ojos bebían las dulces vacas de los cielos.[362]

Die Pharisäer, welche fürchten, daß mit der Kreuzigung Christi dessen Lehre nicht aus der Welt geschafft ist, gebrauchen das Wort „vaca" zur Bezeichnung von Christus (461):

> Entonces se oyó la gran voz y los fariseos dijeron:
> Esa maldita vaca tiene las tetas llenas de leche.
> . . .
> Esa maldita vaca, maldita, maldita, maldita
> no nos dejará dormir, dijeron los fariseos, ...[363]

---

[361] C. G. Jung, *Symbole der Wandlung*, Zürich 1952, S. 407, 625, 762 und Anmerkung 224.
[362] Aus: *Danza de la muerte:*
(In meinen Augen tranken die süßen Kühe der Himmel.)
[363] Aus: *[La luna pudo detenerse al fin]:*
(Alsdann hörte man die große Stimme, und die Pharisäer sagten:
Diese verfluchte Kuh hat die Euter voll Milch.
. . .
Diese verfluchte Kuh, verfluchte, verfluchte, verfluchte
wird uns nicht schlafen lassen, sagten die Pharisäer . . .)

Man könnte einwenden, daß diese Benennung von Christus durch die Pharisäer als Schimpfwort gemeint sein könne. In anderen Fällen ist dem jedoch
nicht so. Von den Negern, die Lorca sehr hoch schätzt, sagt er (405):

> Aman el azul desierto,
> las vacilantes expresiones bovinas, ...[364]

Im Abschnitt „Farbensymbolik" (S. 141 f.) wird gezeigt, daß die blaue Farbe
für Lorca transzendente Bedeutung hat. Hier erscheint sie im Zusammenhang mit den Bewegungen der Rinder. In der *Klage um Ignacio Sánchez
Mejías* wird die Kuh zum Muttersymbol und zur Repräsentantin der Welt
(467):

> La vaca del viejo mundo
> pasaba su triste lengua
> sobre un hocico de sangres
> derramadas en la arena, ...[365]

Die Beziehung der Kuh zum Himmel ergibt sich auch aus den Versen (421):

> y las hormigas furiosas
> atacarán los cielos amarillos que se refugian en los ojos de
> las vacas.[366]

Erwähnt werden soll ferner das schwer deutbare Gedicht *Vaca* (431 f.), worin
ebenfalls die Kuh zum Himmel in Beziehung gesetzt ist (431):

> Se tendió la vaca herida;
> árboles y arroyos trepaban por sus cuernos.
> Su hocico sangraba en el cielo.[367]

Von Doña Rosita, die ganz in einer wirklichkeitsfremden Welt lebt, heißt es:
„Porque de tanto mirar al cielo se le van a poner los ojos de vaca." (1291).[368]

Frosch, Kröte, Grille und Zikade

Die mythischen wie auch die literarisch überkommenen Vorstellungen sind
selten einheitlich. Je nach Volk und Jahrhundert finden sich mindestens teil-

---

[364] Aus: *Norma y paraíso de los negros.*
[365] (Die Kuh der alten Welt
führte ihre traurige Zunge
über eine Schnauze von Blut,
das im Sand vergossen war, ...)
[366] Aus: *Ciudad sin sueño:*
(und die wütenden Ameisen
werden die gelben Himmel angreifen, die sich in die Augen der Kühe flüchten.)
[367] (Die verwundete Kuh streckte sich aus;
Bäume und Bäche wanden sich an ihren Hörnern hinauf.
Ihr Maul blutete im Himmel.)
[368] (Wenn sie soviel zum Himmel schaut,
wird sie noch Kuhaugen bekommen.)

weise gegensätzliche Auffassungen. Nach einem antiken Volksglauben, dem sich Aristophanes (Frösche) anschließt, gehört der Frosch zu den Tieren der Unterwelt. Auch eine bacchische Beziehung wird ihm beigelegt. In der Bibel wird geschildert, wie die unreinen Geister der Hölle als Frösche erscheinen: „Und ich sah aus dem Munde des Drachens und aus dem Munde des Tieres und aus dem Munde des falschen Propheten drei unreine Geister gehen, gleich den Fröschen"[369]. Irrigerweise hielt man sie für giftig. Es wurde ihnen auch eine zauberabwehrende Wirkung zugeschrieben. Bei Äsop sind sie das Bild der Feigheit und Aufgeblasenheit. Von den Kröten glaubte man in der Antike, sie hätten sich aus dem Geifer des Höllenhundes gebildet. Nach Bachofens Forschungen[370] sind die Kröten Ausdruck der hetärischen Zeugung des Sumpfes und stehen in Beziehung zum weiblichen Naturprinzip.

Von all dem findet sich nichts bei Lorca. Frösche erscheinen bei ihm des öfteren zusammen mit Grillen als Ausdruck des Sommers (260). Hervorgehoben wird ihr Quaken (455). Jedoch geht auch Lorca weit hinaus über eine bloße Naturbeobachtung. Frösche werden von ihm im Zusammenhang mit dem Gefühl (Herz) des Menschen und mit der Musik bzw. Kunst gesehen (435):

> y en el rincón está el pechito de la rana
> turbio de corazón y mandolina.[371]

Auch aus dem Vals en las ramas (456 ff.) dürfte hervorgehen, daß die Frösche positiv bewertet sind, denn sie werden dort in einem Atemzug mit dem „Numen der Zweige" (457) zusammen erwähnt. Ein weiterer Beleg für die hohe Bewertung des Frosches gibt das Gedicht Zikade (116 ff.). Letztere hat für Lorca zweifellos numinosen Charakter. Sie wird „Freundin der Frösche" genannt (117):

> ¡Cigarra!
> ¡Dichosa tú!
> pues te envuelve con su manto
> el propio Espíritu Santo,
> que es la luz.
>
> ¡Cigarra!
> Estrella sonora
> sobre los campos dormidos,
> vieja amiga de las ranas
> y de los oscuros grillos,
> tienes sepulcros de oro
> en los rayos tremolinos
> del sol que dulce te hiere
> en la fuerza del Estío,

---

[369] Offenbarung 16,13.

[370] J. J. Bachofen, Gesammelte Werke, Bd. IV, Basel 1954, S. 46 f., 377.

[371] Aus: Nocturno del hueco, I:
(und in der Ecke befindet sich die kleine Brust des Frosches, verworren von Herz und Mandoline.)

116

y el sol se lleva tu alma
para hacerla luz.

Sea mi corazón cigarra
sobre los campos divinos.[372]

Mit seiner Auffassung von der Zikade schließt sich Lorca eng an die Tradition, wonach sie meist als ein „Tier der Sonne und des ewigen Gesangs im grünen Laubwerk" gilt[373]. Auch bei Plato (Phaidros) nimmt die Zikade, die nach antiker Vorstellung, ohne Speise zu sich zu nehmen, bis zu ihrem Tod singt, um dann zu den Musen zu gelangen, eine Vorrangstellung ein, und sie gilt dem Philosophen, der sich den göttlichen Dingen zugewandt hat, als Vorbild.

Im August 1929 weilte Lorca in Edem Mills (USA). Er ist dort schöpferisch sehr tätig, aber die Landschaft gefällt ihm gar nicht, und in einem Brief an seinen Freund Ángel del Río kann er es kaum erwarten, fortzukommen: „ich ertrinke in diesem Nebel und in dieser Ruhe" (1603). Er vermißt es besonders, daß in dem nahen See nicht ein einziger Frosch quake: „no canta ni una rana" (1603).

Immer wieder werden Frosch und Grille gemeinsam erwähnt (137):

¡Rana, empieza tu cantar!
¡Grillo, sal de tu agujero!
Haced un bosque sonoro
con vuestras flautas. Yo vuelo
hacia mi casa intranquilo.[374]

---

[372] (Zikade!
Glückliche du!
da dich in seinen Mantel hüllt
der Heilige Geist selbst,
der das Licht ist.

Zikade!
Tönender Stern
über den schlafenden Gefilden,
alte Freundin der Frösche
und der dunklen Grillen,
du hast Gräber von Gold
in den zitternden Strahlen
der Sonne, welche süß dich versehrt
in der Kraft des Sommers,
und die Sonne trägt deine Seele hinweg,
um sie zu Licht zu machen.

Werde Zikade, mein Herz,
auf den göttlichen Gefilden.)

[373] J. J. Bachofen, Gesammelte Werke, Bd. VII, S. 150.

[374] Aus: El diamante:
(Frosch, beginne dein Lied!
Grille, komme hervor aus deinem Loch!

In der durchaus ernst gemeinten *Oda al Santísimo Sacramento del altar* (554 ff.) findet sich sogar ein Vergleich von Gottes Gegenwart in der Monstranz mit dem Pochen eines Froschherzens:

> Vivo estabas, Dios mío, dentro del ostensorio.
> Punzado por tu Padre con agujas de lumbre.
> Latiendo como el pobre corazón de la rana
> que los médicos ponen en el frasco de vidrio.[375]

Der sakrale Charakter des Frosches ist auch in den folgenden Versen erkennbar (184):

> y las ranas, muecines de la sombra, ...[376]

Symbolisch ist es ferner, wenn von den Töchtern der Bernarda Alba, die freudlos hinter Gittern aufwuchsen, tyrannisiert von der peinlich auf die Wahrung der Familienehre bedachten Mutter, gesagt wird, sie seien „Frösche ohne Zunge" (1435). Mehrmals besang Lorca die Schwarzpappel (chopo) als ein Bild der Keuschheit[377]. Von einer alten, gestürzten Schwarzpappel, die ins Wasser fiel, sagt er (189):

> Serás nidal de ranas
> y de hormigas.[378]

Man sieht, wo immer die Frösche in symbolischer Bedeutung im Werk Lorcas erscheinen, verkörpern sie das Hohe, Lichte, Reine, den Gesang und nicht selten sogar das Sakrale. Es ist dies einer der Ausnahmefälle, wo Lorca sich nicht an die Tradition anschließt.

Eine negative Bewertung erfährt die Kröte (sapo). Die Priester mit dem Sakrament „erschrecken die nächtlichen Kröten, welche die gefrorenen Landschaften des Kelchs umkreisen" (411). Sie werden mit den Wölfen zusammengebracht (424):

> Lobos y sapos cantan en las hogueras verdes ...[379]

Bildet einen tönenden Wald
mit euren Flöten. Ich fliege
unruhig zu meinem Haus.)
[375] (Lebendig warst du, mein Gott, im Ostensorium.
Durchbohrt von deinem Vater mit Nadeln aus Licht.
Klopfend wie das arme Herz des Frosches,
welches die Ärzte in die gläserne Flasche legen.)
[376] Aus: *El concierto interrumpido:*
(und die Frösche, Gebetrufer des Schattens, . . .)
[377] Genauer gesagt ist sie „el Pitágoras / de la casta llanura" (185).
Zur Bedeutung von „chopo" vergl. Fußnote 197 im Abschnitt „Brise" (S. 73).
[378] Aus: *Chopo muerto:*
(Du wirst die Stätte sein,
wo Frösche und Ameisen nisten.)
[379] Aus: *Nacimiento de Cristo:*
(Wölfe und Kröten singen in den grünen Scheiterhaufen . . .)

Die Kröte bezeichnet das Niedere, Unheilige, Unkeusche. So sagt Lorca von
Walt Whitman, den er hoch verehrte (452):

> Pero tú no buscabas los ojos arañados,
> . . .
> ni las curvas heridas como panza de sapo
> que llevan los maricas en coches y terrazas
> mientras la luna los azota por las esquinas del terror.[380]

Hahn (gallo)

Der Hahn steht von altersher in Verbindung mit dem Anbruch des neuen
Tages, den er durch sein Krähen verkündet und dessen Frühlicht er hervorbringt. Auch hat er einen bacchisch-solaren Bezug[381]. Insbesondere verkündet er das Ende der Liebesnacht und bringt den Schmerz der Trennung mit
sich. Bei Lorca wird aus diesem Bezug zuweilen ein bacchisch-lunarer, entsprechend seiner Auffassung vom Mond, welcher, wie wir sahen, eine Lie-
bes- und eine Todessymbolik in sich vereint. Es heißt einmal (257):

> Un gallo canta en la luna.
> Señor alcalde, sus niñas
> están mirando a la luna.[382]

Der Hahn als Bringer der Morgenfrühe erscheint ebenfalls in einem origi-
nellen Bild (364):

> Las piquetas de los gallos
> cavan buscando la aurora, ...[383]

In der Guardia-Civil-Romanze krähen „Hähne aus Glas" (382) und verkünden das schreckliche Ende des nächtlichen Zigeunerfestes. Auch in der kon-
ventionellen Weise kommt der Hahn als Tagesverkünder vor: „Irgendein

---

[380] Aus: *Oda a Walt Whitman:*
(Doch du suchtest nicht die zerkratzten Augen,
. . .
noch die wie Krötenbauch gekrümmten Verwundungen,
welche die Effeminierten in Kutschen und auf Terrassen tragen,
während der Mond sie peitscht an den Ecken des Schreckens.)

[381] J. J. Bachofen, *Gesammelte Werke*, Bd. 7, S. 90, 165.

[382] Aus: *Escena del teniente coronel de la Guardia Civil:*
(Ein Hahn kräht im Mond.
Herr Bürgermeister, Ihre Töchter
schauen nach dem Mond.)

[383] Aus: *Romance de la pena negra:*
(Die Spitzhauen der Hähne
graben und suchen die Aurora, . . .)

Hahn kräht und erinnert an den rosigen Tagesanbruch" (1473). Die Liebenden gemahnt er schmerzlich an das Ende der Nacht, so in *Don Perlimplín* (892):

> ¡Gallo, que se va la noche!
> ¡Que no se vaya, no![384]

Selten wird er ganz unsymbolisch in seiner realen Bedeutung erwähnt, zusammen mit anderen, wirklichen Tieren (443 f.):

> Todos los días se matan en New York
> cuatro millones de patos,
> cinco millones de cerdos,
> dos mil palomas para el gusto de los agonizantes,
> un millón de vacas,
> un millón de corderos
> y dos millones de gallos, ...[385]

Ziegenbock (macho cabrío)

Lorcas Auffassung des Ziegenbocks entspricht weitgehend der Überlieferung, wonach dieses Tier schon in der Antike chthonische Zugehörigkeit hatte und ein dionysisches Attribut war. Auch seine starke geschlechtliche Potenz legte eine Verbindung zu dem zwiefältigen Gott Dionysos nahe. Später verlieh das Mittelalter den Geistern der Hölle Bocksgestalt[386]. Auch im germanischen Bereich galt der Ziegenbock als Bild der Fruchtbarkeit. Er war dem Donar heilig und, da vieles von Donar auf den Teufel übertragen wurde, so hatte man diesen meist als Bock dargestellt. Bocksblut und Bocksunschlitt wurden oft zum Liebeszauber verwendet[387].

Lorca hebt im Einklang mit der Tradition den dämonischen, höllischen, zeugungsstarken, wollüstigen Charakter des Ziegenbocks hervor und läßt ihm vom Hahn „¡Salud!" zurufen (219 f.):

---

[384] (Hahn, es vergeht schon die Nacht!
Nein, möge sie nicht vergehen!)
[385] Aus: *New York:*
(Jeden Tag werden in New York getötet
vier Millionen Enten,
fünf Millionen Schweine,
zweitausend Tauben für den Genuß der Dahinsiechenden,
eine Million Kühe,
eine Million Lämmer
und zwei Millionen Hähne, . . .)
[386] W. F. Otto, *Dionysos*, Frankfurt/M. 1939, S. 152 ff., 140.
[387] *Handwörterbuch der deutschen Volkskunde*, Abt. 1, Aberglaube. Berlin 1938 bis 1941, Bd. 9, S. 911 ff.

¡Salve, demonio mudo!
Eres el más
intenso animal.
Místico eterno
del infierno
carnal ...

. . .

¡rudo don Juan!
¡Qué gran acento el de tu mirada
mefistofélica

. . .

Tu sed de sexo
nunca se apaga;

. . .

¡Oh ser de hondas leyendas santas
de ascetas flacos y Satanás
con piedras negras y cruces toscas,
con fieras mansas y cuevas hondas
donde te vieron entre la sombra
soplar la llama
de lo sexual!

. . .

¡Machos cabríos!

. . .

¡Iluminados del Mediodía!

. . .

... desde el fondo de las campiñas
el gallo os dice:
¡Salud!, al pasar.[388]

---

[388] Aus: *El macho cabrío:*
(Sei gegrüßt, stummer Dämon!
Du bist das
heftigste Tier.
Ewiger Mystiker
der fleischlichen Hölle ...

. . .

rauher Don Juan!
Welch großer Akzent deines
mephistophelischen Blicks.

. . .

Dein Geschlechtsdurst
ist nie gelöscht;
O Wesen tiefer, heiliger Legenden
von schwachen Asketen und Satan
mit schwarzen Steinen und rohen Kreuzen,
mit sanften Raubtieren und tiefen Höhlen,
wo sie im Schatten dich sahen
die Flamme entfachen
des Geschlechtlichen!

. . .

Ziegenböcke!

. . .

Dieses Gedicht mit dem Titel *El macho cabrío* stammt aus der frühen Zeit (1919) und bildet den Abschluß des *Libro de poemas*. Man sieht, wie eng hier die Beziehung zur Tradition ist. Auch die Verbindung mit dem Hahn am Schluß des Gedichts ist naheliegend, da beide Tiere dem bacchischen Kreis angehören. Unkonventionell und auffallend sind jedoch folgende Verse desselben Gedichts (219):

> Vas por los campos
> con tu manada,
> hecho un eunuco,
> ¡siendo un sultán![389]

Die Gewaltsamkeit dieser Umdeutung ist für Lorcas Liebesauffassung umso bezeichnender. Bereits im Alter von 21 Jahren spricht Lorca hier in etwas verschleierter Form jene Grundüberzeugung aus, daß der große Mann seine Begierde wachhalten, aber auf ihre Verwirklichung verzichten müsse. Er soll sich der Realität gegenüber wie ein Eunuche verhalten, dabei aber ein Sultan sein. Wir wollen es offen lassen, inwieweit von Lorca auch homoerotische Leidenschaften als Mittel geistig-seelischer Intensivierung bejaht wurden. Anspielungen hierauf finden sich nicht wenige in seinem Werk, und auch in dem soeben erläuterten Gedicht vom Ziegenbock erscheinen Verse, die man in dieser Richtung interpretieren kann (219):

> mas tus pasiones son insaciables;
> Grecia vieja
> te comprenderá.[390]

Schlange (sierpe; serpiente)

Die Schlange ist ein altes bacchisches Symbol, oft direkt ein Phallusbild. Dem dionysischen Kult gehört sie ebenfalls an: die Begleiterinnen dieses Gottes haben oft Schlangen in den Händen oder Haaren[391]. Sowohl mit dem As-

---

Erleuchtete des Mittags!
. . .
. . . vom Grunde der Fluren
sagt der Hahn zu euch:
Gesundheit!, beim Vorübergehen.)

[389] (Du ziehst über die Felder
mit deiner Herde
wie ein Eunuche
und bist ein Sultan!)

[390] (doch deine Leidenschaften sind unersättlich;
das alte Griechenland
wird dich verstehen.)

[391] W. F. Otto, *Dionysos*, Frankfurt/M. 1939, S. 141.

klepioskult als auch mit Apollo ist die Schlange verbunden: sie ist eine Form der Apollo-Epiphanien[392]. Auch zum Gott Merkur gehört das Schlangensymbol. Bei den Phöniken und Ägyptern wurde die Schlange für das geistigste aller Tiere gehalten und ihr eine gewisse Göttlichkeit zugeschrieben. Der ägyptische König hatte zum Symbol seiner Herrschaft die Schlange. Sie wurde in die Mysterien aufgenommen, als unsterblich angesehen und für ein Wesen gehalten, das in sich selbst zurückkehrt[393]. Sie ist ein Sinnbild der Naturzeugung, aber auch Dämonen nehmen Schlangengestalt an, selbst Bacchus erscheint in ihrer Gestalt. Sie ist die zeugende und die todbringende, die heilende und die verletzende Schlange, das Tier des Lichtes und der Finsternis, des Lebens und des Todes, das Tier der Gegensätze. Auch die Idee der Palingenese, der Verjüngung und Erneuerung, wird durch die Schlange verkörpert[394]. In der modernen Psychologie und Psychoanalyse ist die Schlange ein universelles Libidosymbol. In Wahrheit ist sie jedoch, das hat auch die neueste psychologische Forschung erkannt, weit mehr als nur ein Sexualsymbol[395]. Die Schlange der Bibel hat die Rolle der Verführerin zu widergöttlicher Handlung und gefährlicher Erkenntnis. Sie wird aber auch, was weniger bekannt ist, mit Christus in Zusammenhang gebracht. In Johannes 3, 14 steht: „Und wie Moses in der Wüste eine Schlange erhöht hat, also muß des Menschen Sohn erhöht werden." Besonders im Manichäismus wird Christus mit dem Bild der Schlange verbunden. In der Apokalypse erscheint wiederum ein anderes Bild: der kosmische Aspekt der Schlange. Sie ist auch ein Zeitsymbol. In den Träumen verkörpert sie oft die Angst; Angst vor dem Leben bei jungen, Angst vor dem Tod bei alten Leuten. In der griechischen Tragödie werden die Erinnerungen in Gestalt von Schlangen und Hunden dargestellt. Diese beiden Tiere sind auch Hüter verborgener Schätze. Diese chthonische Funktion gehört zum Bereich der Todessymbolik. Auch können die Seelen der Toten als Schlangen erscheinen. Die Schlange ist nicht nur die gebärende und regenerative Kraft, sondern auch die verschlingende Mutter. Sie verkörpert nach C. G. Jung „das unheimliche Numen der Mutter", die tötet, die aber zugleich die einzige Möglichkeit darstellt, vor dem Tod zu bewahren, da sie auch Lebensquelle ist[396]. Man sieht schon aus dieser knappen Zusammenstellung, wie kompliziert und vielschichtig das Bild von der Schlange und seine Wandlung bei den einzelnen Völkern und in den verschiedenen Epochen ist. Das Schlangensymbol hat ambivalenten Charakter,

[392] K. Kerényi, „Labyrinth-Studien", Zürich 1950. In: *Albae Vigiliae*, Neue Folge Heft 10, S. 62 f.

[393] J. J. Bachofen, *Gesammelte Werke*, Bd. 4, Basel 1954, S. 175.

[394] Ebd. S. 116, 169, 175 ff., 185, 189 ff.

[395] Siehe z. B. S. Freud, *Die Traumdeutung*, Wien 1945, S. 243. A. Teillard, *Le symbolisme du rêve*, Paris 1948, S. 159 f.

[396] C. G. Jung, *Symbole der Wandlung*, Zürich 1952, S. 513, 746, vgl. auch S. 481, 754 ff., 179, 398, 649, 651, 654, 760.

es umfaßt das Reich des Lebens wie des Todes und reicht vom sexuell-erotischen Gebiet bis in die Sphäre des Numinosen[397].

Lorca übernimmt vieles von diesem mythologischen und historischen Gedankengut. Die Todessymbolik erscheint in dem Gedicht *Lamentación de la muerte* (249 f.), das vom Tod handelt und mit folgendem Verspaar beginnt und schließt:

> Sobre el cielo negro,
> culebrinas amarillas.[398]

Im Abschnitt „Pflanzensymbolik" (S. ?? ff.) zeigten wir, daß Brennesseln und Moos eine Todesbeziehung haben. In dem Gedicht *Danza de la muerte* treten diese Pflanzen zusammen mit der Kobra auf (415):

> Que ya las cobras silbarán por los últimos pisos,
> que ya las ortigas estremecerán patios y terrazas,
> que ya la Bolsa será una pirámide de musgo, ...[399]

Neben diesem Todesbezug hat die Schlange in der Dichtung von García Lorca auch die Funktion eines Libidosymbols. In der mehrfach herangezogenen Romanze *Thamár y Amnón* heißt es, kurz ehe Amnon die Schwester mit List und Gewalt verführt (393):

> la cobra tendida canta.[400]

In der *Ode an Walt Whitman* stürzen sich in unwürdiger Weise die „maricas", das sind die effeminierten Männer und die Homosexuellen, auf diesen Dichter — der bekanntlich nicht frei von homosexuellen Neigungen war — und zwar (452):

> como gatos y como las serpientes, ...[401]

In der *Elegía a doña Juana la loca* (113 ff.) kommt ebenfalls die sinnliche Bedeutung der Schlange zum Vorschein:

> Princesa enamorada sin ser correspondida.
> . . .
> ¿Tienes los ojos negros abiertos a la luz?

---

[397] Wer sich für das Bild der Schlange in der zeitgenössischen, französischen Literatur, insbesondere bei Paul Valéry interessiert, sei u. a. verwiesen auf meine Arbeit „Paul Valérys Methaphorik und der französische Symbolismus", erschienen in: *Zeitschrift f. französische Sprache und Literatur*, bes. Bd. 68, Mai 1958, Heft 3/4, S. 175 ff.

[398] (Am schwarzen Himmel
gelbe, kleine Schlangen.)
In der Beziehung zwischen dem Tod und der gelben Farbe bei Lorca vgl. den späteren Abschnitt „Farbensymbolik" (S. 137 ff.).

[399] (Denn bald werden die Kobraschlangen zischen in den letzten Stockwerken, denn bald werden die Brennesseln Höfe und Terrassen erschüttern, denn bald wird die Börse eine Pyramide aus Moos sein, ...)

[400] (die ausgestreckte Kobra singt.)

[401] (wie Katzen und wie die Schlangen, ...)

O se enredan serpientes a tus senos exhaustos ...
¿Dónde fueron tus besos lanzados a los vientos?
¿Dónde fué la tristeza de tu amor desgraciado?[402]

Durch die List der Schlange kam die Vertreibung aus dem Paradies, wurde der Spiegel des reinen, paradiesischen Daseins zerbrochen, wie Lorca dies in seinem Gedicht *Initium* (522) ausdrückt. Es kam der Tod, und der Apfel der Erkenntnis und Liebe wurde zum toten, harten Stein:

Adán y Eva.
La serpiente
partió el espejo
en mil pedazos,
y la manzana
fué la piedra.[403]

Die Ambivalenz des Schlangensymbols findet ihren dichterischen Ausdruck in den Versen der Romanze *Reyerta* (356 f.), die den Tod der streitenden Zigeuner andeuten (357):

Sangre resbalada gime
muda canción de serpiente.[404]

Da auch der Mond bei Lorca die Doppelheit von Liebe und Tod umschließt, so ist es kein Wunder, daß dieses Gestirn mit der Schlange in enge Beziehung gesetzt ist. Zum Beispiel ist in dem *Gasel vom dunklen Tod* die Rede vom Mond, der einen „Schlangenmund" habe und „der arbeitet, ehe es Tag wird." (491). Die Libidobedeutung ist auch offensichtlich in *Sobald fünf Jahre vergehen* an der Stelle, wo das Mannequin dem Jüngling von der Frau spricht, die ihn heimlich liebte (1011):

¿Por qué no viniste antes?
Ella esperaba desnuda
como una sierpe de viento ...[405]

---

[402] (Verliebte Prinzessin, die keine Gegenliebe fand.
. . .
Hast du die schwarzen Augen dem Licht zugewandt?
Oder winden sich Schlangen um deine erschöpften Brüste ...
Wohin gingen deine Küsse, die du in die Winde warfst?
Wohin ging die Trauer deiner unglücklichen Liebe?)

[403] (Adam und Eva.
Die Schlange
zerbrach den Spiegel
in tausend Stücke,
und der Apfel
wurde zum Stein.)

[404] (Entglittenes Blut seufzt
stummes Schlangenlied.)

[405] (Warum kamst du nicht früher?
Sie wartete nackt
wie eine Schlange aus Wind . . .)

Hier ist die sinnliche Bedeutung noch verstärkt durch den Wind, der von altersher ein Bild des Begehrens und Liebesverlangens ist, eine Vorstellung, die beispielsweise in der Romanze *Preciosa y el aire* (354 ff.) deutlich zum Ausdruck kommt. Vgl. hierzu Abschnitt „Wind" in dieser Arbeit (S. 73 ff.).

Lorca fühlt der Schlange gegenüber eine Abneigung. Schon in einem Jugendgedicht vom Juli 1920 findet er die Eidechse so sehr „sympathisch", weil sie nach der Devise lebe: „Ich widersetze mich / der Schlange" (175). Diese Verse bestätigen wieder einmal unsere oft erwähnte These von der Zurückhaltung Lorcas auf sinnlichem Gebiet. Er wünscht sich ein Herz ohne die Schlangen sinnlicher Verführung, ein (171):

> Corazón con arroyos
> y pinos,
> corazón sin culebras
> ni lirios.[406]

Erwähnt sei noch, daß in einigen wenigen Fällen auch das Motiv der Zeit im Zusammenhang mit der Schlange vorkommt, etwa in *Baile* (252 f.), und zwar hier als vergangene, schon fast tote Zeit in Verbindung mit der Todesfarbe gelb:

> La Carmen está bailando
> por las calles de Sevilla
> Tiene blancos los cabellos
> . . .
> En su cabeza se enrosca
> una serpiente amarilla,
> y va soñando en el baile
> con galanes de otros días.
> ¡Niñas,
> corred las cortinas![407]

---

[406] Aus: *Prólogo:*
(Herz mit Bächen
und Pinien,
Herz ohne Schlangen
noch Lilien.)

[407] (Carmen geht tanzend
durch die Straßen von Sevilla.
Ihre Haare sind weiß
. . .
Auf ihrem Haupt windet sich
eine gelbe Schlange,
und sie träumt dahin im Tanz
mit Galanen anderer Tage.
Mädchen,
zieht die Vorhänge zu!)

Nachtigall (ruiseñor)

Die Nachtigall ist allgemein in der Dichtung einer der häufigsten Vögel, und viele Dichter übernehmen sie aus der schönen Literatur mit dem ganzen Nimbus, den die Jahrhunderte um sie geschaffen haben. In der italienischen Literatur hat Gabriele D'Annunzio den Gesang der Nachtigall auf Grund eigener Beobachtungen bis ins einzelne analysiert und beschrieben[408]. Aus eigener Anschauung kannte sein Landsmann Pascoli ebenfalls sehr genau den Gesang der Nachtigall, und er war sogar ein vorzüglicher Kenner der Vogelwelt überhaupt, wovon seine Gedichte ein beredtes Zeugnis geben. García Lorca, der inmitten des großbäuerlichen Betriebs seines Vaters aufwuchs, besaß eine selten umfangreiche, aus der Anschauung gewonnene Kenntnis von Pflanzen und Tieren. Er verstand es, das aus der unmittelbaren gegenständlichen Beziehung gewonnene Erleben der Natur mit seinem literarisch-historischen Wissen glücklich zu vereinen.

Schon in der Antike wurde der Gesang der Nachtigall als Klagelied empfunden. In der hellenistischen und späteren römischen Kaiserzeit wurde die Nachtigall oft als Künderin des Frühlings angesehen und als Ausdruck eines neuen Naturgefühls der Idyllik bevorzugt. Bei Hesiod galt die Nachtigall als Symbol des Dichters und Sängers. Zuweilen wurde sie auch mit dem Lied des Dichters identifiziert[409]. Diese Bedeutungen übernahm Lorca, denn sie kamen seiner eigenen Auffassung vom Dichter, der vor allem aus dem Schmerz heraus sein Bestes schafft, besonders entgegen, und so macht er die Nachtigall mit ihrem klagenden Gesang zum Symbol des Dichters und seiner Klage. Bisweilen setzt er die Nachtigall auch mit der unerfüllten, schmerzvollen Liebe gleich. Wir geben dazu einige Belege. Am Ende des ersten Bildes klagt Perlimplín (910):

> Amor, amor
> que está herido.
> Herido de amor huído;
> herido,
> muerto de amor.
> Decid a todos que ha sido
> el ruiseñor.[410]

---

[408] Vgl. besonders seinen Roman: *Der Unschuldige*, Berlin 1898, S. 163 f.

[409] *Paulys Real-Encyclopädie der klassischen Altertumswissenschaft*, Stuttgart 1927, 26. Halbband, Spalten 1854—1865 (Stichwort „luscinia").

[410] Aus: *Don Perlimplín*:
(Liebe, Liebe,
die verwundet ist.
Verwundet von entflohener Liebe;
verwundet,
tot vor Liebe.
Sagt allen, daß es
die Nachtigall war.)

Gegen Ende dieses Stücks, kurz ehe Perlimplín sich selbst in der Gestalt des Liebhabers ersticht, steht in der Regieanweisung: „Es singt die Nachtigall."[411] Auch mit dem Herzen, dem Ort des Fühlens, wird die Nachtigall identifiziert, und dies ist für Lorca bezeichnend, da seine Gefühlswelt wesentlich in der Liebe und dem darin verschlungenen Tod zentriert ist. In dem Drama *Sobald fünf Jahre vergehen* treten ein vor kurzem gestorbenes Kind und eine tote Katze auf (972):

> Niño: También a mí me duele el corazón.
>
> Gato: ¿Por qué te duele, niño, di?
>
> Niño: Porque no anda.
>   Ayer se me paró muy despacito,
>   ruiseñor de mi cama.[412]

Von der großen Schauspielerin Margarita Xirgu, die auch einige seiner Stücke spielte, sagt Lorca, er sehe sie immer dahingerissen „von einem dunklen Wind, wo die Hauptschlagader singt, als wäre sie eine Nachtigall" (1554). In dem Córdoba-Lied *Tópico nocturno* bedeuten die Nachtigallen jene Männer, die um den Tod eines Mädchens klagen, das ihnen teuer war (252):

> Dentro, hay una niña muerta
> con una rosa encarnada
> oculta en la cabellera.
> Seis ruiseñores la lloran
> en la reja.[413]

Gelbe Nachtigallen künden den Tod der Liebe an. Im ersten Bild des dritten Aktes von *Sobald fünf Jahre vergehen* möchte der Jüngling die Stenotypistin, die er begehrt, zum Mitkommen überreden, ehe es zu spät ist (1031):

> Vámonos pronto. Ahora mismo.
> Antes que las ramas giman
> ruiseñores amarillos.[414]

---

[411] So steht es in der Ausgabe Losada, Buenos Aires, 1938 ff., Bd. 1, S. 182. Dasselbe gilt für die Ausgabe Aguilar 1954 (S. 922) und auch für die 4. Auflage von 1960 (S. 924). In der 3. Auflage von Aguilar fehlt diese Anweisung ohne Angabe eines Grundes in den „Notas al texto" am Schluß des Buches, also wohl durch ein Versehen.

[412] (Kind: Auch mich schmerzt das Herz.
   Katze: Warum schmerzt es dich, Kind, sag?
   Kind: Weil es nicht mehr schlägt.
      Gestern blieb es mir ganz langsam stehen,
      meines Bettes Nachtigall.)

[413] (Drinnen liegt ein totes Mädchen
   mit einer hochroten Rose,
   verborgen im Haar.
   Sechs Nachtigallen beweinen es
   am Fenstergitter.)

[414] (Laß uns gehen. Unverzüglich.
   Ehe in den Zweigen seufzen
   gelbe Nachtigallen.)

Eine Stelle, wo „el ruiseñor" für den Dichter steht, findet sich in dem frühen Theaterstück *El maleficio de la mariposa* dort, wo der Schmetterling sagt (618):

> que el ruiseñor medite
> mi leyenda; ...[415]

Lorca selbst wünscht sich eine Nachtigall aus Eisen, d. h. eine dichterische Stimme, welche die Jahrhunderte überdauert (169):

> ... un ruiseñor de hierro
> que resista
> el martillo
> de los siglos.[416]

Erwähnt sei noch, daß an einigen wenigen Stellen diesem Vogel auch eine prophetische Fähigkeit zugeschrieben wird (607):

> ¡Qué desdicha de verte morir en esta aurora
> llorada por los dulces profetas ruiseñores![417]

Taube (paloma)

Die Taube hat von altersher die Bedeutung des Geistes und des Friedens. Im Christentum wurde sie zum Symbol des Heiligen Geistes. Diese letztere Zuordnung findet sich auch im Werk García Lorcas, beispielsweise in seiner Rede über Góngora, wo er spricht von „la inefable paloma del Espíritu Santo" (78 f.), oder in der Ode an den Papst, worin er denselben beschuldigt, daß er die „Taube verachtet" (449) und „se orina en una deslumbrante paloma" (448). Von den Juden sagt Lorca, sie hätten nur eine „halbe Taube" zuwegegebracht (447). Da Christus in einem anderen Gedicht mit Brot und Ähre identifiziert wird (186) und der Papst, welcher nach Lorcas Meinung Christus verriet, nicht nur die Taube verachtet, sondern auch das „Geheimnis der Ähre" und das „Stöhnen der Gebärenden", so ist die Vermutung nicht unbegründet, daß die Taube ganz allgemein die schöpferische Kraft der Welt — die im Samenkorn und in der Gebärenden zutage tritt — symbolisiert. Auch dieses Symbol bleibt somit nicht auf den eigentlich sakralen Be-

---

[415] (möge die Nachtigall meditieren
über meine Legende; ...)

[416] Aus: *Prólogo:*
(... eine Nachtigall aus Eisen,
die dem Hammer / der Jahrhunderte / widersteht.)

[417] Aus: *El maleficio de la mariposa:*
(Welches Unglück, dich in dieser Morgenröte sterben zu sehen,
beweint von den Nachtigallen, den süßen Propheten!)

reich im christlichen Sinn beschränkt. Freilich, wenn Lorca vom Brautschleier sagt, es seien (1010):

> ... palomas, enredadas
> en sus hilos de hermosura.[418]

so sieht man deutlich, wie das Sinnbild der Taube auch hier dem Bereich des Reinen und Hohen nahe bleibt, und so ist es verständlich, daß „paloma" im Zusammenhang mit der weißen Farbe erscheint, die, wie wir sehen werden, Ausdruck des Reinen, Unstofflichen, Lichthaften und Transzendenten ist (312):

> El color blanco, anda,
> sobre una muda alfombra
> de plumas de paloma.[419]

Eher mag man sich etwas wundern, daß die Taube nicht nur mit dem Mond in eine mythische Identifikation tritt — was durch den transzendenten Bezug dieses Gestirns naheliegt —, sondern auch mit der Sonne. Dies geschieht in der *Kasside von den dunklen Tauben* (502 f.). Dabei wird man bedenken müssen, daß dieses Gedicht auf eine frühe Fassung vom Jahre 1922 zurückgeht (282 f.), als die Sonne für Lorca noch nicht so deutlich wie später ein Sinnbild irdischen Lebens war. Wir haben vielmehr in dem Abschnitt über die Sonne zu zeigen versucht, daß in Lorcas früher Schaffenszeit der Lichtcharakter der Sonne im Vordergrund stand und daß sie eine geistig-transzendente Bedeutung hatte. Immerhin, die Beibehaltung der Relation Sonne—Taube weist doch auch auf eine Ausweitung des Taubensymbols im Sinne einer schöpferischen Weltkraft hin, was uns bereits die oben erwähnten Gedankengänge nahelegten.

Einige weitere Tiersymbole: Schmetterling, Spinne, Vogel, Schildkröte, Lamm, Ameise, Biene, Stier

Die Zahl der Tiere, die im Werk García Lorcas vorkommen, ist zu groß, um sie hier ohne Ausnahme besprechen zu können. Sie sind auch nicht alle von derselben Wichtigkeit und Symbolkraft. Wir beschränken uns auf einige Hinweise.

---

[418] Aus: *Así que pasen cinco años:*
(... Tauben verstrickt / in seinen Fäden der Schönheit.)
[419] Aus: *Juan Ramón Jiménez:*
(Die weiße Farbe, sie schreitet
über einen stummen Teppich
von Taubenfedern.)

Der Schmetterling (mariposa) ist im mythischen Bereich ein Symbol der Verwandlung (Raupe!), der Wiedergeburt, und oft erscheinen die Toten in seiner Gestalt. Auch ist er ein Bild der Seele. Bei Lorca hat der Schmetterling ebenfalls transzendenten Charakter und steht besonders zum Dichter und dessen Werk in Beziehung. Sein Element ist das Reich der Luft, das bei Lorca geistiger Art ist. Er spricht geradezu von „mariposas líricas" (529) und fühlt sich als „Bezwinger dunkler / Schmetterlinge" (517). In New York sind die Schmetterlinge „disecadas" (421), aber er hofft auf ihre „resurrección" (421). Der von ihm verehrte Dichter Walt Whitman hat den „Bart voll von Schmetterlingen" (451). In der Komödie *El maleficio de la mariposa* erscheint ein weißer Schmetterling, der eigentlich nicht der Erde, sondern dem Sternenreich angehört und sagt (609):

> ¡Quiero volar, quiero volar, el hilo es largo!
> . . .
> El hilo va a la estrella
> donde está mi tesoro; ...[420]

Dieser weiße Schmetterling sagt von sich: „ich bin der Tod / und die Schönheit" (619), und er gilt als „Vorbild der Feen" (630). Mariposa kann auch die Seele darstellen, die im Tod die Zeitlichkeit — die Welt der Uhren — verläßt (556):

> ... y un hombre, que no sabe
> cuándo su mariposa dejará los relojes.[421]

Schließlich wird in einem Jugendgedicht der Schmetterling auch mit dem Herz identifiziert (118):

> ¡Mi corazón es una mariposa, ...![422]

Die Spinne (araña) steht bei Lorca in einer weniger engen Bindung an die Tradition, sondern trägt mehr originelle Züge. Sie ist bei ihm ein Zeitsymbol — „graue Spinne der Zeit" (118) —, worin die Bedeutung des Vergessens und Schweigens inbegriffen ist (152):

> araña del olvido.
> . . .
> Araña del silencio, ...[423]

---

[420] (Ich will fliegen, ich will fliegen, der Faden ist lang!
. . .
Der Faden geht zum Stern,
wo mein Schatz ist; ...)
[421] Aus: *Oda al Santísimo Sacramento del altar, Mundo:*
(... und ein Mensch, der nicht weiß,
wann sein Schmetterling die Uhren verläßt.)
[422] Aus: *Balada triste:*
(Mein Herz ist ein Schmetterling, ...)
[423] Aus: *Sueño:*
(Spinne des Vergessens.
. . .
Spinne des Schweigens, ...)

In der Gedichtfolge *La selva de los relojes* webt die Spinne der Zeit jenen ihr tönendes Netz, die noch in der Illusion einer von Hoffnung erfüllten Erscheinungswelt befangen sind (527):

> Toda la selva turbia
> es una inmensa araña
> que teje una red sonora
> a la esperanza.
> ¡A la pobre virgen blanca
> que se cría con suspiros y miradas![424]

Die Spinne der Zeit bemächtigt sich auch des Ruhms und der großen Dinge (176):

> Las arañas
> iban por los laureles[425]

Umsomehr fallen die irdischen Dinge, auch die liebsten, dem Vergessen anheim (1010):

> Dale el velo a las arañas ...[426]

Auch die Liebe währt nicht ewig (113):

> ... El amor
> bello y lindo se ha escondido
> bajo una araña. El sol
> como otra araña me oculta
> con sus patos de oro ...[427]

Schon in den frühen Versen von 1920 ist die Spinne Ausdruck des Vergessens (154):

> Y despeino mi alma muerta
> con arañas de miradas
> olvidadas.[428]

---

[424] (Der ganze trübe Wald [der Uhren]
ist eine ungeheure Spinne,
die ein tönendes Netz
der Hoffnung webt.
Der armen, weißen Jungfrau,
die sich von Seufzern und Blicken nährt!)
[425] Aus: *Patio húmedo*:
(Die Spinnen
gingen über die Lorbeerbäume.)
[426] Aus: *Así que pasen cinco años*:
(Gib den Brautschleier den Spinnen ...)
[427] Aus: *Canción menor*:
(... Die Liebe,
schön und zierlich, hat sich verborgen
unter einer Spinne. Die Sonne
als andere Spinne verhehlt mich
unter ihren Klauen aus Gold ...)
[428] Aus: *Paisaje*:
(Und ich kämme meine tote Seele
mit Spinnen
vergessener Blicke.)

Der V o g e l (pájaro) gehört in den Mythen Indiens, Ägyptens und anderer Kulturkreise dem Bereich des Geistigen und Himmlischen an. Außerdem besitzt er noch eine phallische Bedeutung, die übrigens bis heute in manchen Sprachen weiterlebt[429]. Bei Lorca ist der Vogel dem geistigen Aspekt des Wassers zugeordnet (121). Er rückt sogar dem Sakralen nahe, da unser Dichter die Ähren, welche in einem anderen Gedicht mit Christus verbunden werden (186), „alte Vögel" nennt, „die nicht fliegen können" (197). Daneben erscheinen Wendungen wie „Vögel wahnsinnigen Traumes" (1013), und es fehlt auch nicht die weitverbreitete Meinung, schwarze Vögel seien von schlimmer Vorbedeutung (897). Es überwiegt jedoch die geistige und transzendente Bedeutung, die sich mitunter dem Sakralen nähert, wie etwa in diesen Versen über die Bäume, wo die Vögel und Gottes Augen in einen Zusammenhang gebracht sind (192):

> Vuestras músicas vienen del alma de los pájaros,
> de los ojos de Dios,
> de la pasión perfecta.[430]

Seltener und weniger sicher erscheinen Stellen, wo auf die erotische Komponente dieses Bildes angespielt wird. Da wir den Wind als erotisches Element erkannten, mag man z. B. die Verse (531):

> Viento estancado
> . . .
> Sin pájaros.[431]

in solcher Weise auslegen. Deutlicher sind die Verse, in denen von Walt Whitman gesagt wird (451):

> ... gemías igual que un pájaro
> con el sexo atravesado por una aguja, ...[432]

Die S c h i l d k r ö t e (tortuga) wird von Lorca positiv bewertet, bisweilen sogar dem Sakralen angenähert. „Himmlische Worte" schlafen in ihr (431), und auch der schlafende Mond wird einmal als „weiße Schildkröte" bezeichnet (143). Im übrigen gilt sie als „schön" (39). Das L a m m (cordero) wird in

---

[429] Z. B. hat das italienische Wort für Vogel „uccello" die übertragene Bedeutung „membro virile". Im Deutschen existiert eine vulgäre Verbalform zum Substantiv.

[430] Aus: *Árboles:*
(Eure Musik kommt aus der Seele der Vögel,
aus den Augen Gottes,
aus der vollkommenen Passion.)

[431] Aus: *Tres historietas del viento II:*
(Ermatteter Wind
. . .
Ohne Vögel.)

[432] Aus: *Oda a Walt Whitman:*
(... du hast geseufzt wie ein Vogel,
dessen Geschlecht mit einer Nadel durchbohrt wurde, ...)

dem Sinne verwendet, den es innerhalb des Christentums besitzt (439, 449, 461, 557). Die Bedeutung, welche Lorca der A m e i s e (hormiga) zuschreibt, ist weniger eng an die Tradition gebunden, ohne sich jedoch grundsätzlich von naheliegenden Eindrücken zu entfernen. Der Sinn dieses Bildes ist negativer Art und enthält öfters einen Hinweis auf irgendeine Art von Todeszustand, sei dieser körperlicher oder geistiger Natur. „Meine Zunge möge sich mit Ameisen füllen wie der Mund der Toten, wenn ich je log" (1237). „Ameisen aus Quecksilber" dagegen bedeuten unruhige, sinnliche Gefühlsregungen (1511). Von der Schwarzpappel, deren starker Geist und reine Leidenschaft hervorgehoben wird (188 f.), sagt Lorca, wenn sie einmal tot sei, so werde sie nicht mehr die Wiege des Mondes noch das magische Lachen der Brise sein, noch der Stock eines reitenden Sterns, sondern (189):

> Serás nidal de ranas
> y de hormigas
> Tendrás por verdes canas
> las ortigas, ...[433]

Die Brennessel kommt bei Lorca mehrmals zusammen mit dem todbringenden Schierling vor (z. B. 269, 380) und weist ebenfalls auf den Tod. Auch an einer anderen Stelle werden die toten Pappeln als „Brutstätten von Ameisen" bezeichnet (209). Der trockene Orangenbaum leidet, weil er kahl und ohne Früchte ist, und er möchte träumen, daß die Ameisen, die ihn bedecken, seine Blätter seien (348). Der negative Sinn kommt immer wieder auf andere Weise zum Vorschein, ob er nun sagt „ein Ameisengewimmel von Leuten / geht über mein Herz" (524), oder ob er seinen Spott über einen seiner New Yorker „Freunde" ergießt, der beerdigt sei „in der Ameise, im Meer und in den leeren Augen der Vögel" (401). Diese Insekten zerstören, sie werden sogar den Himmel nicht verschonen (421): „und die wütenden Ameisen / werden die gelben Himmel angreifen, die sich in die Augen der Kühe flüchten". Im zweiten Teil der *Ode an das Allerheiligste Altarsakrament* heißt es im Zusammenhang mit der Kreuzigung des Herrn (556):

> Viejas y sacerdotes lloraban resistiendo
> una lluvia de lenguas y hormigas voladoras.[434]

Täglich muß man sich der Ameisen erwehren (492):

---

[433] Aus: *Chopo muerto:*
(Du wirst die Brutstätte von Fröschen
und Ameisen sein.
Als grüne, alte Haare
wirst du Brennesseln haben, ...)
[434] (Alte Frauen und Priester weinten und erduldeten
einen Regen von Zungen und fliegenden Ameisen.)
[435] Aus: *Gacela de la muerte oscura:*
(Bedecke mich in der Morgenröte mit einem Schleier,
denn sie wird mir Hände voll Ameisen entgegenschleudern, ...)

Cúbreme por la aurora con un velo,
porque me arrojará puñados de hormigas, ...[435]

und so wünscht sich Lorca einen „Golf ohne Ameisen bei Tagesanbruch"
(457). Die B i e n e (abeja), die wehrhafte und emsige Sammlerin, welche den
süßen Honig hervorbringt, ist natürlich ein positives Symbol und bei Lorca
ein Bild des schaffenden Dichters, auch des Liebenden, der die Schönheit der
Welt in sich aufnimmt. In einem frühen Gedicht von 1918 gilt der Honig
als Sinnbild von Christi Wort (127):

La miel es la palabra de Cristo,
. . .
(Así la miel del hombre es la poesía
que mana de su pecho dolorido,
de un panal con la cera del recuerdo
formado por la abeja de lo íntimo.)[436]

Die Biene als Sammlerin des Schönen kommt auch in den folgenden Versen
über den Frühling zum Ausdruck (540):

Norma de seno y cadera
bajo la rama tendida;
antigua y recién nacida
virtud de la primavera.
Ya mi desnudo quisiera
ser dalia de tu destino,
abeja, rumor o vino
de tu número y locura;
pero mi amor busca pura
locura de brisa y trino.[437]

Diese Verse bestätigen wiederum unsere oft geäußerte These von der Zu-

---

[436] Aus: *El canto de la miel:*
(Der Honig ist das Wort Christi,
. . .
(So ist der Honig des Menschen die Poesie,
die seiner schmerzerfüllten Brust entspringt,
einer Wabe mit dem Wachs der Erinnerung,
geformt von der Biene des Innersten.))
[437] Aus: *Normas II:*
(Norm von Busen und Hüfte
unter dem ausgebreiteten Zweig;
alte und neu geborene
Kraft des Frühlings.
Schon möchte mein Nacktes
Dahlie deines Schicksals sein,
Biene, Rauschen oder Wein
deines Wohlklangs und Wahnsinns;
jedoch meine Liebe sucht reinen
Wahnsinn von Brise und Triller.)

rückhaltung des Menschen, nicht des Dichters Lorca gegenüber der sinnlichen Wirklichkeit.

Auch kühne Verse über die Biene gelingen, etwa im Zusammenhang mit der weißen Farbe der Transzendenz (1013):

> y un dolor blanco de abeja
> cubre de rayos mi nuca.[438]

Der S t i e r (toro), allgemein ein Symbol machtvoller Kraft, spielt in der spanischen Dichtung aller Zeiten eine gewichtige Rolle. Im Vergleich dazu — nicht im Vergleich mit außerspanischen Literaturen — ist er in Lorcas Dichtung von geringerer Wichtigkeit. Er erscheint natürlich in der *Klage um Ignacio Sánchez Mejías* (465 ff.), wo auch die mythischen und die „himmlischen" (468) Stiere mit einbezogen sind. In dem Vers „El toro de la reyerta" (357) ist der Stier metaphorisch für den Kampf auf Leben und Tod zu verstehen. In der vierten Szene des ersten Aktes von *Mariana Pineda* (702 ff.) findet sich eine farbenprächtige Stierkampfbeschreibung, die jedoch keine mythische Tiefenbedeutung hat. Zusammenfassend kann man sagen, daß der Stier in der Dichtung Lorcas nicht nur ein Symbol vitaler Mächtigkeit und Kraft ist, sondern, daß er dort, wo er eine mythische Dimension hat, auch eine Todesfunktion besitzt. Er steht nämlich in einer naheliegenden Relation zum Mond, insofern dieser in gewissen Phasen (z. B. als Viertelmond) den todbringenden Hörnern des Stiers gleicht. Diese Mondbeziehung (472) findet sich übrigens nicht nur bei Lorca, sondern auch bei anderen spanischen Dichtern[439].

---

[438] Aus: *Sobald fünf Jahre vergehen:*
(und ein weißer Bienenschmerz
bedeckt meinen Nacken mit Blitzen.)

[439] Z. B. Góngora sagt in seiner *Soledad primera* von dem mythischen Stier, der Europa entführte: „media luna las armas de su frente."
Vgl. ferner R. Alberti, „Corrida de toros." (In: Gonzalo Torrente Ballester, *Panorama de la literatura española contemporanea*, Madrid 1956, S. 626 f.).

KAPITEL III

WEITERE SYMBOLE
SCHLUSSBEMERKUNGEN ZU LORCAS SYMBOLIK

Farbensymbolik

Die Bedeutung, welche den Farben in den verschiedenen Kulturen und Zeiten beigemessen wird, zeigt weniger Einheitlichkeit als die Zahlensymbolik. In der westlichen Welt gilt schwarz als Zeichen der Trauer; in China ist weiß die übliche Trauerfarbe. Übrigens pflegen auch in Neapel Beerdigungen mit einem weißen Leichenwagen ausgeführt zu werden. Weiß und schwarz gelten zwar im engeren Sinne nicht als Farben; wir werden sie jedoch untersuchen müssen, da sie bei Lorca relativ häufig vorkommen. Bei der Farbe gelb gehen die ihr zugeschriebenen Bedeutungen ebenfalls weit auseinander. Als Sonnenfarbe wurde sie Apollo beigelegt. Bei den Buddhisten tragen die Mönche safranfarbene Gewänder. Im Mittelalter wurde jedoch auch Judas, ebenso Satan, oft in gelben Gewändern gemalt[1]. In dieser Epoche trugen auch Dirnen, Henkersfrauen, Juden und Ketzer gelbe Kleider[2]. Im Volksmund gilt bei uns gelb als Farbe des Neides, während bei den Spaniern dieses Laster oft mit grün bezeichnet wird. Andererseits ist — auch in Spanien — grün die Farbe des jungen, drängenden Lebens, des Wachstums und auch der Hoffnung. Umgekehrt wie bei uns bezeichnen die Neger das Gute mit der Farbe schwarz, das Böse mit weiß. Blau gilt gewöhnlich und auch bei Lorca als Farbe des Himmels, des Geistes, bei den Israeliten als Farbe Gottes und des Glaubens, volkstümlich als Sinnbild der Treue. Dagegen wird in althochdeutschen Glossen blau als „mißgünstig und neidisch" charakterisiert, wahrscheinlich in Anlehnung an lateinisch „lividus". Mit großer Einheitlichkeit wird jedoch die rote Farbe mit Liebe, Leben und Blut verbunden. Ihr liegt eine Doppelbedeutung zugrunde: rot ist der Ausdruck höchsten Lebens und der Macht, aber auch des Untergangs und der zerstörenden Kraft (Sonnenuntergang, vergossenes Blut). Viele der oben genannten Abweichungen in

---

[1] Vgl. hierzu etwa: A. Teillard, *Traumsymbolik*, Zürich 1944, S. 74. Ferner die Gemälde Michael Pachers in St. Wolfgang.
[2] O. Laufer, *Farbensymbolik im deutschen Volksbrauch*, Hamburg 1948, S. 23 f. Für das Problem der Farben in der Literatur sei besonders hingewiesen auf: S. Skard, *The Use of Color in Literature*, Proceedings of the American Philosophical Society, Vol. 90, Nr. 3, July 1946, Philadelphia. Im bibliographischen Teil sind 1183 Werke namhaft gemacht.

der Bedeutung haben natürlich ihren Grund darin, daß die meisten Farben-bezeichnungen allzu summarisch sind: ein Gelb, das zum Grün neigt, ist etwas anderes als ein Goldgelb, und ein strahlendes Himmelsblau ist keine „lividus"-Farbe.

Im Gegensatz zu der auf wenige Fälle beschränkten Zahlensymbolik Lorcas — höchstens 25 Prozent aller vorkommenden Zahlen konnten in einem mythischen Sinn interpretiert werden, und dabei handelte es sich vorwiegend um die Zahlen zwei und drei — ist seine Farbensymbolik sehr ausgeprägt. Er war ein visueller Beobachter, ein Maler, kein Mathematiker. Man kann in seiner Dichtung etwa elf verschiedene Farben finden. Es wären sogar noch mehr, wenn man Nuancen wie „azul" und „indigo"; „rojo", „encarnado", „bermejo", „escarlato", „purpureo" und „rojizo"; „color violeta", „cárdeno", „morado" und andere unterscheiden würde. Im Unterschied zur Zahlensym-bolik liegt der Gesamtdurchschnitt für die Farben mit symbolischer Bedeu-tung außerordentlich hoch: er beträgt über 90 Prozent. Es ergeben sich daher auch keine wesentlichen Verschiebungen in der Reihenfolge, ob man nun die Farben nach der absoluten Häufigkeit ihres Vorkommens ordnet oder nach der Anzahl der Fälle, in denen sie symbolische Bedeutung besitzen. Zwar habe ich auch hier nicht das Gesamtwerk systematisch durchsucht, aber die ermittelten Zahlen dürften eine hinreichend gesicherte Vorstellung von der Proportion geben, in der die einzelnen Farben bezüglich ihrer Häufigkeit zueinander stehen. In der nachstehenden Tabelle ist angegeben, wie oft innerhalb des untersuchten Teils von Lorcas Dichtung die betreffende Farbe mit einer symbolischen Bedeutung vorkommt. Dabei sind also Stellen, wo Farben nur um ihrer selbst willen ohne hintergründige Bedeutung verwendet wurden — es sind dies, wie erwähnt, weniger als 10 Prozent aller Fälle —, nicht mitgerechnet. Die Abzählung ergab:

weiß	grün	blau	gelb	rot	schwarz	gold	rosa	violett	grau	braun
64	37	24	21	20	16	8	8	6	5	2

Man sieht also die absolute Dominanz von weiß. Es folgen grün und danach in einigem Abstand mit ungefähr gleicher Häufigkeit blau, gelb und rot. Nun erst kommt schwarz, und noch seltener erscheinen golden, rosa, violett, grau und braun.

Wir fragen nun nach der Bedeutung, welche den wichtigsten Farben in der Dichtung García Lorcas zukommt. Neben weiß und schwarz handelt es sich um jene vier Hauptfarben — rot, grün, gelb, blau —, die auch bei Shake-speare, Goethe und Schiller allein eine wesentliche Rolle spielen[3]. Bei den Farben, die von den verschiedensten Epochen und Kulturkreisen relativ ein-heitlich gedeutet werden, wie rot und grün ist es kein Wunder, daß auch Lorca sich dieser allgemeinen, oben bereits angedeuteten Meinung anschließt.

---

[3] Vgl. die Untersuchungen von Karl Groos, zitiert in: W. Koch, *Psychologische Farbenlehre*, Halle a. S. 1931, S. 283 ff.

Rot

Rot ist einerseits die Farbe der Leidenschaft, insbesondere des Liebesverlangens, andererseits auch die Farbe des Blutes und der Tötung. Der verliebte Don Perlimplín tritt daher in den entsprechenden Szenen mit einem großen, roten Umhang auf (899, 925—928). Rot findet sich im Zusammenhang mit Blut mehrfach erwähnt (z. B. 925, 1159, 971). Die Vergewaltigung in der Romanze *Thamár y Amnón* wird mit Versen wie diesen angedeutet (395):

> Paños blancos enrojecen
> en las alcobas cerradas.[4]

„Die Blumen haben ihre Sprache" heißt es in *Doña Rosita,* und die roten bedeuten „el furor" (1315). Gemäß der tragischen Weltauffassung Lorcas ist mit der höchsten Leidenschaft der Tod verbunden, und so schreibt er in dem Gedicht *De Profundis* (244):

> Los cien enamorados
> duermen para siempre
> bajo la tierra seca.
> Andalucía tiene
> largos caminos rojos.[5]

Grün

Es ist bezeichnend, daß Lorca für den Prolog seines *Don Perlimplín* folgende Szenenanweisung gibt (889): „Haus des Don Perlimplín. Grüne Wände... Perlimplín in grünem Rock und weißer Lockenperücke." Später wird er einen roten Umhang tragen, aber hier am Anfang, wo die Heirat erst geplant wird, herrscht die Farbe grün vor. Auch nennt er sich selbst einmal „viejo verde" (926), doch dies ist ein im Spanischen geläufiger Ausdruck für „geiler Alter" und gehört nicht Lorcas Metaphorik an. Im *Diálogo del Amargo* zieht Amargo, ohne es zu wissen, dem Tod entgegen, will aber nicht sterben, sondern am Leben bleiben. Von ihm heißt es, er habe „große, grüne Augen" (263). Die Bedeutung der Farbe ist für Lorca so dominierend, daß er sich nicht scheut, Farbzuordnungen zu treffen, die völlig ungewöhnlich sind und in der Realität nicht vorkommen. Von sich selbst sagte er 1928: „Als echter Dichter, der ich bin und sein werde bis zu meinem Tod, werde ich nicht auf-

---

[4] (Weiße Tücher, sie färben sich rot
in verschlossenen Alkoven.)
[5] (Die hundert Liebenden
schlafen für immer
unter der trockenen Erde.
Andalusien hat
lange rote Wege.)

hören, mir Hiebe mit der Zuchtgeißel zu versetzen in Erwartung des grünen oder gelben Blutstrahls, der meinem Körper notwendigerweise, daran glaube ich, eines Tages entströmen wird" (1548). Grün werden auch die Lichter der Zigeunerstadt genannt, die sich zum Fest rüstet und kurz darauf von der Guardia Civil überfallen und zerstört wird (383):

> Apaga tus verdes luces
> que viene la benemérita.[6]

Jenes Meisterstück Lorcascher Romanzenkunst, das ich den wenigen Perlen unvergänglicher Lyrik der Weltliteratur zurechnen möchte, die *Romance sonámbulo* (358 ff.), enthält 24 mal das Wort grün. Der mehrfach wiederholte Vers „Verde que te quiero verde" ist der Ausdruck des zum Leben und zur Liebeserfüllung drängenden Daseins, welches dem Tod zu entkommen sucht.

Gelb

Wir sahen, daß die Farbe gelb in der allgemeinen Vorstellung weniger eindeutig festgelegt ist, und ihre Verwendung zeigt auch bei Lorca eine gewisse Variabilität. Mehrfach erscheint diese Farbe in Verbindung mit der Schlange (s. Abschnitt „Tiersymbolik", „Schlange", S. 126). In dem Gedicht *Baile* (Tanz) läßt der Dichter Carmen in den Straßen von Sevilla tanzen (253):

> En su cabeza se enrosca
> una serpiente amarilla,
> y va soñando en el baile
> con galanes de otros días.
> ¡Niñas,
> corred las cortinas!

Die *Wehklage über den Tod* (249 f.) beginnt und endet mit dem Verspaar (s. S. 124):

> *Sobre el cielo negro,*
> *culebrinas amarillas.*

Hier wird es schon deutlich, daß die Farbe gelb mit dem Tod, wovon dieses Gedicht handelt, in einem tiefen Zusammenhang steht. Gemäß der biblischen Geschichte verführte die Schlange Eva zum Apfelbiß, wodurch die Vertreibung aus dem Paradies und der Tod erst in die Welt kam. Diese Farbverknüpfung ist also nicht willkürlich. Wir erwähnten bereits, daß im Mittelalter Bettler, Juden, Dirnen und Henkersleute gelbe Kleidung trugen: es waren

---

[6] Aus: *Romance de la Guardia Civil española:*
(Lösche deine grünen Lichter,
denn es naht die Guardia Civil.)

die Ausgestoßenen, sie waren für die Gesellschaft „tot". In dem Gedicht *Totengeläute (Clamor*, 244 f.) erscheint wiederum die Farbe gelb in Verbindung mit dem Tod:

> En las torres
> amarillas,
> doblan las campanas.[7]

Nur scheinbar weicht Lorca von dieser Grundauffassung ab, wenn er von den Blumen sagen läßt *(Doña Rosita*, 1315): „Die gelben sind Haß". Im Grunde liegt diese Variation nicht weit ab, da der Haß immer auch auf den Tod zielt. Auf Tod und Haß deutet schließlich einer der Schlußverse der *Bluthochzeit*, wo in bewußter Abweichung von der wirklichen Farbe der Lippen Verstorbener im Hinblick auf die beiden toten Rivalen gesagt wird (1182):

> se queden dos hombres duros
> con los labios amarillos.[8]

Blau

Die blaue Farbe ist schon durch ihren relativ großen Bedeutungsumfang interessant. In nahezu allen Kulturen wird sie mit dem Himmel verbunden. Auch bei Lorca finden sich solche Bezüge wie „cielo azul" (660, 166, ähnlich 595), die aber ebensowenig aufschlußreich sind wie die naheliegende Verknüpfung dieser Farbe mit der Ferne (Blaue Berge, 197, 1173). Es überrascht auch kaum, daß Lorca in mehreren Dramen bei Traumbildern, Erscheinungen und irrealen Szenen die Regieanweisung gibt, die Bühne sei ganz oder teilweise in blaues Licht zu tauchen, oder daß er vorschreibt, die auftretenden gespensterhaften Gestalten hätten blaue Kleidungsstücke zu tragen. Am Schluß des vierten Aktes von der Tragikomödie *Los títeres de cachiporra* (664) heißt es beim Auftreten des „Espectro de Doña Rosita", alles nehme „eine bläuliche Färbung" an und die Erscheinung selbst solle „dunkelblau gekleidet" sein. In der Koboldszene des *Don Perlimplín* ist für die Darsteller dieser Geister vermerkt: „sie werfen sich große blaue Kapuzen über" (906). In *Sobald fünf Jahre vergehen* tritt in einer irrealen szenischen Darstellung eine Transfiguration der Stenotypistin in Gestalt eines Mannequins auf, und auch hier wird ausdrücklich „una luz azul" verlangt (1009, 1015). Noch einen Schritt weiter hilft uns eine andere Szene dieses ebenso komplizierten wie aufschlußreichen Dramas. Im ersten Akt tritt eine tote Katze und ein totes

---

[7] (In den Türmen,
den gelben,
läuten die Glocken zu Grab.)

[8] (zurück bleiben zwei harte Männer
mit gelben Lippen.)

Kind auf, während das Licht zu einem „bläulichen Leuchten" wird. Sollte etwa der blauen Farbe bei Lorca mindestens zuweilen eine Todesbeziehung eigen sein? Eine erste, unsichere Ahnung hiervon vermittelt bereits das Jugendgedicht von 1918 über die *Zikade*, worin er dieses Tier verherrlicht, welches sich in unermüdlichem Gesang unter dem Blau des Himmels im Licht verzehrt (116 ff.):

> ¡Cigarra!
> ¡Dichosa tú!
> pues sientes en la agonía
> todo el peso del azul.
> . . .
> Sea mi corazón cigarra
> sobre los campos divinos.
> Que muera cantando lento
> por el cielo azul herido
> . . .
> ¡Cigarra!
> ¡Dichosa tú!
> pues te hieren las espadas invisibles
> del azul.[9]

Deutlicher noch wird der Hinweis auf den Tod am Ende des vorletzten Bildes der *Bluthochzeit*, wo durch zwei lange Schreie der Tod der beiden Männer angedeutet wird, während die Regieanweisung lautet: „Die Szene erhält ein starkes blaues Licht" (1171). In *Doña Rosita* wird von den blauen Blumen gesagt, sie deuteten auf ein „Leichentuch" (1315). Weitere Belege für die Beziehung der blauen Farbe zum Tod ließen sich unschwer hinzufügen. Blau ist die Farbe der Transzendenz.

---

[9] Aus: *¡Cigarra!*
(Zikade!
Glückliche, du!
Du fühlst im Vergehen
die ganze Schwere des Blaus.
. . .
Mein Herz sei Zikade
über den göttlichen Feldern,
daß ich singend sterbe, langsam
verwundet vom blauen Himmel
. . .
Zikade!
Glückliche, du!
Denn dich verwunden die unsichtbaren
Schwerter des Blaus.)

Schwarz

Wesentlich leichter zu erkennen ist der einigermaßen einheitliche Bedeutungsumfang der schwarzen Farbe. Don Perlimplín, der im Selbstmord endet, hat
in seiner Wohnung schwarze Möbel (889), und in Andeutung des unheil-
vollen Geschehens geben die letzten Worte des Prologs folgende Regieanweisung: „Eine Schar von Vögeln aus schwarzem Papier fliegt am Balkon
vorbei" (897). Im Gegensatz dazu ist das Allerheiligste Altarsakrament
„ohne einen schwarzen Vogel" (555). Die Todesengel in der Romanze
Reyerta sind „Ángeles negros" (357). Das schwer übersetzbare, spezifisch
spanische Wort „soledad", andalusisch „soleá" bedeutet ungefähr Einsamkeit, Vereinsamung, Einöde; es ist ferner die Bezeichnung für einen andalusischen Klagegesang und auch als Frauenname gebräuchlich. Von einer solchen
Soleá heißt es, sie sei „vestida con mantos negros" (232, 233). Es kann jedoch
mit dieser Farbe auch eine zwar von Trauer erfüllte, aber schöpferische
positive Kraft verbunden sein, wie das Gedicht über die Gitarre zeigt, in
deren „schwarzer Zisterne aus Holz" Seufzer schweben (242). Im übrigen ist
es nicht verwunderlich, daß Lorca in seiner *Lamentación de la muerte* von
einem „schwarzen Himmel" (249) spricht und daß er das Wort „negro" mit
Wörtern wie „abgründig" und anderen verbindet (1467).

Weiß

Weiß, die weitaus häufigste „Farbe" in Lorcas Werk ist schwieriger zu erschließen: sie ist bedeutungsreicher und eigenartiger. Wir erwähnten bereits,
daß weiß im ostasiatischen Bereich oft als Farbe der Trauer gilt. Die volks-
tümliche Verknüpfung von weiß mit Unschuld geht auf die mittelalterliche
Deutung der christlichen Kirche zurück. In der katholischen Liturgie ist weiß
der Ausdruck der Reinheit, der Heiligkeit und wird an Weihnachten, Ostern,
Dreifaltigkeit und bei Marienfesten verwendet. In der Antike wurde dieser
Farbe eine apotropäische Kraft zugeschrieben, die Schutz vor bösen Einflüs-
sen gab[10]. Weiß als Farbe der Unschuld war der Antike fremd.

Bei Lorca kommt zwar weiß als Ausdruck der Reinheit vor, etwa in Verbindung „puro y blanco" (186), aber dieser Aspekt spielt in seiner Dichtung
nur eine kleine Rolle. Weniger selten ist die Verwendung dieser Farbe für
etwas Schönes. Perlimplín rühmt Belisas Schönheit mit den Worten: „Wie
aus Zucker... weiß im Innern" (897). Auch ist die Rede vom „Anis" ihrer
„weißen Schenkel" (922) und anderswo vom „weißen Balsam" (531). Zu
demselben Begriffsfeld gehört auch die Verbindung dieser Farbe mit „Glück"
(611) und in der Blumensprache der Mädchen mit „Heirat" (1315). Nimmt
man Formulierungen wie „la gloria sin fin de la blancura" (547) zusammen

---

[10] O. Laufer, *Op. cit.*, S. 29.

mit solchen wie „weiße Prinzessin von niemals" (548), oder mit dem viermal wiederholten „el blanco infinito" (312 f.), so wird man gewahr, daß diese Farbe für Lorca einen transzendenten Sinn haben muß. Damit gelangen wir zum Wesen dieser Farbe, die ihren Grund im Unsinnlichen, Übersinnlichen, Irrealen, dem Licht Verwandten hat, das ihr eignet, und was die Ägypter dazu bewegt haben mag, die Bilder des Sonnengottes weiß — teilweise auch blau — zu bemalen. Damit soll nicht behauptet werden, Lorca habe von diesen oder anderen historischen Tatsachen sicher Kenntnis gehabt; auch eine intuitive Erfassung bleibt denkbar. Unsere zunächst noch hypothetische Erkenntnis vom unstofflichen, irrealen, jenseitigen Charakter der weißen Farbe wird in einem ersten Schritt zu der relativ naheliegenden Idee einer Beziehung zum Bereich des Todes führen. Darüber hinaus wird es klar werden, wie sehr diese Farbe dazu geeignet ist, die für Lorca mehrfach erwähnte, charakteristische Grundidee vom Wachhalten aber Nichterfüllen irdisch-sinnlicher Strebungen zu verbildlichen.

Die Todesbeziehung ist leicht zu belegen. Im letzten Bild der *Bluthochzeit* wird der Raum, in den am Schluß der tote Sohn hereingetragen wird, folgendermaßen gekennzeichnet: „Weißer Raum . . rechts und links weiße Treppen. Großer Bogen im Hintergrund von derselben Farbe. Auch der Fußboden soll in einem leuchtenden Weiß sein . ." (1171). Schon früher, im dritten Bild des ersten Aktes, wo die Höhle beschrieben wird, in der die Braut wohnt, die zum Anlaß für den Tod der beiden Männer wird, ist zwar von einem Kreuz aus rosa Blumen die Rede — diese Farbe deutet auf die geplante Heirat —, aber auch ausdrücklich davon, daß die Wände „aus weißem und hartem Material" seien (1104). Selbst in frühen Gedichten findet sich schon dieser Todesbezug (343):

> El cielo nublado
> pone mis ojos blancos.
> Yo, para darles vida, ...[11]

oder (618):

> Y la muerte me dió dos alas blancas, ...[12]

Auch der Gedanke an die weiße Farbe des Leichentuchs legt die Beziehung zum Tod nahe. Von Mariana Pineda, die vor ihrer Hinrichtung steht, sagt eine Novize (791):

> ¿Y ella? ... ¿Tú la has visto? Ella
> me parece amortajada
> cuando cruza el coro bajo
> con esa ropa tan blanca.[13]

---

[11] Aus: *Canción de noviembre y abril*:
(Der bewölkte Himmel
macht meine Augen weiß.
Ich, um ihnen Leben zu verleihen, . . .)
[12] Aus: *Mariposa*:
(Und der Tod gab mir zwei weiße Flügel, . . .)
[13] (Und sie? . . . Hast du sie gesehen? Sie

Tiefer und für Lorcas Eigenart bezeichnender ist der Hinweis auf jenes geistige Reich, das einen Verzicht auf irdische Verwirklichung in sich schließt und wofür die Bezeichnung „weiß" geradezu ein Signalwort werden kann. In *Sobald fünf Jahre vergehen* ringt sich die Stenotypistin zum Verzicht auf eine Verwirklichung ihrer Liebe zu dem Jüngling durch. Gegen Ende des zweiten Aktes, wo sie in einer irrealen Szene in der Gestalt eines Mannequins erscheint, fragt sie sich, wer wohl ihr Brautkleid tragen werde, worauf der Jüngling antwortet (1010):

> Nadie se pondrá tu traje,
> forma blanca y luz confusa, ...[14]

Im letzten Akt, im Verzicht auf eine irdische Liebesverbindung, wird sie „mit einem großen, weißen Umhang bedeckt" (1039), während der Harlekin in derselben Szene auf einer „weißen Geige" (1037) musiziert. Erschütternd ist die großartige Dichtung über die „vanitas" aller Dinge, die sich im sechsten Teil der Sammlung *Poeta en Nueva York* findet unter dem Titel *Nocturno vom Hohlen*. Hier zieht der Dichter das Fazit und sieht, daß nichts bleibt und alles eitel ist, ein Hohles, eine Lücke. Das einzige, was ihm bleibt, ist eine von allem Irdischen abgelöste, geistige Leidenschaft. Das Pferd ist, wie im Abschnitt „Pferd" (S. 103 ff.) gezeigt wurde, ein Symbol leidenschaftlicher Kraft. Ist diese Kraft auf die Transzendenz gerichtet, so wird sie blau oder weiß genannt. So erklärt sich die innerhalb des nihilistischen Denkens großartige, freilich nur dem Eingeweihten verständliche Formulierung, die zweimal ausgesprochen wird (437):

> Yo.
> Con el hueco blanquísimo de un caballo, ...[15]

Hier öffnet sich dem, der zu lesen vermag, ein selten gestatteter Blick in das Innerste dieses Mannes.

Zwischenfarben und Schlußbemerkung

Im Gegensatz zu Shakespeare, Goethe, Schiller und manchen anderen Dichtern beschränkt sich Lorca nicht auf die Grundfarben des Spektrums, sondern zieht auch eine Reihe von Zwischenfarben heran, wie rosa, blutrot, korallenfarben, dunkelblau, hellblau, dunkelbraun, strohgelb, apfelfarben etc. Es würde zu weit führen, diesen Nuancen nachzugehen, umsomehr als klar

---

scheint mir in ein Leichentuch gehüllt,
Wenn sie den Chor durchschreitet
mit diesem so weißen Kleid...)
[14] (Niemand wird tragen dein Kleid,
weiße Form und verwirrtes Licht,...)
[15] (Ich.
Mit dem weißesten Hohlen eines Pferdes,...)

trennbare Bedeutungsunterschiede kaum mit Sicherheit festzustellen sind. Es bedarf hingegen der Erwähnung, daß Gregorio Prieto eine Broschüre mit dem Titel *Dibujos de García Lorca*, Madrid, 1. Auflage 1949, 2. Auflage 1955, publiziert hat, die eine unvollständige Sammlung von Zeichnungen Lorcas wiedergibt[16]. Die Erklärungen, welche Prieto zu diesen Abbildungen gibt, sind der Phantasie dieses Herausgebers entsprungen und stehen öfters in krassem Widerspruch zum Denken Lorcas. In der zweiten Auflage wurden sie erheblich gekürzt. Viele jener Zeichnungen, die auf farblosem Grunde angefertigt wurden, hat Prieto mit einem einfarbigen Hintergrund versehen, der bald gelb, bald rot, grün, blau oder sonstwie gehalten wird. Dabei hat Prieto durchaus nicht im Sinne von Lorcas Farbensymbolik gehandelt, sonst hätte er z. B. das Bild vom Tod (La muerte recorriendo los jardines . . .) in der zweiten Auflage nicht mit einem rosafarbenen Hintergrund versehen können, während derselbe in der ersten Auflage gelb gefärbt war, was aber im Sinne Lorcas gewesen wäre! Den Sinn der Farbensymbolik Lorcas hat Prieto nicht verstanden. Die Farbe weiß interpretiert er folgendermaßen: „El color blanco le sirve al poeta como optimista visión muchas veces, y canta con este color a la mujer y a los niños"[17]. Die Farbe blau, die immerhin nach grün eine der wichtigsten ist, hat Prieto übersehen. Ein Hinweis auf weitere Unzulänglichkeiten dieser Schrift möge uns erspart sein.

Zahlensymbolik

Im mythischen Denken ist die Zahl niemals durch ihre arithmetische Größe bestimmt. Sie ist keine bloße Zahl, nicht nur eine Stelle in einem Gesamtsystem, sondern jeder Zahl kommt ein eigenes Wesen zu, sie besitzt eine ihr eigene Kraft, die sie auf jene Dinge überträgt, auf die sie bezogen wird. Dieser Vorgang entspricht ganz dem im mythischen Denken immer wieder beobachtbaren Streben zur Verdinglichung, zur Verselbständigung und Wesensgebung, eben dem, was man „Hypostasierung" nennt[18]. So wird z. B.

---

[16] Es liegt auch eine deutsche Übersetzung vor, die in Zürich 1961 im Verlag Aache erschienen ist *(Zeichnungen, F. García Lorca*. Hrsg. von Gregorio Prieto). Zum Glück wurde der Text von Prieto in dieser Übersetzung wesentlich gekürzt, aber leider werden nur 35 Zeichnungen Lorcas reproduziert, während die zweite Auflage der spanischen Ausgabe deren 48 enthält. Auf den verfehlten, willkürlich farbigen Hintergrund hat die deutsche Ausgabe glücklicherweise verzichtet.

[17] 2. Auflage, S. 16. Die erste Auflage war in ihrer Abwegigkeit geradezu grotesk. Dort steht (S. 15): „Mit der weißen Farbe malt er zarte Erscheinungen niedlicher Mädchen: Olalla blanca en el árbol . . ." Dieser von Prieto zur Illustration seiner Behauptung herangezogene Vers stammt in Wahrheit aus der Romanze über die Märtyrerin Eulalia, die bekanntlich verbrannt und dann an einem Baum aufgehängt wurde.

[18] Vgl. etwa: E. Cassirer, *Philosophie der symbolischen Formen*, Bd. II, *Das mythische Denken*, Darmstadt 1953, S. 169 ff.

die Zahl drei der Gottheit zugeordnet, und diese Idee der Dreieinigkeit findet sich nicht nur im Christentum und der Antike, sondern bereits auf den primitiven Stufen religiöser Entwicklung[19]. Bei Aristoteles ist die Drei Ausdruck der Vollkommenheit, des Alls: sie umfaßt die drei Dimensionen des Raums und begreift Linie, Fläche und Körper in sich. Die Pythagoreer sahen in der Zahl drei das All, weil dazu die Dreiheit Anfang, Mitte und Ende gehört. Ägypter und Pythagoreer stellten sich das Weltall unter der Form eines vollkommenen Dreiecks vor. Es mag sein, daß auch die natürliche Dreiheit von „Ich", „Du", „Er", bzw. von Vater, Mutter und Kind in mancher dieser Vorstellungen durchschimmert. Auf alle Fälle wurde die Drei zu einer besonderen Mysterienzahl, die übrigens auch Apoll und Dionysos zugesprochen wurde[20]. Auch die Zahl sieben hat bereits im Altertum eine sakrale Bedeutung. Sie erscheint mehrfach im Zusammenhang mit Apollo und Pallas-Athene und gilt als Ausdruck des Schönen, der Harmonie und Vollendung. Die Siebenzahl der Planeten dürfte dabei nicht ohne Bedeutung gewesen sein. Auch erhält man diese Zahl, wenn man zu den vier Himmelsrichtungen die Mitte, Zenith und Nadir hinzunimmt. Auch im christlichen Mittelalter und bei den Kirchenvätern wurde die Sieben als Begriff der Vollendung und Fülle angesehen: am siebenten Tag wurde die Schöpfung vollendet. Im Gegensatz zur Zahl eins, die ein unteilbares Grundelement, einen Uranfang und etwas Ewiges darstellt, bedeutet die Zahl zwei eine Doppelheit, einen Antagonismus, die Dyas der Geschlechter. Sie ist die Zahl des Stoffes, des Werdens und der Vernichtung, des Kampfes zweier sich widerstreitender Kräfte. Sie ist natürlich auch die Zahl der Ehe. Nach C. G. Jung spielen die Zahlen von eins bis vier bei der Entwicklung und Selbstwerdung des Menschen eine bestimmende Rolle und tragen archetypische Bedeutungen, die mit der Idee der Einheit, Zweiheit, Trinität und Quaternität eng verbunden sind[21].

Doch nun zur Verwendung der Zahlen in der Dichtung von García Lorca. Zunächst fällt es auf, daß selbst in seiner Lyrik relativ häufig Zahlen vorkommen. Ohne das Gesamtwerk systematisch danach abgesucht zu haben, konnte ich in dem von mir untersuchten Teil 19 verschiedene Zahlen feststellen, von denen einzelne mit großer Häufigkeit auftreten, während andere nur selten vorkommen. So fand ich die Zahl fünf an 34 Stellen, die Zahl drei an 28, eins an 25, zwei an 15, hundert an 13 Stellen. Die Zahl vier erschien achtmal, sechs und tausend je sechsmal, 7 und 20 je fünfmal, fünfzehn viermal. Die Zahlen zehn, dreitausend und fünfundzwanzig waren je dreimal vorhanden. Nur ein- oder zweimal fand ich dagegen die Zahlen zwölf, dreizehn, vierundzwanzig, fünfhundert, hunderttausend.

---

[19] Brinton, *Religions of Primitive Peoples*, S. 118 ff. zitiert bei Cassirer, op. cit., S. 175.

[20] Vgl. dazu und zum Folgenden: J. J. Bachofen, *Gesammelte Werke*, Bd. IV, Basel 1954, S. 61 ff., 146, 217 ff., 306, 318 ff., 293 ff. Ferner Bd. II, Basel 1948, S. 362 ff.

[21] C. G. Jung, *Symbolik des Geistes*, Zürich 1948, S. 340 ff.

Eine solche Statistik der bloßen Abzählung würde jedoch ein völlig verzerrtes Bild des wirklichen Sachverhaltes geben. Als Beispiel genügt es, darauf hinzuweisen, daß die Zahl fünf allein auf den ersten beiden Seiten der *Klage um Ignacio* (465 f.) 30 mal erscheint, ohne eine eigentlich symbolische Bedeutung zu haben, denn es handelt sich hier um die Angabe der Stunde, zu der Ignacio im Stierkampf verwundet wurde: „a las cinco de la tarde." Ähnlich verhält es sich mit der Zahl eins, die ebenfalls sehr häufig, nämlich in dem von mir untersuchten Teil 25 mal erscheint, dabei aber nur zweimal eine symbolische Bedeutung hat. Wichtig sind für den mythischen Zahlencharakter besonders die Zwei und die Drei. Letztere erscheint in dem untersuchten Teil 28 mal und hat 18 mal symbolische Bedeutung. Die Zwei kommt 15 mal vor und hat 6 mal Symbolcharakter, Zahlen wie 20, 100, 1000, 100 000 bedeuten ganz einfach „viele" bzw. „sehr viele", und ihnen kommt weder eine exakte noch eine hintergründige Bedeutung zu. Wir kommen also der Frage nach Rang und Bedeutung der Zahlen in Lorcas Dichtung näher, wenn wir nicht die absolute Häufigkeit derselben feststellen, sondern nur jene Fälle zählen, in denen eine mythische oder symbolische Bedeutung der betreffenden Zahl erkennbar ist. Man erhält auf diese Weise eine wesentlich andere Reihenfolge für die Häufigkeit. Es erscheint nämlich die Drei weitaus an der Spitze (18 mal), danach folgen die Zwei (6 mal), die Sechs (4 mal), die Sieben (3 mal). Die Zahlen 1, 5, 15, 25, und 3000 kommen je zweimal in mythischer bzw. symbolischer Bedeutung vor und 4, 10, 13, 500 je einmal. Es sei nochmals darauf hingewiesen, daß sich alle diese Zahlen nicht auf das Gesamtwerk beziehen. Sie besitzen daher keinen Absolutheitswert, es darf jedoch ihr Verhältniswert als weitgehend richtig angesehen werden.

Bezüglich der mythischen Bedeutung der Zahlen zwei, drei und sieben sagten wir schon das Nötigste. Wir geben nur ein paar Beispiele, die belegen, daß Lorca hier nicht von der allgemeinen Auffassung abweicht. Den christlichen Sakralwert der Zahl drei erkennt man etwa aus Lorcas Erwähnung der drei heiligen Frauen, „... las tres santas mujeres" (460), besonders aber aus dem Gedicht über *Christi Geburt* (424), wo es heißt:

> El niño llora y mira con un tres en la frente.
> San José ve en el heno tres espinas de bronce.[22]

Die Zahl 3000 bedeutet nicht nur „sehr viele", sondern als Vielfaches von drei erscheint sie auch in der *Ode an das Allerheiligste Altarsakrament* (556) und auch in der Dichtung *Judenfriedhof*, die um religiöse Probleme kreist (447). Bezeichnend für die Zahl zwei ist folgende Stelle (460):

> Pero el dos no ha sido nunca un número
> porque es una angustia y su sombra[23]

---

[22] (Das Kind weint und blickt um sich mit einer Drei auf der Stirn.
St. Joseph sieht im Heu drei Dornen aus Bronze.)
[23] Die 3. Auflage der Ausgabe Aguilar bringt irrtümlich „no es".

porque es la guitarra donde el amor se desespera,
porque es la demostración de otro infinito que no es suyo
. . .
pero el número dos adormece a las mujeres ...[24]

Dies ist mythisches Zahlendenken im Einklang mit dem oben Gesagten. Dennoch wäre es ein großer Irrtum, wollte man hieraus auf eine durchgreifend mythische Zahlauffassung bei Lorca schließen. Wie sich schon aus den obigen Angaben erkennen läßt, sind Zahlen ohne symbolische Bedeutung viel häufiger als die anderen: sie betragen etwa 75 Prozent aller Fälle. Es zeigt sich also an dieser Stelle, daß die in dem früher erwähnten Buch von Correa vertretene Auffassung, Lorca sei ein mythischer Dichter, nicht durchweg gültig ist. An manchen Stellen zeigt es sich vielmehr, daß ein mythisches Denken bei ihm nur in beschränktem Umfang wirksam wird.

Torbogen (arco)

Der Torbogen ist eine Stelle des Durchgangs. Halten wir uns nicht bei der Verwendung von Triumphbögen, geschmückten Bögen bei Hochzeiten und anderen festlichen Ereignissen, bei Stadttoren und dergleichen herkömmlichen Dingen in der Dichtung auf, die auch bei Lorca einige Male vorkommen (etwa 680, 672, 495). Interessanter ist, daß dieses Bild vom Torbogen bei Lorca an bedeutsamen Stellen im Zusammenhang mit dem Reich des Todes erscheint, als Durchgangsstelle zwischen Leben und Tod. In der Dichtung *Iglesia abandonada* (410), die den Untertitel trägt *Ballade vom großen Krieg*, spricht der Vater, welcher seinen Sohn verlor:

Yo tenía un hijo.
Se perdió por los arcos un viernes de todos los muertos.[25]

In dem schwer deutbaren Gedicht *Muerte* (434) dürfte jedoch mit „arco de yeso" (Gipsbogen) ein Durchgang gemeint sein, der zum Tod im übertragenen Sinn führt; darauf deutet auch die weiße Farbe des Gipses, denn das Weiße und das Tote stehen für Lorca in einer Analogiebeziehung, wie in dem Abschnitt über Farbensymbolik (S. 137 ff.) gezeigt wurde. Eine ausführlichere Darstellung dieses Gedichts geben wir in Kapitel IV, erster Teil: Drei Gedichtinterpretationen.

---

[24] Aus: *Pequeño poema infinito*:
(Jedoch die Zwei war niemals eine Zahl,
denn sie ist eine Herzensangst und ihr Schatten,
denn sie ist die Gitarre, wo die Liebe verzweifelt,
denn sie ist die Äußerung eines anderen Unendlichen, das nicht das ihrige ist
. . .
jedoch die Zahl zwei schläfert die Frauen ein . . .)
[25] (Ich hatte einen Sohn.
Er verlor sich unter den Bögen an einem Freitag aller Toten.)

Zu dem toten Dichter Walt Whitman spricht Lorca in seiner Ode (454):

> Duerme, no queda nada,
> . . .
> Quiero que el aire fuerte de la noche màs honda
> quite flores y letras del arco donde duermes ...[26]

In *Gacela del recuerdo de amor* wird selbst der Ort einer Liebesbegegnung zum Bogen, wo der todbringende Schierling wächst (491):

> Por el arco de encuentro
> la cicuta está creciendo.[27]

In seinem Vortrag *Theorie und Spiel des Dämons* fragt sich Lorca am Schluß, wo sich der im Menschen schaffende Dämon befinde. Seine Antwort — zugleich der letzte Satz seines Vortrags — lautet: „Durch den leeren Bogen tritt eine geistige Luft ein, die mit Hartnäckigkeit über die Häupter der Toten weht..." (47 f.). Auch hier ist der Bogen die Stelle des Durchgangs zur Transzendenz.

Schatten (sombra)

Der Begriff des Schattens findet sich besonders in der Jugenddichtung, ohne jedoch häufig zu erscheinen. Er spielt also keine zentrale Rolle und wird zudem nicht selten im üblichen Sinn gebraucht, beispielsweise so (492):

> ... soy la sombra inmensa de mis lágrimas.[28]

Die Nähe zu dem Klischee „nur noch ein Schatten seiner selbst sein", wofür es auch im Spanischen analoge Wendungen gibt, z. B. „es apena una sombra de lo que fué", ist unverkennbar. Ebensowenig originell ist es, daß er mit seinem eigenen Schatten Gespräche führt (205). In dem Gedicht an die Steineiche (*Encina*, 207 f.) bezeichnet er mit seinem Schatten, der für ihn in deutlichem Gegensatz zum keuschen Schatten der Eiche steht, jenen dunklen, trüben — vermutlich unterbewußten — Bereich, aus dem heraus er eine leuchtende Dichtung schaffen will (207):

> Bajo tu casta sombra, encina vieja,
> quiero sondar la fuente de mi vida
> y sacar de los fangos de mi sombra
> las esmeraldas líricas.[29]

---

[26] (Schlafe, es bleibt nichts.
Ich will, daß die starke Luft der tiefsten Nacht
Blumen und Lettern wegreiße von dem Bogen, wo du schläfst.)
[27] (Im Bogen der Begegnung
wächst der Schierling.)
[28] Aus: *Gacela de la muerte oscura:*
(ich bin der ungeheure Schatten meiner Tränen.)
[29] (Unter deinem keuschen Schatten, alte Eiche,
will ich die Quelle meines Lebens erforschen

Kein Topos ist es schließlich, wenn Lorca sagt, die Höhle des großen Schmerzes dulde nichts in sich als den Schatten (173):

> ¡Oh gran dolor!
> Admites en tu cueva
> nada más que la sombra.[30]

Spiegel (espejo)

Die Welt spiegelt sich in jedem Menschen in einer anderen Art, und auch noch im Laufe des Lebens erfährt dieses Bild gewisse Wandlungen. Diese Tatsache dürfte Lorca den Gedanken nahegelegt haben, den Spiegel[31] als ein Bild für die Anschauungsweise des Menschen zu verwenden. Adam und Eva sahen vor dem Sündenfall das Paradies in anderer Weise als danach; durch die Versuchung der Schlange wurde der bisherige Spiegel zerbrochen (522; s. Abschnitt „Tiersymbolik", Schlange, S. 125):

> Adán y Eva.
> La serpiente
> partió el espejo
> en mil pedazos,
>
> . . .

Im Grunde ist jeder Mensch nach dieser Auffassung ein „Spiegel der Erde". So nennt die Mutter in der *Bluthochzeit* ihren toten Sohn „espejo de la tierra" (1180).

Christi Lehre ist ebenfalls ein Spiegel seiner Denkweise. Dadurch wurden die „schwarzen Blicke", d. h. die unerleuchtete Sehweise der Menschen erhellt und mit Glauben erfüllt (519)[32]:

---

und aus dem Schlamm meines Schattens
hervorholen die lyrischen Smaragde.)
[30] Aus: *Balada interior:*
(O großer Schmerz!
Du läßt in deiner Höhle
nichts als den Schatten zu.)
[31] „Espejo" bedeutet neben „Spiegel" auch „Muster", „Vorbild" und kommt einige wenige Male bei Lorca auch in dieser Bedeutung vor, z. B. S. 630. Uns interessieren hier nur Stellen mit der Hauptbedeutung „Spiegel".
[32] Aus: *Suite de los espejos:*
(Sinnbild

Christus
hielt einen Spiegel
in jeder Hand
Er vervielfältigte
seinen eigenen Geist.
Er projizierte sein Herz
in die schwarzen Blicke.
Ich glaube!)

Símbolo

Cristo
tenía un espejo
en cada mano.
Multiplicaba
su propio espectro.
Proyectaba su corazón
en las miradas
negras.
¡Creo!

Wir Menschen sehen nur das Spiegelbild der Dinge (520):

Andamos
sobre un espejo, ...[33]

und können nicht hinter ihn dringen (521):

Detrás de cada espejo
hay una calma eterna
y un nido de silencios
que no han volado.[34]

Das Spiegelbild gibt nicht das lebendige Wesen der Dinge, nicht die Quelle,
sondern nur deren „Mumie", und es entschwindet mit dem Licht (521):

El espejo es la momia
del manantial, se cierra,
como concha de luz,
por la noche.

El espejo
es la madre-rocío,
el libro que diseca
los crepúsculos, el eco hecho carne.[35]

---

[33] Aus: *Tierra:*
(Wir gehen
über einen Spiegel, ...)

[34] Aus: *Capricho:*
(Hinter jedem Spiegel
ist eine ewige Stille
und ein Nest von Schweigen,
das sich nicht zum Fluge erhob.)
Diese Verse Lorcas „Y un nido de silencios / que no han volado" können
als Anklänge an Mallarmés Sonett *La vierge, le vivace et le bel aujourd' hui* erscheinen; dort ist die Rede von „des vols qui n'ont pas fui!" (Mallarmé,
Oeuvres complètes. Bibliothèque de la Pléiade, Paris 1945, S. 67 f.).

[35] Aus: *Capricho:*
(Der Spiegel ist die Mumie
der Quelle, er schließt sich
wie eine Muschel aus Licht
in der Nacht.

Mit unserer Anschauung von der Wirklichkeit, mit unseren Büchern, suchen wir das Geheimnis der im Dämmerlicht verborgenen Realität zu zerschneiden, aber mehr als ein Echo vermögen wir nicht zu erhalten[36].

Das Weltbild und Empfinden des Dichters drückt sich in seinem Werk aus; insofern ist das letztere auch ein Spiegel. Das Gedicht *Berceuse al espejo dormido* (523) gibt dem Verlangen Lorcas Ausdruck, sich einmal zu lösen von dem ständigen Drang nach Erkenntnis und dichterischem Schaffen, um sich unbeschwert dem Leben und der Liebe hingeben zu können. Er singt dem Spiegel ein Schlaflied; sein rastloses Mühen möge ruhen und erst wieder erwachen, wenn er von der Geliebten hinweggeilt:

> Duérmete sin cuidado,
> pero despierta,
> cuando se muera el último
> beso de mis labios.[37]

Der Dualismus in Lorcas Weltauffassung, wonach Geist und Leben in einem schmerzlichen Gegensatz zueinander stehen, ist in seinem Werk immer wieder spürbar und wird auch in dem Bild vom Spiegel augenscheinlich. Die Orange ist, wie wir in dem Abschnitt „Pflanzensymbolik" (S. 89 f.) gezeigt haben, oft ein Symbol der Erde, des natürlichen Lebens, einschließlich der sinnlichen Liebe, während der Spiegel im Zusammenhang mit der geistigen Erkenntnis und Selbsterkenntnis (der Selbstbespiegelung) erscheint. So heißt es im *Canción del naranjo seco* (348):

> ¿Por qué nací entre espejos?
> . . .
> Quiero vivir sin verme.
> . . .
> Líbrame del suplicio
> de verme sin toronjas.[38]

> Der Spiegel ist
> Mutter Tau,
> das Buch, welches zerschneidet
> die Dämmerungen, das Echo, zu Fleisch geworden.)

[36] Das Echo im akustischen Raum enstpricht dem Spiegelbild im optischen Bereich. Aus dieser Analogie erklären sich synästhetische Ausdrücke wie: „Oímos por espejos" (520).

[37] (Schlaf ein [Spiegel] ohne Furcht,
jedoch erwache,
wenn der letzte
Kuß meiner Lippen vergeht.)

[38] (Warum ward ich zwischen Spiegeln geboren?
. . .
Ich will leben, ohne mich zu sehen.
. . .
Befreie mich von der Qual,
mich ohne Orangen zu sehen.)

Kristall (cristal)

„Cristal" bedeutet im Spanischen nicht nur Kristall, sondern auch Fenster-, Spiegel-, Brillenglas. Bei Lorca hat dieses Wort in etwa zwei Drittel aller Fälle den Sinn von Kristall, den wir hier allein untersuchen[39]. Die Annahme ist von vornherein naheliegend, daß der Kristall ein im positiven Sinn verwendetes Bild sein wird. Geläufige Wendungen wie „kristallklarer Quell" (139) oder Verbindungen mit dem Begriff kostbar (594):

> Ella tiene un cristal
> precioso, ...[40]

kommen auch bei Lorca vor. Sogar mit dem Begriff des Heiligen (santo) wird das Wort „cristalino" verbunden, wenn vom Tau gesagt wird (622):

> Pronto caerá sobre las hierbas,
> santo y cristalino.[41]

Die Augen der Jungfrau Maria sind „ojos de cristal" (514). Das Bild des vergossenen Blutes von Ignacio tritt Lorca immer wieder vor die Augen, und nicht einmal die reinsten und schönsten Dinge vermögen es zu bedecken (470):

> no hay canto ni diluvio de azucenas,
> no hay cristal que la cubra de plata.[42]

Oft ist „cristal" nur ein Bild für das Schöne. So heißt es von der schönen, „ungetreuen Frau", ihre Haut sei feiner als Narden und nicht einmal „die mondbeschienenen Kristalle / leuchten mit diesem Glanz" (363). Auch in Verbindung mit dem Stern erscheint dieses Wort: „estrellas de cristal" (238), kurzum der Kristall ist ein Bild für das Schöne, Lichte, Klare und kann sich bis zum Heiligen erheben.

---

[39] Die Fälle, wo „cristal" den Sinn von „ventana", Fenster bzw. Fensterscheibe hat, sind unschwer zu deuten: das Fenster gibt den Blick frei auf einen anderen Bereich, von dem jedoch der Beschauer körperlich getrennt bleibt. Nur in wenigen Fällen bleibt es unsicher, ob „Kristalle" oder „Fenster" gemeint sind. Ehe die Märtyrerin der Freiheit, Mariana Pineda, hingerichtet wird, spricht eine Nonne die Worte (800):
Und du wirst nicht die Brise des Frühlings fühlen,
wenn sie in der Morgenfrühe deine Kristalle berührt.
E. Beck (*García Lorca. Die dramatischen Dichtungen*, Wiesbaden 1954, S. 85) hat hier „cristales" mit „Fenster" übersetzt, was mir weniger zusagt, aber nicht zwingend zu widerlegen ist.

[40] Aus: *El maleficio de la mariposa:*
(Sie hat einen kostbaren Kristall, ...)

[41] Aus: *Mariposa:*
(Bald wird er auf die Gräser fallen,
heilig und kristallen.)

[42] Aus: *Llanto por Ignacio ...*, 2: *La sangre derramada:*
(es gibt keinen Gesang noch eine Flut von weißen Lilien
noch Kristall, der es mit Silber bedeckte.)

Das Hohle, Leere (hueco, vacío)

Als die bedeutendsten Gedichtsammlungen Lorcas werden von nahezu allen Kritikern übereinstimmend genannt: *Poema del Cante Jondo, Romancero Gitano, Llanto por Ignacio Sánchez Mejías.* Noch nicht so allgemeiner Anerkennung erfreut sich die Sammlung *Diván del Tamarit,* welche überwiegend aus Gedichten der letzten Lebenszeit Lorcas besteht. Ihres hohen künstlerischen Ranges wegen würde ich sie ebenfalls zu den bedeutendsten lyrischen Schöpfungen rechnen. Wer jedoch seine Lektüre auf diese vier Gruppen beschränkt, erhält leicht den Eindruck, daß dieser Dichter ein tief unglücklicher und traurig gestimmter Mensch gewesen sei und daß er dennoch nicht bis zur Einsicht in das Hohle und Nichtige alles Seins vorgestoßen sei. In Wahrheit trifft weder das eine noch das andere zu.

Lorca war, wie von allen, die ihn näher kannten, berichtet wird, seinem Temperament nach durchaus dem Leben zugewandt und zur Fröhlichkeit geneigt. Die Betrachtung der Welt und das Nachdenken darüber führte ihn jedoch zu einer tragischen und pessimistischen Lebensauffassung. Bereits in einzelnen Gedichten der ersten Schaffenszeit finden sich zuweilen Formulierungen, welche nihilistischen Gedankengängen nicht ferne stehen[43]. Unter dem ungünstigen Eindruck, den Lorca von New York hatte, steigert sich diese Neigung begreiflicherweise erheblich. So finden sich allein in der Sammlung *Poeta en Nueva York* zwei dutzendmal die Wörter „hueco" und „vacío". Die Herkunft dieser Begriffe aus dem Nachdenken, nicht aus einer ursprünglichen Naturveranlagung oder Gemütsrichtung, verrät sich unverkennbar aus der Art der Formulierung:

> ... He visto que las cosas
> cuando buscan su curso encuentran su vacío.
> Hay un dolor de huecos por el aire sin gente ...(400)[44]
> Lo que importa es esto: hueco. Mundo solo.
> Desembocadura. (420)[45]
> *Para ver que todo se ha ido,*
> *para ver los huecos y los vestidos, ... (435)[46]*
> *Para ver los huecos de nubes y ríos.*
> ...
> Ruedan los huecos puros, por mí, por ti, ...
> ...

---

[43] Vgl. z. B. die 1920 verfaßten Gedichte *Prólogo* (S. 168 ff.) und *Canción para la luna* (S. 143 ff.); ferner *Canción* von 1922 (S. 282 f.).

[44] Aus: *1910 (Intermedio):*
(... Ich habe gesehen, daß die Dinge,
wenn sie ihren Weg suchen, ihr Hohles finden.
es gibt einen Schmerz von Hohlem in der menschenleeren Luft ...)

[45] Aus: *Navidad en el Hudson:*
(Wichtig ist nur dies: hohl. Die Welt allein. Mündung.)

[46] Aus: *Nocturno del hueco, I:*
(Um zu sehen, daß alles dahinging,
um zu sehen das Hohle und die Kleider, ...)

No, no me des tu hueco,
¡que ya va por el aire el mío!
¡Ay de ti, ay de mí, de la brisa!
Para ver que todo se ha ido. (436)[47]

Alles erscheint ihm leer, die Wolken (406, 436) und Flüsse (436), und es bleibt nur das Hohle des Tanzes der Menschen über der letzten Asche (406):

y queda el hueco de la danza sobre las últimas cenizas.

Leer sind auch die Frauen, zumindest diejenigen, von welchen er in seinen New Yorker Gedichten spricht (las mujeres vacías, 416). Leer sind auch die Augen der Vögel (401), und sogar der Himmel wird mehrmals „leer" genannt (413, 439).

Bereits 1920, also mit 22 Jahren, schrieb Lorca das Gedicht *Prólogo*, worin er sich in prometheischer Auflehnung gegen den christlichen Gott wendet und ihn, bzw. seine Gabe, als „vacío" brandmarken will, im Vergleich zu der reichen Gabe Satans (169). Auch die Göttin Diana nennt er „vacía" (558). Die Zikade, die er in einem Jugendgedicht als ein dem Licht verwandtes Geschöpf verherrlicht (116 ff.), wird von ihm 1927 ebenfalls als „vacía" gekennzeichnet (1566). Eine derartige Entleerung der Dinge kommt nihilistischen Gedankengängen nahe, aber dennoch ist damit nur eine Seite Lorcas beschrieben.

Schlußbemerkungen zu Lorcas Symbolik

Es dürfte klar geworden sein, daß die gesamte Dichtung von Federico García Lorca auf einer sehr weit verzweigten und den ganzen Kosmos umfassenden Symbolik aufgebaut ist, die zwar nicht immer eindeutig, aber durchaus einheitlich ist. Wo scheinbare Widersprüche im Symbolgehalt vorliegen, handelt es sich fast immer um Bedeutungsbereiche, die wohl im logischen Denken unverträglich wären, die aber in der mythischen Weltanschauung eng und notwendig zusammengehören.

Lorcas Dichtung beruht auf der immer wieder neuartigen Zusammenfügung seiner außergewöhnlich reichen und in sich weitgehend konstanten Symbolik und seiner vielen mythischen Bilder, die zum allergrößten Teil von ihm weder willkürlich noch aus einer individuellen subjektiven Phantasie heraus geschaffen wurden, sondern sich an alte Traditionen verschiedener

---

[47] ebd.: (*Um zu sehen das Hohle von Wolken und Flüssen.*
Es rollt das reine Hohle durch mich, durch dich, . . .
Nein, gib mir nicht dein Hohles,
denn schon geht durch die Luft das meine!
Ach über dich, ach über mich, über die Brise!
Um zu sehen, daß alles dahinging.)

Kulturkreise anschließen und doch aus jener Tiefe stammen, die irgendwie allen Menschen gemeinsam und intuitiv verständlich ist. Daraus schöpfen diese Bilder und Symbole ihre immer wieder erstaunliche Überzeugungskraft, die sie auch allen jenen zugänglich macht, die von der weltweiten Tradition dieser Dinge nichts wissen.

Bei den Belegen für unsere Deutungen haben wir solche Zitate bevorzugt, die möglichst klar und einleuchtend sind. Aus solchen Stellen allein vermag man die Symboldeutung mit einiger Sicherheit zu erschließen. Es gibt jedoch zahlreiche Verse, die für sich betrachtet mannigfache und untereinander sehr verschiedenartige Deutungen zulassen würden, die aber hypothetisch bleiben müßten. Auf Grund der Kenntnis der einzelnen Bilder und Symbole, die aus weniger vieldeutigen Stellen gewonnen wurden, vermag man manche Stellen zu deuten, die für sich herausgegriffen oft völlig dunkel bleiben müßten oder einer bestenfalls phantasievollen, aber unwissenschaftlichen und nicht selten irrigen Interpretation anheimfallen würden. Insofern sind die hier gegebenen Untersuchungen nur Vorstufen, jedoch notwendige Vorstufen zu einem gesicherten und umfassenden Verständnis von García Lorcas schwieriger, aber im Grunde nicht dunkler Dichtung.

Auf dieser Basis wird die Deutung vieler Gedichte ohne allzu große Schwierigkeiten gelingen, oder wenigstens wird sie erheblich erleichtert. Alle Rätsel wird man freilich damit nicht lösen können. Wo große Dichtung vorliegt, behält sie immer einen irrationalen Kern, den man nur fühlend umkreisen kann.

Kennt man den Sinn von Lorcas Bildern, so versteht man erst die innere Berechtigung und Notwendigkeit, die seiner jeweiligen Bildwahl zugrunde liegt und mit deren Hilfe er eine bestimmte Atmosphäre schafft. So wird beispielsweise in der bekannten Romanze von der untreuen Frau (*La casada infiel*, 362 ff.) der Ort der Liebesvereinigung an den Fluß gelegt, an den Strom des sinnlichen Lebens; der Weg führt durch die Binsen, den bacchischen Ort der wilden Sumpfzeugung, wie wir oben sahen. Die Hyazinthen deuten voraus auf das noch verborgene Bittere dieses Liebeserlebnisses. Das ferne Bellen der Hunde kündet das noch ferne, aber nahende Ende, den „Tod" dieser Liebesbeziehung an; denn als der Zigeuner merkt, daß er belogen wurde, will er sich nicht in diese Frau verlieben. Das dichterisch treffende Bild (363):

> Sus muslos se me escapaban
> como peces sorprendidos, ...[48]

wird durch die erotische Bedeutung des Fischsymbols noch in der Wirkung verstärkt. Natürlich wird auch der mit Lorcas Symbolik nicht vertraute Leser von dem Zauber solcher Dichtung erfaßt, aber einen Einblick in die hohe Kunst, die einer solchen, scheinbar mit leichter Hand hingeworfenen Lyrik

---

[48] (Mir entschlüpften ihre Schenkel
so wie aufgescheuchte Fische, . . .)

zugrunde liegt, erhält man erst, wenn man sich über die Art der verwendeten Bilder besinnt und ihre innere Berechtigung im Zusammenhang mit dem Ganzen erfaßt.

Bei solchen Untersuchungen, wie wir sie im einzelnen über die Symbolik dargelegt haben, bekommt man einen Einblick in die Werkstatt dieses Meisters, in die Technik seines Schaffens. Ohne daß damit eine durchgehend bewußte Arbeitsweise Lorcas behauptet werden soll, so eröffnet sich doch ein Blick in die Methode dieses Dichters, der zu dem Gegenstand, den er behandeln will, aus einem gewaltigen Arsenal von weitgehend festen Zuordnungen seiner Bilder, die nahezu den ganzen Kosmos umfassen, die gedanklich und dichterisch treffendsten auswählt, dadurch seine Gedanken scheinbar irrational verhüllt und mit dem Zauber des Geheimnisvollen umgibt und seiner Dichtung jenen besonderen Glanz und jene innere Leuchtkraft verleiht, welche alle seine Werke auszeichnen in ihrer eigenartigen Durchdringung und Verflechtung von Realismus und Mythos, von Rationalem und Irrationalem, von elementarer, urwüchsiger Kraft des Gegenständlichen und von symbolistischer Tiefendeutung. Die Frage, inwieweit hier eine bewußte Lenkung mitspielt, interessiert mehr den Psychologen als den Literarhistoriker und soll hier nicht weiter verfolgt werden. Doch verfügte Lorca zweifellos über einen sehr viel schärferen Verstand, als jene glauben, die sich nur von der Musik seiner Verse wiegen und bezaubern lassen.

KAPITEL IV

DREI GEDICHTINTERPRETATIONEN UND FOLGERUNGEN
ZU LORCAS ART UND DICHTUNG

Gedichtinterpretationen

Im Laufe der vorangegangenen Symboluntersuchungen haben wir bereits
eine große Zahl von Teilinterpretationen gegeben. Wir fügen ihnen die
Interpretation von drei ungekürzten Gedichten hinzu, um auch die Notwendigkeit und den Sinn obiger Bilderklärung noch deutlicher erkennen zu
lassen.

Wir gaben in dem Abschnitt über den Hund (S. 106 ff.) eine Deutung der
ersten Verse des folgenden Gedichtes über den *Tod*, das in der Sammlung
Poeta en Nueva York (Abschnitt VI, S. 434) enthalten ist:

M u e r t e

¡Qué esfuerzo!
¡Qué esfuerzo del caballo por ser perro!
¡Qué esfuerzo del perro por ser golondrina!
¡Qué esfuerzo de la golondrina por ser abeja!
¡Qué esfuerzo de la abeja por ser caballo!
Y el caballo,
¡qué flecha aguda exprime de la rosa!
¡qué rosa gris levanta de su belfo!
Y la rosa,
¡qué rebaño de luces y alaridos
ata en el vivo azúcar de su tronco!
Y el azúcar,
¡qué puñalitos sueña en su vigilia!;
y los puñales,
¡qué luna sin establos, qué desnudos!,
piel eterna y rubor, andan buscando.
Y yo, por los aleros,
¡qué serafín de llamas busco y soy!
Pero el arco de yeso,
¡qué grande, qué invisible, qué diminuto!,
sin esfuerzo.

T o d

Welche Anstrengung!
Welche Anstrengung des Pferdes, um Hund zu sein!
Welche Anstrengung des Hundes, um Schwalbe zu sein!

159

Welche Anstrengung der Schwalbe, um Biene zu sein!
Welche Anstrengung der Biene, um Pferd zu sein!
Und das Pferd,
welch spitzen Pfeil preßt es aus der Rose,
welch graue Rose erhebt es aus seiner dicken Lippe!
Und die Rose,
welch eine Schar von Lichtern und Geschrei
bindet sie fest in dem lebendigen Zucker ihres Stiels!
Und der Zucker,
welche kleinen Dolche erträumt er im Wachen!
und die Dolche, wie nackt,
welcher Mond ohne Ställe,
ewige Haut und Röte suchen sie!
Und ich, unter den Dachtraufen,
welchen Seraph aus Flammen suche ich, und welcher bin ich!
Jedoch der Gipsbogen,
wie groß, wie unsichtbar, wie winzig,
ohne Anstrengung!

Der künstlerische Wert dieses Gedichtes ist nicht sehr groß. Ich habe es aus-
gewählt, weil es charakteristisch ist für Lorcas Denken und weil man hier
besonders klar sieht, wie unmöglich ein auch nur halbwegs gesicherter
Deutungsversuch wäre, der nicht auf einer vorherigen Klärung der einzelnen
Symbole aufbaut.

Zunächst erkennt man, daß „la muerte" bei Lorca meist gar nicht den
Tod im üblichen Sinn, den leiblichen Tod, bedeutet, sondern den Übergang
in einen anderen Zustand, entsprechend etwa dem, was Goethe und später
André Gide unter dem „Stirb und werde" verstanden. In unserem obigen
Abschnitt über den Hund (S. 106 ff.) zeigten wir, wie die im Pferd symbolisierte vitale Lebenskraft durch Überwindung (Tod, Hund) ihrer stofflich-
sinnlichen Komponente danach drängt, sich in das geistige Luftreich der
unbeschwert dahinfliegenden Schwalbe zu erheben. Um schöpferisch zu sein
und Honig zu bereiten, muß die Schwalbe zur Biene werden, die ihrerseits der
machtvollen Kraft und Leidenschaft des Pferdes ermangelt, nach der sie sich
sehnt. Aus der vollen Liebe, welche die Rose versinnbildlicht, vermag die
Sinnenkraft des Pferdes einen spitzen Pfeil hervorzutreiben, während die
sinnliche Liebesleidenschaft des Pferdes nur eine graue Rose hervorbringt.
Die umfassende Liebe der Rose hingegen besteht aus einer ganzen Menge
von Licht und Kriegsrufen zugleich, die sie in der lebendigen Süße ihres
Stammes bewahrt. Diese Süße der Liebe enthält jedoch als Elemente der
weiterdrängenden Kraft kleine entblößte Dolche, die auf der Suche sind nach
der ewigen Form des Lebens und der Liebe, in die sie eindringen möchten. Sie
sind ein „Mond ohne Ställe", eine Liebe, die ihr Ziel, ihren Ort der Gebor-
genheit nicht findet. Lorca steht „unter den Dachtraufen", im Regen, der das
Antlitz der Toten benetzt (Abschnitt „Regen", S. 59 f.). Er fühlt seine Ver-
lassenheit, seine Einsamkeit und weiß doch, er ist ein Flammenseraph, der
einen anderen, ihm ähnlichen sucht.

Wie man sieht, steht hinter diesem Weltbild eine höchst dynamische Auffassung, die Vorstellung vom ständigen Getriebensein und Weiterwollen, von der Mühsal und Anstrengung ohne Unterlaß. Der Bogen ist der Ort des Durchgangs, wie wir im Abschnitt „Torbogen" (S. 149 f.) bereits zeigten. Der Gipsbogen repräsentiert die Übergangsstelle zu einem Todesbereich, in dem die Liebe fehlt und die Einsamkeit herrscht. (*Poemas de la soledad en Vermont* lautet der Untertitel des Gedichts.) Dieser Durchgang zum Reich des Todes ist groß, unsichtbar, winzig und ohne Anstrengung.

Ein großer Teil der Lyrik Lorcas erscheint dem Unkundigen bei oberflächlicher Betrachtung unverstehbar und von willkürlichen, subjektiven Bildern erfüllt. Daher wurde diese Dichtung immer wieder mit dem bequemen, mißverständlichen Schlagwort des Surrealismus oder gar des Automatismus belegt. So einfach läßt sich Lorca nicht einordnen; insbesondere war er von einem unkontrollierten Automatismus weit entfernt. Gewiß entspringt sein Werk einer sehr ausgeprägten, persönlichen Intuition, aber es ist gut durchdacht und von einer einheitlichen Weltauffassung geprägt, in welcher die Willkür keinen großen Raum hat und in der das Unverstehbare nicht jenes Maß überschreitet, das jeder bedeutungsvollen Dichtung ihres irrationalen Kerns wegen zugestanden werden muß. —

Wir behandeln noch ein anderes Gedicht Lorcas, das aus sich allein heraus ebenfalls nicht in einigermaßen gesicherter Weise im Sinne seines Dichters verstehbar wäre, die *Casida de las palomas oscuras* (502 f.). Es ist das letzte Gedicht der Sammlung *Diván del Tamarit.*

Casida de las palomas oscuras

Por las ramas de laurel
van dos palomas oscuras.
La una era el sol,
la otra la luna.
„Vecinitas", les dije,
„¿dónde está mi sepultura?"
„En mi cola", dijo el sol.
„En mi garganta", dijo la luna.
Y yo que estaba caminando
con la tierra por la cintura
vi dos águilas de nieve
y una muchacha desnuda.
La una era la otra
y la muchacha era ninguna.
„Aguilitas", les dije,
„¿dónde está mi sepultura?"
„En mi cola", dijo el sol.
„En mi garganta", dijo la luna.
Por las ramas del laurel
vi dos palomas desnudas.
La una era la otra
y las dos eran ninguna.

161

Durch die Lorbeerzweige
gehen zwei dunkle Tauben.
Die eine war die Sonne,
die andere der Mond.
„Liebe Nachbarinnen", sagte ich,
„wo ist denn mein Grab?"
„In meinem Schwanz, sagte die Sonne.
„In meiner Kehle", sagte der Mond.
Und als ich so dahinging
mit der Erde im Gürtel,
sah ich zwei Adler aus Schnee
und ein nacktes Mädchen.
Der eine war der andere,
und das Mädchen war niemand.
„Liebe Adler", sagte ich,
„wo ist denn mein Grab?"
„In meinem Schwanz", sagte die Sonne.
„In meiner Kehle", sagte der Mond.
Durch die Lorbeerzweige
sah ich zwei nackte Tauben.
Die eine war die andere,
und die beiden waren niemand.)

Eine derart verrätselte Dichtung kann nur erklärt werden, wenn man weiß, was die vorkommenden Symbole und Bilder wie Lorbeer, Taube, Sonne, Mond, Schnee im Werk Lorcas bedeuten. Wir müssen also auf unsere hierauf bezüglichen Ausführungen zurückgreifen.

Zur Geschichte und Bedeutung dieser Kasside sei vorangeschickt, daß sie in der vorliegenden Form aus den letzten Jahren des Dichters stammt. Sie geht jedoch zurück auf eine frühe Fassung vom Jahre 1922, die den Titel *Canción* trägt (282 f.), aber alle wesentlichen Gedanken und Formulierungen bereits enthält. Die spätere Überarbeitung zeigt, daß Lorca dieses Gedicht für wichtig hielt. Seines deutlich konstruktiven und trotz der bilderreichen Einkleidung etwas rationalen Charakters wegen wird man diesem Gedicht nicht jenen hohen künstlerischen Rang zuerkennen, den beispielsweise die *Zigeunerromanzen* besitzen. Seine eigentliche Bedeutung liegt vielmehr darin, daß sich von hier aus ein zwar steiler, aber rascher Zugang in die Mitte von Lorcas Weltbild ergibt.

Gemäß unseren früheren Ausführungen hat der Mensch nach Lorcas Überzeugung zwei Wege, die zum Bedeutenden, zur Größe, zum Ruhm (Lorbeer) führen. Es ist der Sonnenweg der irdischen, sinnlichen Realität und der Mondweg der Phantasie, des Geistes, des Verzichts auf irdische Erfüllung der Wünsche (vgl. das über die Symbole „Sonne" und „Mond" Gesagte, S. 30 ff. und S. 35 ff.). Sonne und Mond werden hier mit zwei Tauben identifiziert. Im Abschnitt „Tiersymbolik" (S. 129 f.) erkannten wir, daß die Taube die schöpferischen Kräfte der Welt repräsentiert. Sonne und Mond sind zwei der wichtigsten Symbole für die dualistische Weltauffassung

Lorcas, der in einem ständigen Kampf zwischen Leben und Dichtung, zwischen sinnlicher Leidenschaft und dichterischem Schaffen gestanden hat. Davon zeugen Sätze wie diese (1555):

> Ahora más que nunca necesito del silencio y la densidad espiritual del aire granadino para sostener el duelo a muerte que sostengo con mi corazón y con la poesía.
> Con mi corazón, para librarlo de la pasión imposible que destruye y de la sombra falaz del mundo que lo siembra de sol estéril; con la poesía, para construir, pese a ella que se defiende como una virgen, el poema despierto y verdadero donde la belleza y el horror y lo inefable y lo repugnante vivan y se entrechoquen en medio de la más candente alegría.

Ähnliche Gedanken finden sich auch in dem Sonett *A Carmela, la peruana* (546 f.) und an anderen Stellen.

Nun zurück zu unserer Kasside, zum zentralen Vers des ganzen Gedichts, der in Form einer Frage ausgesprochen ist: „wo ist denn mein Grab?" Diese Frage, deren Wichtigkeit auch äußerlich durch ihre Wiederholung in die Augen fällt, bildet den Kern und wohl auch die Keimzelle dieser Kasside. Lorca fragt sich jedoch nicht, an welchem Ort er einmal sterben werde, sondern wo die Stätte seines Bleibens, wo seine Erinnerungsstätte sein wird, der Ort seines Fortlebens im Gedächtnis der anderen. Die Antwort lautet, sein Leben und sein Werk liege wesentlich im Mond und nur zum geringen Teil in der Sonne; denn wie die Kehle den Sitz des Gesangs, der Dichtung repräsentiert, so bedeutet der Schwanz im Gegensatz dazu den unwichtigen Teil. Demnach weiß sich also Lorca wesentlich im Bereich der Phantasie und des Geistes beheimatet und nur zum geringen Teil der sinnlichen Realität verhaftet. Er zog den Weg der freien Phantasie dem anderen, der durch die natürliche Wirklichkeit führt, vor. Er versuchte jedoch auch den Weg des irdischen Seins: er ging „mit der Erde im Gürtel" dahin. Dabei sah er zwei Adler von Schnee. Die Frage, die er an sie richtet, wird nicht von ihnen, sondern wiederum von Sonne und Mond, d. h. von den beiden Tauben beantwortet. Die beiden Adler können als die subjektive Art aufgefaßt werden, in der Lorca als Mensch die beiden objektiven Repräsentanten der durch die Tauben dargestellten Lebensmöglichkeiten sieht, da jeder Mensch dieselben in einer ihm gemäßen, individuell verschiedenen Art sieht. Die Adler sind aus Schnee, dem Symbol der Erstarrung, des Todes, des verfehlten Weges (459, 1180; weitere Belege im Abschnitt „Schnee", S. 55 ff.). Beide Wege, derjenige der irdischen und jener der geistigen Wirklichkeit, führen fehl, enden im Tod und so auch der nicht einmal als Weg genannte Versuch, über die Wesenserfassung der Frau zum Wahren zu gelangen. Das Mädchen wird anfangs nicht als „oscura" geschildert wie die Tauben, die sich erst am Ende des Gedichts enthüllen und in ihrer Nacktheit zu erkennen geben. Das Mädchen ist von Anfang an „desnuda", nackt und durchschaut. Sie ist von vornherein „ninguna" (niemand), sie ist ohne Bedeutung. Etwas von der arabischen Auffassung der Frau wird hier bei unserem andalusischen Dichter spürbar.

Wie aber ist es möglich, daß beide Wege, die zwei Adler und die Tauben einander gleich sind? Sie führen beide ins Leere, zum Tod, zum Nichts, sie sind beide nichtig und null. Auch schon in der ersten Fassung der Frühzeit schließt dieses Gedicht mit einem tiefen Pessimismus und mündet ein in die Erkenntnis Salomons: „vanitas vanitatum, et omnia vanitas." Lorca gelangt hier in die Nähe des Nihilismus, denn das letzte Wort der Kasside „ninguna" steht an Stelle von „nada". Lorca dürfte die Bezeichnung „niemand" statt „nichts" vorgezogen haben, weil er es nicht liebte, allzu offen und für jeden erkennbar zu reden, und weil die beiden Wege als Tauben personifiziert sind, so daß sie als lebende Wesen wohl mit „ninguna" bezeichnet werden können. —

Einen zweiten Deutungsversuch könnte man aus einer anderen Auffassung des Begriffes Grab entnehmen. Das Grab kann so aufgefaßt werden, daß sich Lorca überlegt, ob er später im irdischen Lebens- oder Liebesbereich oder in seinem Phantasie- und Dichtungsbereich sich tot fühlen werde. Er stellt die Frage, in welcher dieser beiden Seinsweisen er — bei Lebzeiten — einen solchen Tod erleiden werde. Die Antwort lautet: in beiden Bereichen zugleich. Er wird als Mensch nicht mehr lieben und als Dichter nicht mehr dichten können. „Die eine war die andere" deutet auf die Erkenntnis, daß beide Seinsarten so ineinander verschlungen sind, daß sie in der Wirklichkeit nicht einzeln existieren. Er kann unmöglich den Menschen und den Dichter in sich trennen. Den einen gibt es nicht ohne den anderen. Lorcas frühere Meinung, daß durch das Zurückweichen vor der Verstrickung in die irdische Wirklichkeit die hohe Dichtung ermöglicht werde, würde bei dieser Deutung als Irrtum erkannt sein. Er sieht nun, daß seine Dichterkraft ohne Bindung an die Realität versiegen müßte. Am Ende seines Lebens sagt er selbst: „... mein eigener Leib und mein eigenes Denken halten mich davor zurück, mein Haus in die Sterne zu verlegen." (1637).

Es wäre verfehlt, wollte man Lorca für einen lebensfernen, verträumten und vereinsamten Menschen halten. Er war viel eher das Gegenteil davon und dem Leben zugewandt, wie wir mehrfach betont haben, und wie er selbst bezeugt. So sehr ihn das Thema des Todes in seiner Dichtung fesselte, so wenig sorgte er sich um seinen eigenen Tod, den er auch nie in seinem Leben herbeigewünscht hat. „Como no me he preocupado de nacer, no me preocupo de morir" (1637). Es ist gewiß nicht zufällig, daß das Wort „alegría" allein in dem hier untersuchten Teil seines Werkes mehr als 70 mal vorkommt. Dies widerspricht jedoch nicht dem, was wir aus der letzten Gedichtinterpretation ermittelt haben und was auch aus vielen anderen Stellen belegt werden kann. Die tiefe Einsicht in die Eitelkeit aller Dinge und aller Bemühungen kann einer echten und aktiven Lebenszuwendung entspringen: König Salomon ist das klassische Beispiel hierfür.

164

Kasside von der unmöglichen Hand

Dieses schwierige Gedicht läßt verschiedene Interpretationen möglich erscheinen. Es lautet (500):

Casida de la mano imposible

Yo no quiero más que una mano
una mano herida, si es posible.
Yo no quiero más que una mano,
aunque pase mil noches sin lecho.

Sería un pálido lirio de cal,
sería una paloma amarrada a mi corazón,
sería el guardián que en la noche de mi tránsito
prohibiera en absoluto la entrada a la luna.

Yo no quiero más que esa mano
para los diarios aceites y la sábana blanca de mi agonía.
Yo no quiero más que esa mano
para tener un ala de mi muerte.

Lo demás todo pasa.
Rubor sin nombre ya, astro perpetuo.
Lo demás es lo otro; viento triste,
mientras las hojas huyen en bandadas.

Kasside von der unmöglichen Hand

Ich wünsche nichts als eine Hand,
eine verwundete Hand, wenn es möglich ist.
Ich wünsche nichts als eine Hand,
auch wenn ich tausend Nächte ohne Bett verbringen müßte.

Sie wäre eine bleiche Lilie aus Kalk,
sie wäre eine Taube, festgebunden an meinem Herzen,
sie wäre der Wächter, der in der Nacht meines Übergangs
absolut dem Mond den Eintritt verwehrte.

Ich wünsche nichts als diese Hand
für die täglichen Öle und das weiße Bettuch meiner Agonie.
Ich wünsche nichts als diese Hand,
um einen Flügel meines Todes festzuhalten.

Das Übrige geht alles vorbei.
Tiefe Röte, schon ohne Namen, ständiger Stern.
Das Übrige ist das Andere; trauriger Wind,
während die Blätter in Scharen dahinfliehen.

Die Vielzahl von Interpretationsmöglichkeiten ergibt sich aus der Doppeldeutigkeit der Substantiva „lecho", „tránsito", „luna", „agonía", „muerte" und den zahlreichen Kombinationsmöglichkeiten der jeweiligen Bedeutung, die man diesen Wörtern beilegt. Schließlich ist es grammatikalisch nicht zu entscheiden, ob sich „rubor" auf „Lo demás" bezieht oder auf das, was die unmögliche Hand zu schaffen vermöchte. Die erste Auffassung dürfte mehr Lorcas Meinung sein, da er fast nie aufeinander bezogene Wörter im Text weit trennt. Es ist natürlich nicht immer gleich wichtig, welchen Sinn man den genannten Wörtern gibt. Zum Beispiel ist es für den Sinngehalt der Kasside nicht sehr erheblich, ob man „sin lecho" als „arbeiten, ohne zu ruhen" deutet, oder als Verzicht auf Liebeserfüllung[2]. Von grundlegender Wichtigkeit ist es hingegen, ob man „tránsito", „agonía", und „muerte" als den leiblichen Tod auffaßt oder, wie dies nicht selten bei Lorca geschieht, als ein „Stirb und werde" in diesem Leben[3], d. h. als den Übergang in einen anderen Daseinsbereich. Ferner wird man sich fragen müssen, ob „luna" hier den Tod oder die Liebe oder beides verkörpert. Der Klärung bedarf auch der Ausdruck „un ala". Welcher Flügel ist gemeint? Was ist mit diesem und was mit dem anderen Flügel angedeutet?

Beginnen wir mit dem, was weniger strittig ist. Die Hand ist das Werkzeug des Menschen, insbesondere des Dichters, der damit seine Werke schreibt[4]. Die unmögliche Hand, die Lorca sich wünscht, muß drei bestimmte Eigenschaften und zwei Fähigkeiten besitzen. Sie muß möglichst verwundet sein, d. h. sie soll Leid- und Schmerzerfahrung besitzen. Der Schmerz ist eine Hauptquelle der gesamten Dichtung Lorcas, wie wir des öfteren feststellten. Diese unmögliche Hand soll eine „bleiche Lilie aus Kalk" sein, d. h. sie muß Affinität zum Tod haben[5], und sie muß etwas Hoffnungsvolles, Reines besitzen, wie wir in der „Pflanzensymbolik" (S. 80 ff.) gezeigt haben. Drittens muß diese Hand eine Taube sein, die an das Herz gebunden ist, also eine vom Geist[6] getragene Dichtung schaffen können, die an das Herz geknüpft, vom Gefühl erfüllt, nicht konstruiert ist. Schließlich soll diese Hand die beiden Fähigkeiten haben, dem Mond „in der Nacht meines Übergangs" den Eintritt zu verwehren, und sie muß imstande sein, „einen Flügel meines Todes festzuhalten".

Von hier aus trennen sich die Wege. Es ergeben sich zwei, eigentlich sogar drei verschiedene Interpretationen, je nachdem, ob man unter „tránsito" den leiblichen Tod[7] oder den Übergang in einen anderen Bereich des Seins — immer im Diesseits — versteht. Nehmen wir das erstere an, so kann bei sinnvoller Deutung „luna" nur als Personifikation des Todes aufgefaßt werden. Die gewünschte Hand muß dem Tod (luna) den Eintritt verwehren,

---

[2] Es gibt Stellen für „lecho", welche das Letztere wahrscheinlicher machen: S. 1511 (Mitte) und 429 (oben). Das andere Wort für Bett: „cama" verwendet Lorca mit Vorliebe für die Liebe ohne sinnliche Erfüllung, z. B. S. 455 und 436.

[3] Mit Hypothesen und Spekulationen über das, was nach dem Tode im Jenseits geschehen könnte, hat sich Lorca nie ernstlich abgegeben. Vgl. dazu S. 1637 (in der 4. Auflage S. 1762).

[4] Vgl. etwa S. 546:
Una luz de jacinto me ilumina la mano al escribir tu nombre...

[5] s. Abschnitt „Kalk" (S. 47 f.).

[6] s. Abschnitt „Taube" (S. 129 f.).

[7] In diesem Sinn gebraucht Lorca das Wort „tránsito" S. 43.

ihn bei einem Flügel festhalten können. Nun kann man den Tod nicht daran hindern, daß er das irdische Dasein auslöscht. Diesen Flügel kann kein Mensch „tener", d. h. festhalten, bemeistern, in der Gewalt haben. Wer jedoch die Fähigkeit hat, etwas Großes, eine überragende Dichtung zu schaffen, der entgeht als geistige Existenz durch sein Werk dem Tod, er hat den einen Flügel des Todes bemeistert und von der Vernichtung zurückgehalten.

Auf den ersten Blick erscheint es seltsam, daß eine Hand, welche solches leistet, „unmöglich" sein soll, Lorcas Werk lebt doch offensichtlich über den Tod seines Schöpfers fort! Gewiß, aber Lorca lebt nicht mehr im optimistischen Glauben des neunzehnten Jahrhunderts, in welchem Goethe seinen Faust verkünden ließ (II. Teil, 5. Akt):

> Es kann die Spur von meinen Erdentagen
> Nicht in Aeonen untergehn. —

Lorca ist überzeugt, daß auch der höchsten schöpferischen Leistung keine ewige Dauer beschieden ist. Seine Dichtung vom Hohlen, *Nocturno del hueco* (435 ff.), seine *Kasside von den dunklen Tauben* (502 f.) und viele andere bezeugen es. Alles ist vergänglich, „todo pasa". Es ist wie eine tiefe Röte, die schon keinen Namen mehr hat, weil sie, kaum entstanden, ins Namensole verwischt wird. Auch die Sterne, die uns ewig erscheinen, sind dem Vergehen unterworfen, alles ist nur wie ein „astro perpetuo". Das Adjektiv „perpetuo" ist wohl bedacht, es bedeutet nicht dasselbe wie „eterno", es ist nur ein „immer auf Lebensdauer". Alles verweht wie die Blätter im Herbst, damit schließt die *Kasside der unmöglichen Hand*.

Das ist jedoch nicht die einzige Möglichkeit einer sinnvollen, in sich widerspruchslosen Deutung. Oft meint Lorca mit „muerte" nicht den körperlichen Tod, sondern den Übergang in einen anderen Seinszustand im Leben. Auch das Wort „tránsito" wird mehrmals in diesem Sinne verwandt[8]. Noch häufiger gilt dies für „agonía"[9]. Bei dieser Deutung muß man annehmen, daß Lorca die ständige Verstrickung in der Liebe, die ihrerseits immer wieder den Tod der Liebe nach sich zieht, von sich fernhalten will, sei es, weil er eine neue, höhere Dichtung anstrebt, oder weil er sich von dem dauernden Schmerz befreien möchte, der mit der Liebe unlösbar verknüpft ist. Im letzteren Falle würde er die Hauptquelle seiner Dichtung, den Schmerz, verlieren und wäre nicht mehr von seinem poetischen Dämon gehetzt. Die Hand, welche dies vermöchte, ist „unmöglich", weil er als Dichter geboren ist und diese Veranlagung nicht ablegen kann. Dies bezeugt er selbst: „Als echter Dichter, der ich bin und sein werde bis zu meinem Tod, werde ich nicht auf-

---

[8] z. B. in *Tierra y luna:* Mi amor de paso, tránsito, larga muerte gustada (S. 558; in der 1. Aufl., S. 1503).

[9] *Casida del herido por el agua* (496); *Panorama ciego de Nueva York* (423); *Oda a Walt Whitman* (453); *El niño Stanton* (430). Die unzertrennliche Verbindung von „amor" und „agonía" zeigt besonders deutlich auch die *Gacela de la huida* (493).

hören..." (1548). Bevorzugt man die andere Möglichkeit, daß er mit dem Fernhalten der Liebe (luna) eine neue, noch höhere Dichtung anstrebt, so erweist sich auch diesmal jene Hand als unmöglich, weil er erkennen muß, daß seine beste Dichtung dem Schmerz um die Liebe entspringt und daß seine Schöpferkraft versiegen würde, wenn er sich davon trennte.

Dem Wunsch sich zu befreien von der Qual des Schmerzes und des Dichten-Müssens hat Lorca auch an anderen Stellen Ausdruck verliehen, wodurch diese zweite Interpretationsweise gestützt erscheint. In dem Gedicht *Luna y panorama de los insectos*[10] möchte er den kleinen Insekten gleich sein, den „Tieren ohne Seele", den „einfachen Formen",

> Pido la sola dimensión
> que tienen los pequeños animales planos, ...[11]

In *Gacela de la muerte oscura* (491 f.) will er loskommen von der Liebe, die ihn immer wieder in den Tumult des Herzens stürzt:

> Quiero dormir el sueño de aquel niño
> que quería cortarse el corazón en alta mar.
> . . .
> No quiero enterarme de los martirios que da la hierba
> ni de la luna con boca de serpiente
> que trabaja antes de amanecer.
>
> Quiero dormir un rato,
> un rato, un minuto, un siglo;
> pero que todos sepan que no he muerto;
> que hay un establo de oro en mis labios; ...[12]

Hier will er nicht von der Dichtung selbst loskommen, sondern nur von der bisherigen Art der Dichtung, die aus Liebe und Schmerz geboren wird. Er erstrebt eine höhere Dichtung, die vom Iridischen gereinigt ist[13]:

> Porque quiero dormir el sueño de las manzanas
> para aprender un llanto que me limpia de tierra;

---

[10] S. 540 in der 3. und 4. Auflage (S. 540 in der 1. Aufl.).

[11] (Ich bitte um die einzige Dimension,
welche die kleinen, flachen Tiere haben, ...)

[12] (Ich will schlafen den Schlaf jenes Kindes,
das sich das Herz auf hohem Meer herausschneiden wollte.
. . .
Ich will nicht Kenntnis haben von den Martyrien, welche das Gras gibt,
noch vom Mond mit seinem Schlangenmund,
der arbeitet, ehe es tagt.

Ich will schlafen eine Weile,
eine Weile, eine Minute, ein Jahrhundert;
jedoch mögen alle wissen, daß ich nicht gestorben bin;
daß es einen Stall von Gold in meinen Lippen gibt; ...)

[13] Ähnlich sagt Mariposa, welche die hohe Dichtung verkörpert S. 625:
me saqué el corazón   (ich zog mir das Herz
y el alma lentamente;   und die Seele langsam heraus;)

porque quiero vivir con aquel niño oscuro
que quería cortarse el corazón en alta mar.[14]

Man sieht, alle drei gegebenen Interpretationen des Gedichtes von der unmöglichen Hand lassen sich aufrechterhalten, insofern alle drei sinnvoll
deutbar sind, nicht eindeutig widerlegt werden können und auch durch
Äußerungen Lorcas an anderen Stellen eine Stütze erhalten.

Wir fassen diese drei Deutungen zusammen. Werden „tránsito" und die
damit zusammenhängenden Begriffe „agonía" und „muerte" als biologischer
Tod und „luna" als Symbol desselben aufgefaßt, so behandelt die *Kasside
der unmöglichen Hand* die Frage des Nachruhms. Die Antwort lautet negativ.
Alles von Menschenhand und Menschengeist Geschaffene ist letzten Endes
dem Vergehen unterworfen. Es ist unmöglich, daß der Mensch Ewiges zu
schaffen vermöchte. Ähnliche Gedanken hat Lorca auch an anderen Stellen
geäußert — z. B. in der *Kasside von den dunklen Tauben* —; so daß diese
Interpretation nicht nur in sich widerspruchsfrei ist, sondern auch im Sinne
des Dichters als möglich erscheint. Bei allen folgenden Interpretationen wird
„tránsito" als Übergang in einen anderen Seinsbereich des Lebens oder Dichtens verstanden. Dies kann der Zustand der Befreiung sein von dem inneren
Zwang dichten zu müssen. Lorca hat sich dies zuweilen gewünscht, wie obiger
Beleg und andere zeigen[15]. Es kann jedoch auch der Übergang in eine neue,
höhere Dichtungsart gemeint sein, deren Schöpfung Lorca erstrebt. Im
ersteren Fall ist die Hand, welche ihn von seinem dichterischen Dämon
erlösen würde, unmöglich, weil Lorca nach seiner eigenen Aussage als Dichter
geboren ist und sich diesem Schöpferdrang nicht entziehen kann. Im anderen
Fall kann er auch nicht durch die Fernhaltung der „luna" und der damit verbundenen Verstrickung in Liebe und Schmerz zu einer noch höheren Dichtung aufsteigen, denn eben diese schmerzvolle Verstrickung ist die Quelle
seiner Schöpferkraft.

Schließlich liegt noch eine vierte Interpretation nahe, die auch im Sinne
Lorcas denkbar ist. Sie ergibt sich, wenn man die „Hand" nicht als die Hand
Lorcas auffaßt, sondern als eine von ihm ersehnte, helfende Freundeshand.
Es müßte eine „verwundete" Hand sein, d. h. sie müßte einem ebenso leid-
erfahrenen, vertieften Menschen angehören, der den Dichter zu verstehen

---

[14] (Denn ich will schlafen den Schlaf der Äpfel,
um ein Weinen zu lernen, das mich reinigen möge von der Erde;
denn ich will leben mit jenem dunklen Kind,
das sich das Herz auf hohem Meer herausschneiden wollte.)

[15] Auch in dem frühen Gedicht aus dem Jahre 1919 *Invocación al laurel* (209 ff.)
kommt es in der siebten Strophe zum Ausdruck, daß er die allzu teuer, nämlich
mit seinem Leben erkaufte Dichtung lossein möchte:
Conozco la lira que presientes, rosa;
formé su cordaje con mi vida muerta.
¡Dime en qué remanso podré a b a n d o n a r l a
como se abandonan las pasiones viejas!

vermag. Offen bleibt, ob dieses geliebte Wesen ein Mann oder eine Frau sei. Bei dieser Deutung ist also alles auf eine andere Person, ein Du, bezogen. Gern würde Lorca dann auf das Bett (lecho) verzichten, d. h. bei der einen Deutung auf Ruhe, Ausruhen, bzw. auf ein geruhsames, bürgerliches Leben; bei der anderen Deutung von „lecho" wäre der Verzicht auf Verwirklichung irdischer Liebeswünsche angedeutet. Dieses Wesen wäre ihm zur Seite gestanden im täglichen Leben (para los diarios aceitos) und in der Todesstunde (de mi agonía). Hätte er einen solchen Menschen gefunden, dann wäre ihm auch das leidvolle Ringen um die Dichtung erspart geblieben. Diese geliebte Person hätte ihn befreit von seinem inneren Dämon, vom schmerzvollen Zwang zur Dichtung; sie hätte einen Flügel seines Todes, nämlich die in Leid und Tod verstrickte Liebe von seinem Herzen ferngehalten. Da aber diese die Hauptquelle seiner Dichtung ist, so wäre auch dem Mond seiner Dichtung von nun an der Eintritt verwehrt. Alles Übrige, auch die künstlerische Schöpfung ist dem Vergehen unterworfen, flieht dahin. Diese Hand ist jedoch unmöglich, denn Lorca ist einem Menschen dieser Art nie begegnet, und er fühlte, daß er aufgrund seiner Eigenart einen solchen nicht finden konnte.

Bei einer so vielschichtigen Natur, wie sie Lorca eigen ist, braucht die Mehrdeutigkeit seiner Dichtung nicht wunderzunehmen. Sie ist nicht ein Zeichen von Unklarheit im Sinne des Verschwommenen, sondern ein Ausdruck der Fülle und der Liebe zum Hintergründigen. Weder das Leben des Menschen noch seine Dichtung ist rational im letzten Grunde erfaßbar (1548): „La luz del poeta es la contradicción." (Das Licht des Dichters ist der Widerspruch.)

Zu Lorcas Art und Dichtung

Seine Arbeitsweise als Dichter.
Skepsis und Agnostizismus. Formen mythischen
Denkens. Dichtung aus dem Schmerz.

Lorcas Dichtung vollzieht sich vorwiegend in der Art eines gleitenden Strömens. Ein Vers quillt aus dem vorangegangenen bruchlos, nahtlos, ohne Sprünge hervor. Oft kommt aus der Erweiterung und Vertiefung ursprünglicher Wahrnehmungseindrücke schrittweise und in stetigem Wachsen das Gedicht zustande, wobei der Natureindruck sich auf den Menschen und das Geistige ausdehnt. So wird etwa in dem Gedicht die Zikade ¡Cigarra! (116 ff.) von der unmittelbaren Anschauung, dem „mirar" ausgegangen[16]. Sie singen

---

[16] Vgl. S. 1473, wo bereits von dem Zikadensang die Rede ist; auf S. 1493 erscheint sie dann in Verbindung mit dem Todesgedanken und als ein Wesen, das trunken ist vom Licht. Diese Gedanken werden in obigem Gedicht weiter vertieft.

am Mittag, sind trunken vom Licht. Licht aber ist Erkenntnis, die Zikade kennt das Lebensgeheimnis. Das Licht wird als Gott empfunden, der zur Erde herabsteigt; die Sonne ist die Bresche am Himmel, durch die das Licht zu uns dringt. Nun kommt der bei Lorca unvermeidliche Gedanke an den Tod als einer Wandlung hinzu, der auf alles Lebende ausgedehnt wird. Im Gegensatz zu den anderen lebenden Wesen vermag die Zikade sich in Klang und himmlisches Licht zu verwandeln, und damit wird die Beziehung zum Dichter gefunden: sein Herz möge es ihr gleichtun, ist sein Wunsch. Dieses stetige, organische Wachsen des Gedichts aus einem Anschauungskern heraus, kann man immer wieder in Lorcas Dichtung feststellen. Dabei greift er zum weiteren Ausbau in das große Arsenal seiner festen Metaphern- und Symbolbeziehungen, die er sich bereits in frühen Jahren geschaffen hat und die seinem Werk Tiefe und den hintergründigen Bezug geben. Besonders der Reichtum seiner Natursymbole bewahrt seine wohldurchdachte Dichtung vor der Abstraktion, verleiht ihr die Fülle des Gegenständlichen und auch den Glanz und Zauber der Poesie. Er beherrscht souverän seine scheinbar irrationale Bildersprache; er steht darüber, nüchtern und phantasievoll zugleich.

Bei aller Freude an der Akrobatik des Spielens, die ihm an Góngora so gefiel, bei aller Geneigtheit zum kühnen Flug der freien Phantasie blieb Lorca doch Realist genug, um den Boden unter den Füßen nicht zu verlieren. Insbesondere war er allen metaphysischen Spekulationen abgeneigt. Er war skeptisch, manchmal bis zum Agnostizismus, „ohne den Dingen einen Sinn beizulegen, von dem ich nicht weiß, ob sie ihn haben".[17] Er will auf der Erde fest stehen. Sie ist ihm so wichtig, daß er das Wort „Tierra" bereits 1919 und auch noch 1935 am Ende seines Lebens mit großen Anfangsbuchstaben schrieb[18].

Er, der so viel über die Liebe dichtete, gesteht offen, daß ihr Geheimnis undurchdringlich ist. In seinem Frühwerk *El maleficio de la mariposa* spricht der Schmetterling „Ich weiß nicht, was Liebe ist" (625) und wörtlich gleich äußert sich Mariana Pineda: „¡Yo no sé qué es amor!" (796). In seinem letzten Lebensjahr 1936 sagte er vom Glück einem Bekannten gegenüber, er wisse nicht, worin es bestehe: „Yo no sé, Bagaría, en qué consiste la felicidad."[19] Das Geheimnis der Welt bleibt für jedermann undurchdringlich: „Weder der Dichter noch sonst jemand besitzt den Schlüssel und das Geheimnis der Welt."[20]

Dinge, die dem Glauben überlassen bleiben müssen, ließ er offen, er stellte sie der Entscheidung des Einzelnen frei, ohne Stellung zu nehmen: „... wenn es ein Jenseits gibt..." „Jedoch der Schmerz des Menschen und die dauernde Ungerechtigkeit in der Welt und mein eigener Körper und mein

---

[17] S. 1637. (In der 4. Auflage S. 1762).
[18] S. 210 und 472.
[19] S. 1638 (In der 4. Auflage S. 1762).
[20] S. 1637.

eigenes Denken halten mich davor zurück, mein Haus in die Sterne zu verlegen."[21]

Bei vielen Symbolen und zwar gerade bei den wichtigsten sahen wir, wie zwei im logischen Denkbereich entgegengesetzte Dinge bei Lorca, entsprechend der mythischen Denkform, zusammengeschaut, in eins gesetzt werden. So stellt z. B. „luna" Liebe und Tod in unlösbarer Vereinigung dar, als die zwei Seiten einer und derselben Sache. Der Tod verkleidet sich als Liebe: „... la Muerte se disfraza de Amor!" (580). Mythischem Denken entspricht auch die Vorstellung, daß Jäger und Gejagter, Töter und Getöteter, Stier und Stierkämpfer ein und dasselbe sind, mindestens im Tod identisch werden. So heißt es in der Klage um den Stierkämpfer Ignacio Sánchez Mejías, der Tod habe ihm das „Haupt eines dunklen Minotaurus aufgesetzt" (471). Ignacio wird auch mit dem gejagten Stier identifiziert, wenn von ihm gesagt wird, er werde mit den letzten „banderillas de tiniebla" in den Tod gehetzt (469). Die mythische Vorstellung von den Müttern, die gebären wie die Erde und wie diese die Toten in sich zurücknehmen, zeigt sich in derselben Dichtung, wenn beim Tod Ignacios die „madres terribles" erscheinen (468). Mythischer Denkweise entspricht es auch, daß die Verstorbenen noch eine Zeitlang in einem Übergangszustand leben und sich erst langsam an den Tod gewöhnen, wie es in der letzten Strophe des dritten Teiles der Klage heißt (472).

Die mythische Aufhebung der Zeit finden wir in dem Drama *Sobald fünf Jahre vergehen*, wo zu Beginn und am Ende des ersten Aktes eine Uhr sechs schlägt (957 und 988). Auch die mythische Identität zweier Liebender wird in diesem Stück angedeutet, wenn die Maske von ihrem Geliebten, dem Grafen Arturo, sagt: „Er hat an der rechten Hand eine Narbe, die von einem Dolchstich herrührt..., meinetwegen natürlich. *(Indem sie ihre Hand zeigt.)* Siehst du sie nicht?" (1027). Einer mythischen Vorstellung entspricht es, daß ein Verstorbener nicht sogleich tot ist, sondern mindestens bis zur Beerdigung weiterlebt. Diese Anschauung haben wir in der Szene mit dem Kind und der Katze (971 ff.). So kann auch ein Holzfäller nicht wissen, wann die Bäume sterben, die er gefällt hat (410):

> El leñador no sabe cuándo expiran
> los clamorosos árboles que corta.

In dem Drama von Don Perlimplín und Belisa heißt es, daß in der Hochzeitsnacht fünf Liebhaber, Vertreter der fünf Rassen, durch die fünf Balkone hereinkommen, in Gegenwart von Perlimplín. Dies ist als tatsächlicher Vorgang undenkbar. Er muß als Charakterisierung der sinnlichen Belisa bzw. als Vorwegnahme dessen, was in der Zukunft zu erwarten ist, gedeutet werden. In der mythischen Denkungsart ist dieser Vorgang nichts Unge-

---

[21] S. 1637.

wöhnliches. „Oft wird", so schreibt Lévy-Bruhl[22], der Erforscher der Welt der Primitiven, „das künftige Ereignis, wenn es als gewiß betrachtet wird und eine starke Erregung auslöst, als schon gegenwärtig empfunden."

In der *Bluthochzeit* zeigen sich ebenfalls mythische Vorstellungen, etwa wenn der Bräutigam seinen rächenden Arm nicht mehr als den eigenen, sondern als den der ganzen Sippe empfindet:

> „Siehst du diesen Arm? Es ist nicht mein Arm. Es ist meines Bruders, meines Vaters und all der Toten meiner Familie Arm." (1162)

Lorcas Dichtung ist vor allem eine Dichtung aus dem Schmerz[23]. Die Hauptursache dieses Schmerzes ist sowohl die Liebeserfahrung als auch der Verzicht auf dieselbe. Es ist ein ständiger Kreislauf: das Leben drängt ihn zur Liebeserfahrung, diese führt zum Schmerz und zum Verzicht. Durch die Abwendung im Verzicht aber entsteht eine innere Leere und für die Dichtung die Gefahr der Abstraktion und Blutlosigkeit, die auf einen inneren Tod hinausläuft, worauf wieder die Zuwendung zum Lebens- und Liebesbereich erfolgt und damit von neuem das Ausgeliefertsein an den Schmerz. Lorca ist sich dessen bewußt, daß ohne das immer neue Erlebnis des Schmerzes seine Dichtung zu Ende ginge; er spricht geradezu vom „wahren Schmerz, der die Dinge wach erhält".[24] Dieser wahre Schmerz aber entsteht dort, wo die Sinnenliebe, welche Lorca durch „Fische" verbildlicht, überwunden wird, im Todeskampf liegt, und sich in reine Kristalle verwandelt (423):

> Pero el verdadero dolor estaba en otras plazas
> donde los peces cristalizados agonizaban dentro de los troncos
> ...

Diesen schmerzvollen „Übergang", diesen „langen, geschmeckten Tod" wünscht er sich seiner Dichtung wegen (558):

> Mi amor de paso, tránsito, larga muerte gustada,

immer wieder gibt er dieser Grundvorstellung Ausdruck (496):

> quiero morir mi muerte a bocanadas,
> (ich will meinen Tod schluckweise sterben),

wobei mit „Tod" das Gewinnen eines neuen, höheren Lebenszustandes gemeint ist, in welchem die allzu menschlichen Wünsche des Herzens überwunden sind. So spricht er zu der sinnlichen „Soledad" in der *Romanze von der schwarzen Pein* (365):

---

[22] L. Lévy-Bruhl, *Die geistige Welt der Primitiven*. Darmstadt 1959, S. 351. Ähnlich S. 179: „Wenn sich folglich die Primitiven einen Akt dieser mythischen Kräfte vorstellen, so ist er in ihren Augen schon in diesem Moment wirklich, selbst wenn er erst später in Erscheinung tritt. Ereignisse können also gleichzeitig künftig und gegenwärtig sein."

[23] Weniger ausgeprägt ist dies in seiner frühen Dichtung. Später sind Dichtungen, die ein Glücksempfinden erkennen lassen, wie etwa *Cielo vivo* (428 f.), worin er sich in die glückliche Kindheit zurückversetzt fühlt, recht selten.

[24] El verdadero dolor que mantiene despiertas las cosas (423).

> Soledad: lava tu cuerpo
> con agua de las alondras,
> y deja tu corazón
> en paz, Soledad Montoya.[25]

Lorca verherrlicht den Schmerz. Das Weinen bringt ihm das unermeßliche Gefühl des Todes, die unermeßliche Fülle des Engels und die unermeßlichen Klänge der Musik, der Violine (497):

> Pero el llanto es un perro inmenso,
> el llanto es un ángel inmenso,
> el llanto es un violín inmenso, ...

und von sich selbst sagt er: „soy la sombra inmensa de mis lágrimas", „ich bin der ungeheure Schatten meiner Tränen" (492). Aus dem Schmerz, der Verwundung kommt das neue Blut „in der untilgbaren Dunkelheit"; es sind „immer verwundete junge Männer" (422)

> que manan la sangre nueva por la oscuridad inextinguible.

In dem Drama *Sobald fünf Jahre vergehen* rät der Alte dem Jüngling, auf die irdische Erfüllung seiner Liebeswünsche zu verzichten, die Liebe in seiner Brust zu verdichten, sie „verwundend ... zu machen" (959). Der Jüngling fühlt, daß „ganz innen" sein Fleisch schmerzt wie eine „Brandwunde" (961). Die Maske in diesem Stück äußert sich ähnlich: „Was tue ich ohne Wunden?" (1027). Diese konsequente, unbedingte Bejahung des Schmerzes führt in extremen Fällen zu Empfindungsweisen, die man nicht mehr normal nennen kann. Beispielsweise antwortet der Jüngling in dem eben erwähnten Drama auf die Frage des Alten, ob er seine Braut nicht noch mehr liebte, wenn er erfahren würde, daß sie ihn nicht liebe und sogar betrogen habe, mit einem begeisterten „Ja, ja". Auch Don Perlimplíns Liebesschmerz und sein Selbstmord, welcher die sinnliche Belisa emporheben und ihr eine Seele geben soll, berührt das Unnatürliche[26]. An solchen Stellen wird es spürbar, daß Lorcas Schmerzerfahrung doch nicht aus jener Tiefe des Erlebens stammt, aus der etwa die ergreifende Dichtung eines Leopardi aufsteigt. Der Reiz und die Schönheit von Lorcas Dichtung liegen in der bis in die kleinsten Einzelheiten hinein durchdachten Fügung einer vielschichtigen Natursymbolik und überquellenden Bildphantasie voll hintergründigem Bezug, der danach verlangt enträtselt zu werden und doch im Grunde geheimnisvoll bleibt. So wird die Beschäftigung mit dem Werk García Lorcas immer ein Ringen mit dieser Dichtung sein, aber gerade darin liegt ein stets lebendiger Anreiz für den Leser und Interpreten.

---

[25] (Soledad: wasch deinen Leib
mit dem Wasser der Lerchen
und laß dein Herz
in Frieden, Soledad Montoya.)

[26] Am Ende des Stücks, als er Selbstmord begeht, ruft Perlimplín aus: „Belisa hat jetzt eine Seele!" (926).

ANHANG

STRUKTURMERKMALE DIESER DICHTUNG

Wiederholungsprinzip und Kreisstruktur

Hinsichtlich der Struktur von Lorcas Dichtung möchte ich zwei Eigentüm-
lichkeiten hervorheben, die zwar nicht überall in seiner Dichtung beherr-
schend sind, aber doch mit einer solchen Häufigkeit auftreten, daß sie nicht
dem Zufall beigemessen werden können: ich meine das Prinzip der Wiederholung und eine Vorliebe für die kreisförmige Anordnung. Man könnte
diese beiden Strukturmerkmale auch das Prinzip des Echos und der zyklischen
Form nennen. Sie finden sich sowohl in Gedichten, wie in Dramen verwendet.

Offenkundig und daher leicht zu entdecken ist das auch von vielen
anderen Dichtern verwendete Wiederholungsprinzip. Man denke etwa an
den Anfang der Klage um Ignacio, wo dieses Stilmittel auf die Spitze getrieben wird: jeder zweite Vers lautet: „a las cinco de la tarde", „um fünf Uhr
am Nachmittag", (465 f.), womit dem Leser die Stunde eingehämmert wird,
in der Ignacio die tödliche Wunde empfing. Ähnlich wird als Ausruf des
Schmerzes in der *Romanze von der spanischen Guardia Civil* mehrfach der
Vers wiederholt: „¡Oh ciudad de los gitanos!" (O Stadt der Zigeuner!). Bei
den Dramen kann man an die *Bluthochzeit* denken. Dasselbe Schicksal, der Tod
durch den Dolch, das Messer, trifft die Männer der ganzen Sippe: den Mann
der Mutter, ihren Sohn, den anderen Sohn, welcher als Bräutigam auftritt,
und schließlich wird angedeutet, daß auch das kleine Kind der Frau so enden
wird. Die von versteckter Leidenschaft erfüllte Unruhe Leonardos im zweiten
Bild des ersten Aktes findet ihre Parallele in der entsprechenden Unruhe
der Braut des unmittelbar folgenden dritten Bildes. Wie die Mutter der
Braut als verschlossene Frau geschildert wird, die ihren Mann nicht liebte,
so verhält sich auch die Braut zu ihrem Bräutigam, usw.

Tiefer liegt das andere Strukturmerkmal der zyklischen Anordnung, der
kreisförmigen Denkform, das von Correa[1] wenigstens im Prinzip erkannt
wurde. Auch diese Vorliebe für die Kreisstruktur ist natürlich nicht auf
Lorca beschränkt. Leisegang hat gezeigt[2], und auch Spitzer ist diesem Gedanken nachgegangen[3], wie sich zwei verschiedene Denkarten, die zirkuläre und
die pyramidale, durch alle Jahrhunderte hindurch erkennen lassen. Die kreis-

---

[1] G. Correa, *La poesía mítica de Federico García Lorca*. Eugene, Oregon 1957.
[2] H. Leisegang, *Denkformen*. Berlin 1928 und 1951.
[3] L. Spitzer, „Le style «circulaire»", in *Romanische Literaturstudien 1936—1956*,
Tübingen 1959, S. 95—99.

förmige Denkform findet sich beispielsweise bei Heraklit, Paulus, Augustin, Hegel; die andere bei Demokrit, Aristoteles, Platon, Kant und bei manchen rationalistisch gerichteten Denkern. Die Denker der Kreisform sind, wie Leisegang herausgearbeitet hat, vornehmlich dynamische Menschen, für welche die Welt ein Organismus ist, die in der Vereinigung von Gegensätzen leben, welche ineinander umschlagen und miteinander verschlungen sind, wie Tag und Nacht, Leben und Tod, Liebe und Haß, Anfang und Ende. Lorca war solcher Art, und in der Tat verfaßte er eine große Zahl von Gedichten, in denen mindestens der Sinn, wenn nicht sogar der Wortlaut des Anfangs am Ende wieder erscheint, wodurch sich das Ganze zum Kreise schließt.

Betrachten wir etwa die berühmte *Somnambule Romanze* (358 ff.), eines der großartigsten Gedichte, das Lorca geglückt ist. Die ersten Verse sind den letzten gleich. Weiterhin sind in diesen alles umfassenden Gesamtkreis, wie man leicht sieht, weitere kleinere Kreise eingebaut. Mehr noch: einzelne Verse bilden als kleinstes Gedichtelement in sich selbst einen Kreis, wie z. B. der erste Vers „V e r d e que te quiero v e r d e", (G r ü n, wie ich dich liebe, g r ü n). Auch das Drama *Bluthochzeit* ist ein getreuer Spiegel zyklischen Denkens. In die Augen fällt sofort der große, das Ganze umfassende Kreis: Anfang und Ende handeln vom Zentralmotiv, dem Tod durch das Messer, und beide Male spricht die Mutter, die am tiefsten tragische Gestalt des Dramas. Aber das Stück enthält noch mehrere andere Kreisstrukturen, die man nicht auf den ersten Blick erkennt, z. B. die Wiegenliedszene im zweiten Bild des ersten Aktes.

Bezeichnet man sinngleiche Versgruppen (auch wenn sie nicht wortgleich sind) mit demselben Großbuchstaben A, A₁, A₂, B etc. und Einschübe, die sich nicht wiederholen, mit e₁, e₂, e₃, . . ., so läßt sich die Struktur leicht in einer Formel darstellen. Betrachten wir z. B. den ersten Teil der Wiegenliedszene (1094—1097, ehe Leonardo auftritt), so erhalten wir in der angedeuteten Bezeichnung[4]:

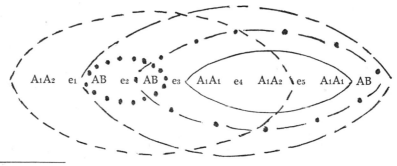

---

[4] A_1 = Nana, niño, nana

A = Duérmete, clavel, que el caballo no quiere beber.

A_2 = del caballo grande que no quiso el agua.

B = Duérmete, rosal, que el caballo se pone a llorar.

176

Man sieht, wie ein ganzes System zirkulärer Verknüpfungen (fünf Kreise) diesem Wechsel- und Rundumgesang des von der Schwiegermutter und Mutter gesungenen Wiegenliedes zugrunde liegt.

Da die inneren Kreise der Wiegenliedszene mit ihren teilweisen Überschneidungen ein etwas kompliziertes Bild bieten, so geben wir noch ein leichter überschaubares Beispiel einer kreisförmigen Anordnung mit dazwischen eingelegten Wiederholungen. Das zweite Bild von Akt II (1135 f.) beginnt mit dem „rueda"-Lied, dem Lied vom Reigen bzw. Rad. Der Übersichtlichkeit halber führen wir folgende Abkürzungen ein:

$$A = \text{Giraba,}$$
$$\text{giraba la rueda}$$

$$B = \text{y el agua pasaba,}$$
$$\text{porque llega la boda}$$

$$e_1 = \text{que se aparten las ramas}$$
$$\ldots$$
$$\text{cantaban los novios}$$

$$e_2 = \text{que relumbre la escarcha}$$
$$\ldots$$
$$\text{Galana de la tierra}$$

$$e_3 = \text{recógete las faldas}$$
$$\ldots$$
$$\text{de la sangre derramada.}$$

$$e_4 = \text{deja que relumbre el agua!}$$

Bei gleicher Bezeichnung sinngleicher Abschnitte ergibt sich folgender Aufbau:

$$\underbrace{A\ Be_1}_{\text{Anfang}}\ Be_2\ Be_3\ \underbrace{A\ Be_4}_{\text{Ende}}$$

Man erkennt die Kreisform, die das Ganze zusammenschließt, und das System der dazwischen eingelegten Wiederholungen (Be). Es ist offensichtlich, wie hier Gehalt (Lied vom Reigen bzw. Rad: Kreisform) und Gestalt (der umfassende Kreis) in schöner Entsprechung zueinander stehen.

Correa, der sich nicht die Mühe gemacht hat, den genauen Verlauf der Entsprechungen zu verfolgen, hat zwar das Prinzip der Kreisstruktur an einigen Stellen von Lorcas Dichtung erkannt, ist jedoch weit über das Ziel hinausgelangt und spricht auch dort von Kreisformen, wo solche gar nicht vorliegen. Er versucht, dieses Prinzip bis in den Versbau hinein zu verfolgen. So stellt er fest, daß zuweilen amphibrachysche Verse vorkommen, wie etwa oben in A oder in (1171):

Madeja, madeja,
¿qué quieres hacer?

Bis hierher wäre nichts einzuwenden. Anfechtbar erscheint mir Correas Meinung, daß der amphibrachysche Rhythmus zirkulärer Natur sei. Beißner sieht hierin eine Schaukel- bzw. Pendelbewegung, was mich sehr viel mehr überzeugt.

Auch das Messerlied, welches den Abschluß der *Bluthochzeit* bildet (1181 f.), ist keineswegs kreisförmig gebaut, wie Correa behauptet. Die ersten beiden Verse, welche die Mutter spricht, seien bezeichnet mit:

$$A = \text{Vecinas : con un cuchillo,}$$
$$\text{con un cuchillito,}$$

der nächste Vers heiße B und der folgende C. Darauf folgt wieder A, und der Rest der Rede der Mutter („que apenas... del grito") sei D genannt. Hierauf spricht die Braut die beiden A-Verse, es folgt die erste Zeile von D, die D' heißen möge. Der folgende Vers ist eine metaphorische Umschreibung des Messers (A), und damit ergibt sich folgendes Schema für das Messerlied, das mit dem besten Willen nicht als Kreis gedeutet werden kann:

$$A \; B \; C \; A \; D \qquad A \; D' \; A' \; B \; A \; C \qquad D.$$

Correa meint ferner (S. 76): „La canción epitalámica del acto segundo... revela aún con mayor evidencia su estructuración circular." Tatsächlich zeigt jedoch schon ein Blick auf die Art der Versgruppierung im Hochzeitslied, daß der Komposition ein Wiederholungsprinzip zugrunde liegt. So beginnen beispielsweise in den lyrischen Partien von S. 1119–1130 fünf Gruppen mit dem Vers „Despierte la novia"; vier andere mit „Baja, morena" bzw. mit analogen Ausdrücken („Que salga la novia" oder „¡Que salga, que salga!"), und man kann leicht noch weitere Wiederholungen auffinden[5]. In seiner

---

[5] Führt man die Abkürzungen ein:

$A_1 = $ Despierte la novia
$A_2 = $ la mañana de la boda
$A_1' = $ Baja, morena = Que salga la novia =
¡Que salga, que salga!

und bezeichnet weiterhin Versgruppen (bzw. Einzelverse), die sich wiederholen, mit Großbuchstaben, während die Reihe $e_1, e_2, e_3 \ldots$, die nicht wiederholten Gruppen darstellen möge, so ergibt sich für S. 1119–1130 die Formel:

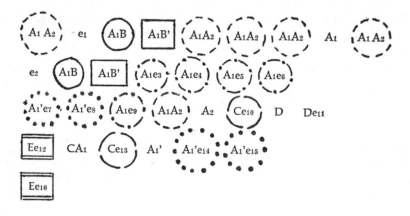

178

Absicht, Kreise zu erzwingen, achtet Correa nicht auf die innere Zusammengehörigkeit der Verspartien, sondern wählt seine Zitate so aus, daß der Anfang einer solchen Gruppe zum Ende der vorhergehenden hinübergezogen wird, wodurch der Eindruck einer Kreisform erweckt wird. In Wirklichkeit bilden nur die allerletzten Verse des Hochzeitsliedes am Ende des ersten Bildes von Akt II (1134 f.) einen echten Kreis; und zwar ergibt sich leicht bei folgender Bezeichnung

$$F = \text{¡Al salir de tu casa}$$
$$\text{para la iglesia,}$$

$$G = \text{acuérdate que sales}$$
$$\text{como una estrella!}$$

die Formel

$$\text{F G} \qquad \text{G} \qquad \text{F G}$$

Auch in den beiden parallel gebauten lyrischen Partien der Holzfäller im III. Akt (1158 f. und 1165) sieht Correa eine zirkuläre Struktur, was man hier allenfalls, cum grano salis, anerkennen mag. Genau genommen liegt jedoch kein echter Kreis vor, sondern eine Anordnung in der Art eines Rondeau vom Typus a b a b a a. Zum Verständnis dieser und vieler anderer Verse Lorcas ist es jedoch unerläßlich, daß man sich eingehend mit der Symbolik dieser Dichtung vertraut macht.

Eine kritische Ausgabe der Werke García Lorcas gibt es bis heute nicht. Die beim Verlag Aguilar in Madrid erschienenen „Obras completas" sind weder vollständig noch frei von Druckfehlern, aber reichhaltiger und auch durch die Anmerkungen und bibliographischen Angaben wertvoller als die ursprünglich bei Losada in Buenos Aires in vielen Auflagen erschienenen Werke Lorcas in acht Bänden.

Unsere Zitate beziehen sich, wie anfangs erwähnt, auf die Madrider Ausgabe, 3. Auflage 1957 — eine im Schlußteil erweiterte 4. Auflage ist 1960 hinzugekommen —, die auch sehr reichhaltige bibliographische Angaben von mehreren hundert Arbeiten über Lorca enthält, weshalb wir uns hier kurz fassen können, zudem wir uns bereits im Laufe unserer Untersuchungen verschiedentlich mit der Literatur über diesen Gegenstand auseinandergesetzt haben. Weitere Angaben findet man in den einschlägigen Bibliographien zeitgenössischer Werke und in den Literaturlexika, wie z. B. im *Dizionario universale della letteratura contemporánea*, Mondadori Editore, Vol. II, 1960, S. 375 f.

Wir fügen einige Kurzbesprechungen der wichtigsten von uns eingesehenen Literatur in alphabetischer Ordnung hinzu.

Alonso, Dámaso, „Federico García Lorca y la expresión de lo español". In: *Poetas españoles contemporáneos*, Madrid 1952, S. 271—280.
Der berühmte spanische Literarhistoriker und Dichter Dámaso Alonso hat Lorca persönlich gekannt. Er zeigt unter anderem, wie stark Lorca „in der Gefühlswelt seines Volkes verwurzelt ist". Auf eine genauere Analyse der einzelnen Werke geht Alonso nicht ein.

Barea, Arturo, *Lorca. El poeta y su pueblo*. Editorial Losada, Buenos Aires 1957, 138 S.
Barea erklärt den Dichter, den er nicht persönlich gekannt hat, weitgehend aus dem Brauchtum seines Volkes, insbesondere seiner andalusischen Heimat. Seine Dichtung kreist um zwei Pole: die Liebe und den Tod. Sie besteht aus einer Verbindung von Intellekt und sensuellen Empfindungen. Bareas Buch ist eine Erweiterung eines früheren Aufsatzes, den er bereits 1946 in englischer Sprache veröffentlicht hat[1].

Cirre, J. F., „El caballo y el toro en la poesía de García Lorca". In: *Cuadernos Americanos*, No. 6, 1952, Noviembre—Diciembre, S. 231—245.
Die Zusammenstellung der Zitate und die Ansätze zu einer Deutung geben dieser Abhandlung ihren Wert. Leider bleiben die Schlußfolgerungen zuweilen etwas unpräzis: „Creo haber dimostrado que el caballo es un hilo en la madeja del destino, anudado, implícitamente a su dueño. Pero el toro es quizá, la personificación del hado. Animal totémico inmolado en cerrado desafío con el sacrificante . . ." (S. 245).

Correa, Gustavo, *La poesía mítica de Federico García Lorca*. Eugene, Oregon 1957, 174 S.
Correa hat manche mythischen Elemente in Lorcas Dichten und Denken erkannt, sie aber nicht konsequent genug aus dem dichterischen Text selbst herausgearbeitet und gedeutet. Seine begrüßenswerte und keineswegs ober-

---

[1] A. Barea, „Federico García Lorca." In: *Writers of To-day*, Edited by Denys Val Baker, London 1946, S. 96—110.

flächliche Arbeit erweist sich trotz ihrer richtigen Ansatzpunkte als nicht hinlänglich untermauert. Dadurch erklären sich manche Fehlinterpretationen besonders im 6. Kapitel, welches die schwierige Gedichtsammlung *Poeta en Nueva York* zu deuten versucht.

Díaz-Plaja, Guillermo, *Federico García Lorca. Su obra e influencia en la poesía española*. 2. Auflage, Buenos Aires 1954, 210 S.

Díaz-Plaja, Ordinarius der Romanistik in Barcelona, Verfasser von über 50 Bänden und unzähligen Abhandlungen, nebenher auch Dichter, hat Lorca persönlich gekannt und bereits 1941 die wesentlichen Züge seiner Dichtung herausgearbeitet. Darauf geht das oben genannte Buch (1. Auflage, Buenos Aires 1948) zurück. Bedenkt man, daß damals viele wichtigen Werke Lorcas noch gar nicht gedruckt waren und kritische Arbeiten über den Dichter kaum vorlagen, so wird man diese Leistung umso höher schätzen. Im einzelnen konnte inzwischen manches vertieft werden, was bei Díaz-Plaja im Zustand einer Skizze verblieben ist, aber an Tiefe und Vielseitigkeit der Erfassung gehört dieses Buch heute noch zum Besten, was wir über Lorca besitzen.

Eich, Christoph, *Federico García Lorca. Poeta de la intensidad*. Madrid 1958, 199 S.

Zeituntersuchungen sind in der Literaturwissenschaft längst zur Mode geworden. Auch Christoph Eich, ein Schweizer aus der Zürcher Schule von Staiger und Spoerri, gibt eine solche, wobei er sich nicht zuletzt auf die Erkenntnisse des französischen Philosophen Gaston Bachelard stützt (*La dialectique de la durée*). Er stellt fest, daß die „Zeitstruktur bei Lorca in erstaunlicher Weise der Vitalzeit entspricht, die kaum je durch das Bewußtsein unterbrochen wird". Wie viel oder wenig mit solchen Feststellungen für die Erfassung eines Kunstwerks geleistet ist, möge hier nicht erörtert werden. Jedenfalls erhält das Buch von Eich seinen substantiellen Wert nicht zuletzt durch die Heranziehung und Interpretation einer größeren Zahl von Gedichten Lorcas.

Flecniakoska, J. L., *L'univers poétique de Federico García Lorca*. Bordeaux—Paris 1952, 147 S.

Flecniakoska hebt die Bedeutung der sensuellen Elemente, der Bilder und Symbole, der rhythmischen Formen, der thematischen Variationen im Werk Lorcas hervor. Auf Grund von einigen nicht systematisch gesammelten Beispielen sucht er der Technik, dem inneren Mechanismus dieser Dichtung auf die Spur zu kommen — ein schwieriges Unternehmen, das, auf einer breiteren Basis entwickelt, noch erfolgreicher gewesen wäre.

Flys, Jaroslaw M., *El lenguaje poético de Federico García Lorca*. Madrid 1955, 245 S.

Dieses Buch macht den begrüßenswerten Versuch, die Dichtung Lorcas durch eine stilistische Bilduntersuchung zu erfassen. Flys hofft, zu neuen Einsichten zu gelangen, wenn er die Unterscheidung der verschiedenen Bildarten möglichst weit treibt und rigoros durchführt. So trennt er voneinander ab die substantivische und die adjektivische Metapher, die Analogiemetapher, die fortgesetzte Metapher, die Satzmetapher und die metaphorische Komplikation. Bei den Symbolen unterscheidet er „emblema", „símbolo monosémico", „símbolo bisémico" etc. Bei diesen subtilen Unterscheidungen ist viel Scharfsinn aufgewandt worden. Dazu steht die Ausbeute an Erkenntnissen für die Dichtung Lorcas leider nicht ganz im wünschenswerten Verhältnis. Im wesentlichen gelangt Flys zu zwei neuen Einsichten. Die eine besteht in der Feststellung, daß in der ersten Schaffensperiode die Embleme vorherrschen, in der zweiten die Metaphern und in der letzten die Symbole.

Es steht für Flys fest, daß Symbole prinzipiell höher zu bewerten sind als Metaphern (S. 242 f.). Da ihm der Symbolreichtum einer Dichtung als ein bereits hinreichendes Kriterium für die hohe künstlerische Qualität derselben

181

erscheint, so glaubt er, damit die Begründung für eine radikale Umwertung einzelner Werke Lorcas erbracht zu haben. Dies ist die andere neue Einsicht. Da die Gedichtsammlung *Poeta en Nueva York* sehr viele Symbole enthält, so ist sie „una obra maestra de una profundidad asombrosa". Zwar bin auch ich der Meinung, daß dieses Werk bisher vielfach unterschätzt wurde, aber es bleibt die Frage, ob es Flys nicht überschätzt hat. Wie dem auch sei, die Erkenntnis des Wertes dieser Gedichte ist jedenfalls nicht notwendig an eine so weit getriebene Bilduntersuchung gebunden.

Gebser, Jean, *Lorca oder Das Reich der Mütter*. Stuttgart 1949, 74 S.

Günter W. Lorenz polemisiert in seinem unten erwähnten Buch heftig gegen Gebsers Versuch, gewissen untergründigen, mythischen Strömungen im Werke Lorcas nachzuspüren. Nun geht allerdings Gebser nicht in der wissenschaftlich üblichen Weise vor, und man tut gut daran, seine Ausführungen über die Bedeutung von „links" und „rechts", über die Vaterwelt, das Mutterreich, den Todesbezug u. a. mit kritischer Vorsicht zu lesen, aber er ist dabei nicht so prinzipiell auf falscher Fährte, wie seine Gegner behaupten.

Lorenz, Erika, *Der metaphysische Kosmos der modernen spanischen Lyrik (1936 bis 1956)*. Hamburg 1961. Abhandlungen aus dem Gebiet der Auslandskunde, Bd. 66, Reihe B. Völkerkunde, Kulturgeschichte und Sprachen, Bd. 37.

Die Verfasserin behandelt, wie schon der Titel ihrer Arbeit zeigt, im wesentlichen die spanischen Lyriker nach García Lorca, der bekanntlich 1936 im Bürgerkrieg umkam. Nur Lorcas späte Gedichtgruppe *El diván del Tamarit* wird beigezogen. Ergeben sich daher in bezug auf diesen Dichter nur wenige Gemeinsamkeiten mit den vorliegenden Untersuchungen, so ist mir die Arbeit von Lorenz doch eine willkommene Bestätigung meiner Überzeugung, daß der legitime Weg zum Verständnis dieser schwierigen Dichtung über eine möglichst weitgehende Klarstellung ihrer Metaphorik und Symbolik führt. In der Tat werden von Erika Lorenz, deren Habilitationsschrift erst nach Abschluß dieser Arbeit zu meiner Kenntnis gelangte, thematisch ähnliche Ziele verfolgt. Sie untersucht Symbolkreise, die auch für die hier unternommene Deutung von Lorcas Weltbild im Vordergrund stehen, wie das Wasser, die Erde, der Himmel mit jeweils anschließenden Einzeluntersuchungen über die Bedeutung des Blutes, des Mondes, der Steine und Metalle, des Feuers, der Luft und der Sonne.

Das Verdienst dieses Buches besteht vor allem darin, daß eine große Anzahl der wichtigsten, bei uns teilweise unbekannt gebliebenen spanischen Lyriker der Gegenwart erfaßt und gemeinsame Züge ihrer Metaphorik herausgearbeitet wurden. Dabei war es kaum zu vermeiden, daß manche Dinge etwas summarisch erledigt wurden, daß nicht alle Beispiele Beweiskraft besitzen und daß die Deutung mancher schwieriger Stellen etwa bei García Lorca vielleicht mit zu viel Vertrauen in den jeweils nächstliegenden, vordergründigen Sinn erfolgte.

Lorenz, Günter W., *Federico García Lorca*. Karlsruhe 1961, 307 S.

Es ist dies die erste größere und neben Gebsers Versuch einzige Monographie in deutscher Sprache über García Lorca. Sie beruht auf eigenen Erkundungen im Lande des Dichters und auf Mitteilungen des ihm befreundeten Übersetzers Enrique Beck. Die reiche ausländische Literatur ist von Lorenz nur wenig herangezogen worden. Der erste Teil befaßt sich mit dem Leben Lorcas und seinem Zeitalter. Besonders für deutsche Leser, welche die ausländischen Publikationen nicht kennen, bringt Lorenz manches Neue und entwirft ein lebendiges Bild von den äußeren Umständen. Wenig wissenschaftlich wirkt allerdings seine wiederholte und heftige Polemik gegen die heutige spanische Regierung. Lorenz geht nämlich von der festen — meines Wissens bis heute weder schlüssig bewiesenen noch endgültig widerlegten — Annahme aus, daß

Lorca einem von höherer Stelle geplanten Mord und nicht einer Privatrache zum Opfer gefallen sei. Der zweite Teil handelt von der Dichtung und bringt für den Kenner kaum Neues.

Mora Guarnido, José, *Federico García Lorca y su mundo. Testimonio para una biografía.* Edit. Losada, Buenos Aires 1958, 240 S.

Der Verfasser war mit dem jungen Lorca befreundet. Er gibt eine ausführliche Darstellung der Granadiner und Madrider Jahre von 1915 bis 1923. Niedergeschrieben sind diese Erinnerungen eines Augenzeugen allerdings erst 1958, also etwa 35 Jahre später. Mora Guarnido mußte fast stets auf genaue Datierungen verzichten. Dies ist insbesondere im Hinblick auf das wichtige Problem einer Chronologie der Gedichte sehr bedauerlich, denn sie sind oft gar nicht und manchmal versehentlich von Lorca selbst falsch datiert worden. Auch über die Bücher, welche Lorca in jenen Jahren las, erhält man leider nur eine summarische Auskunft: Lope de Vega, Tirso de Molina, Juán Pérez de Montalván, Góngora, Rubén Darío und Valle-Inclán.

Unsere aus den Symboluntersuchungen gewonnene Erkenntnis, daß Lorca schon in jungen Jahren ein in seinen wesentlichen Zügen ausgeprägtes Weltbild und ein fest geformtes dichterisches Bildsystem besaß, wird von Mora Guarnido aufgrund seiner persönlichen Kenntnis des Dichters mehrfach bestätigt. Die Art der Darstellung ist überwiegend sachlich. Nur an einigen Stellen bricht ein polemischer Ton durch, besonders im letzten Kapitel, wo sich der Verfasser empört über die Art, wie Jean-Louis Schonberg (s. u.) die Ermordung Lorcas beschönigt und falsch dargestellt habe. Mora Guarnido ist überzeugt, daß Lorcas Tod von hoher Stelle geplant war, wobei auch der Neid auf diesen Dichter, der überall Bewunderung erweckte, mitgespielt haben könne.

Morla Lynch, Carlos, *En España con Federico García Lorca. (Páginas de un diario íntimo 1928-1936).* Madrid 1957, 498 S.

Wie der Titel erkennen läßt, handelt es sich um Tagebucherinnerungen. Sie sind in erster Linie für eine künftige Biographie Lorcas von erheblichem Interesse.

Nourissier, François, *F. García Lorca dramaturge.* In der Sammlung „Les Grands dramaturges", Band 3, Paris 1955, 160 S.

Nourissier behandelt Lorcas Dramen und beschränkt sich dabei auf die wichtigsten, deren Inhalt er angibt und mit Bemerkungen versieht, die für die Inszenierung von Wert sind. Die große Bedeutung des Todes in diesen Dramen ist ihm nicht entgangen, und auch über die Rolle der Frau weiß er manches Treffliche zu sagen.

Dieses Buch gelangte erst nach Abschluß meiner Arbeit in meine Hände. Ich sehe, daß Nourissier auch die Wichtigkeit der Symbole in Lorcas Dichtung klar erkannt hat. Er versucht hauptsächlich die folgenden Sinnbilder zu deuten: das Wasser als Fruchtbarkeit, die Rose als sinnliche Liebe, das Pferd als sinnliches Begehren und Kraft des Mannes, das Messer als Verdinglichung des Todes und das Kind als poetisches Zeichen in den Dramen.

Zu der Erkenntnis der mythischen Doppelbedeutung der Symbole Lorcas ist Nourissier nicht vorgestoßen. Ferner reicht es natürlich nicht hin, wenn er nur ein halbes Dutzend Bilder entschlüsselt und viele grundlegende Symbole wie etwa den Mond nicht erwähnt.

Allzuwenig Respekt vor der Leistung eines großen Dichters führte zu einer Fehlinterpretation des Dramas *Sobald fünf Jahre vergehen.* Mit Urteilen wie „confusion des mouvements", „la gratuité de l'ensemble" und der ungerechtfertigten Behauptung „... la banalité des symboles étonne dans ce long bavardage poétique" kann man dieses gewichtige, wenn auch etwas undramatische Stück nicht abtun.

Olles, Helmut, „Federico García Lorcas dichterisches Werk." In: *Hochland*, 51. Jahrg., Dezember 1958, S. 143—156.
Eine lesenswerte, konzentrierte Darstellung, die einen guten Überblick vermittelt, viele Probleme anschneidet und nur in wenigen Einzelheiten angreifbar ist.

Schonberg, Jean-Louis, *Federico García Lorca. L'homme — l'oeuvre*. Paris, Librairie Plon, 1956, 360 S.
Schonberg hat trotz vieler sehr anfechtbarer Thesen und Gedichtinterpretationen einen gewichtigen Beitrag zur Kenntnis vom Leben und Werk Lorcas gegeben. Sein Gegner, der oben genannte Mora Guarnido, dürfte zu weit gehen, wenn er Schonberg verdächtigt, er habe sein Buch im Auftrag phalangistischer Kreise geschrieben. Diese Unterstellung steht mindestens im Widerspruch dazu, daß Schonberg sowohl Spanien wie auch den spanischen Katholizismus, der bekanntlich mit der heutigen Regierung in enger Verbindung steht, mehrmals geringschätzig beurteilt (z. B. S. 223, 231). Mora Guarnido empört sich besonders auch darüber, daß Schonberg von homosexuellen Neigungen Lorcas spricht — eine übrigens in Spanien weit verbreitete, freilich unbewiesene Meinung — und annimmt, daß diese bei der Privatrache, welcher Lorca nach Schonbergs Überzeugung zum Opfer fiel, ebenfalls eine Rolle gespielt haben. Wie dem auch sein mag, es scheint auch mir unbestreitbar, daß in der Dichtung Lorcas mindestens latent-homoerotische Züge zu finden sind, worauf ich im Kapitel I (S. 18 f.) dieser Arbeit auch zu sprechen kam. Leider hat Schonberg seine These etwas überspitzt und einen großen Teil der Dichtung in einer Weise interpretiert, die nicht akzeptabel wirkt. Auch begeht er bei seinen Übertragungen der Texte Lorcas ins Französische manche Unzulässigkeiten. Ob er damit seinen manchmal gewagten Interpretationen mehr Überzeugungskraft verleihen wollte?[2]

Xirau, Ramón, „La relación Metal-Muerte en los poemas de García Lorca". In: *Nueva Revista de Filología Hispánica*, Tomo VII, año 1953, S. 364—371.
Eine konzentrierte und gut begründete Arbeit über den Zusammenhang der Metalle, insbesondere des Messers, mit der Todessymbolik im Werke Lorcas.

---

[2] Eine Entstellung ist z. B. Schonbergs Übertragung der Zigeunerromanze *San Rafael II* (Aguilar[3], S. 369 f.; Schonberg, S. 203). Ein anderes Beispiel: Schonberg übersetzt (S. 202) „números nones" (Aguilar[3], S. 368) mit den „Ziffern neun" (statt „ungerade Zahlen"!) und interpretiert abwegig aus dem falsch übersetzten „jeu des globes et des chiffres[9]" kurzerhand „de transparentes allusions à des divertissements spéciaux entre invertis".
Kaum annehmbar ist Schonbergs Interpretation des Gedichts *Soledad* (Aguilar[3], S. 541 ff.), das eine Huldigung Lorcas an Luís de León darstellt, den berühmten, spanischen Mönch und Dichter des 16. Jahrhunderts. Dieses Gedicht ist ein tief empfundener Klagegesang über die Doppelheit und Zwiespältigkeit des Lebens und damit ein echter Ausdruck von Lorcas eigener Welthaltung. Schonberg dagegen sieht hierin nur ein raffiniert kaschiertes Homosexuellengedicht, entstanden aus dem Bruch mit seinem Freund Dalí. Beispielsweise ist das Wort „Architektur" für Schonberg unzweifelhaft — und daher bedarf es keiner Begründung — ein Sexualsymbol. Aus „clavar tu carne oscura" wird ein obszönes „se ficher en l'obscur de ta chair". Der im Gedicht vorkommende „Schwan" wird von Schonberg ohne weiteres mit Leda assoziiert, und dieser Name ist eine Umkehrung von Da-Le, was natürlich (beinahe!) den Namen von Lorcas Freund Dalí ergibt. Ob richtig oder falsch, man sieht, an Phantasie fehlt es dem Interpreten nicht.

INHALTSVERZEICHNIS

Vorbemerkungen 5

Kapitel I: Einführung in die Welt Lorcas

Sein Verhältnis zu Spanien und Nordamerika. Seine Stellung zur
Religion. Seine Auffassung von der Frau und der Liebe 7

Erstes Beispiel für Interpretationsschwierigkeiten
Amantes asesinados por una perdiz
(Hommage à Guy de Maupassant) 19

Kapitel II: Natursymbole

Einführung 29
Die Sonne (El sol) 30
Der Mond (La luna) 35
Symbolbereich Erde
   Die Erde (La tierra) 44
   Sand (arena) 46
   Kalk (cal) 47
   Berg, Gebirge (monte, sierra) 48
Symbolbereich Wasser
   Das Wasser (agua) 51
   Schnee (nieve) 55
   Meer (mar) 56
   Regen (lluvia) 59
   Fluß, Strom (río) 60
   Tau (rocío) 63
Symbolbereich Luft
   Die Luft (aire) 65
   Brise (brisa) 70
   Wind (viento) 73
   Wolke (nube) 78
Pflanzensymbolik
   Vorbemerkung 80
   Rose (rosa) 80
   Gras (hierba) 84
   Lilie (lírio, azuzena) 87
   Orange und Orangeblüte (naranja, toronja, azahar) 89

Ölbaum (olivio) 90
Pappel (álamo, chopo) 93
Baum (árbol) 94
Jasmin (jazmín, biznaga) 95
Nelke (clavel) 96
Narde (nardo) 97
Apfel (manzana) 97
Binse und Schilf (junco, caña) 98
Efeu (hiedra, yedra) 99
Moos (musgo) 99
Dahlie (dalia) 99
Lorbeer (laurel) 100
Einige weitere Pflanzen 100
(Alge, Anemone, Brennessel, Eiche, Eisenkraut, Farn, Hyazinthe,
Immortelle, Myrte, Narzisse, Oleander, Quitte, Sonnenblume,
Veilchen, Zitrone, Zypresse)
Tiersymbolik
Pferd (caballo) 103
Hund (perro) 106
Fisch (pez) 110
Kuh (vaca) 114
Frosch, Kröte, Grille und Zikade 115
Hahn (gallo) 119
Ziegenbock (macho cabrío) 120
Schlange (sierpe, serpiente) 122
Nachtigall (ruiseñor) 127
Taube (paloma) 129
Einige weitere Tiersymbole 130
Schmetterling (mariposa), Spinne (araña) 131
Vogel (pájaro), Schildkröte (tortuga), Lamm (cordero) 133
Ameise (hormiga) 134
Biene (abeja) 135
Stier (toro) 136

Kapitel III: Weitere Symbole — Schlußbemerkungen zu
Lorcas Symbolik

Farbensymbolik 137
Zahlensymbolik 146
Torbogen (arco) 149
Schatten (sombra) 150
Spiegel (espejo) 151
Kristall (cristal) 154
Das Hohle, Leere (hueco, vacío) 155
Schlußbemerkungen zu Lorcas Symbolik 156

Kapitel IV: Drei Gedichtinterpretationen und Folgerungen
zu Lorcas Art und Dichtung

Gedichtinterpretationen
    Tod 159
    Kasside von den dunklen Tauben 161
    Kasside von der unmöglichen Hand 165
Zu Lorcas Art und Dichtung
    Seine Arbeitsweise als Dichter. Skepsis und Agnostizis-
    mus. Formen mythischen Denkens. Dichtung aus dem Schmerz . 170

Anhang: Strukturmerkmale dieser Dichtung

Wiederholungsprinzip und Kreisstruktur 175
Bibliographische Hinweise 180